OLGA SAWICKA

BESTIA

02-674 Warszawa, ul. Marynarska 15
Dział handlowy: tel. 22 360 38 42
Sprzedaż wysyłkowa: tel. 22 360 37 77

Opieka literacka: Agnieszka Jeż
Redaktor prowadzący: Marcin Kicki
Redakcja: Agnieszka Szmatoła/Słowne Babki
Korekta: Lena Marciniak-Cąkała, Jerzy Bandel/Słowne Babki
Skład i łamanie: TYPO Marek Ugorowski
Projekt okładki: Marcin Czekała
Opracowanie graficzne okładki: KARANDASZ/www.karandasz.com.pl
Zdjęcie na okładce: Mulderphoto/AdobeStock

Książka inspirowana serialem TVN *Pułapka*.

ISBN: 978-83-8053-608-1
Druk: Abedik S.A.

www.kultowy.pl
www.burdaksiazki.pl

Dla A.

Prolog

Przez chwilę jeszcze próbowała walczyć; to naturalny odruch każdej żywej istoty – w obliczu nadchodzącej śmierci organizm uruchamia dodatkowe siły, następuje pełna mobilizacja.

Straceńcza szamotanina trwała kilka minut. Potem ruchy zaczęły słabnąć, między kolejnymi szarpnięciami następowały przerwy, zrazu krótkie, z czasem coraz dłuższe. Momenty zrywu oddawały pola chwilom bezruchu. Opadała z sił, ale wciąż próbowała walczyć o swoje życie.

Kres nastąpił wtedy, gdy do akcji wkroczyło zwątpienie. Jeszcze przez chwilę się szamotała, jeszcze poderwała do walki, ale on wiedział już, że przegra. Będzie powoli konać, aż w końcu umrze. Widział to wiele razy; początkowo nie potrafił patrzeć na to bez łez. Gdy pierwsza z nich wpadła w pułapkę, serce waliło mu jak oszalałe. Miał nadzieję, że sobie poradzi, jakoś się wyrwie. Jasne, on też ich nie znosił, drażniły go, irytowały, burzyły spokój. Chciałby, żeby zniknęły, ale nie w ten sposób. Albo żeby przynajmniej on nie musiał na to patrzeć.

Ale nie miał wyjścia. Lep był przyczepiony do haczyka wbitego w drewnianą belkę, pod którą ustawiono stół kuchenny. Zapobiegliwie, żeby nie trzeba było zbyt często stawać na taborecie i zmieniać plastrów, odcięto pokaźny kawałek, który teraz był w sporej części zaczerniony muszymi ciałami.

Chłopiec przełknął ślinę. Opuścił głowę i wbił wzrok w blade niezapominajki na ceracie. Dlaczego przygląda się tym muchom? Przecież mógłby w ogóle nie spoglądać w ich stronę, udawać, że ich tam nie ma. Gdyby nie patrzył, to byłoby trochę tak, jakby ich wcale nie było. Próbował, ale mu się nie udawało. Nie, nie patrzył dlatego, że lubił oglądać ich agonię, jak mu to kiedyś on powiedział, a potem się zaśmiał tym swoim grubym, wcale nie wesołym śmiechem. Patrzył z nadzieją, że kiedyś którejś uda się uciec, wywinąć losowi.

Do tej pory nie udało się żadnej.

Żeby już o tym nie myśleć, żeby się uspokoić, sięgnął ręką do kieszeni krótkich płóciennych spodni. Wyciągnął z nich jutowy woreczek związany parcianym sznurkiem. Rozsupłał go i delikatnie wysypał jego zawartość. Szklane kulki potoczyły się po stole.

Były piękne: błyszczące, gładkie, jakby idealnie wyszlifowany lód. Ale najciekawsze kryło się w ich wnętrzach: kolorowe drobinki, jak miniaturowe konfetti. Każda kulka była inna; niektóre kryły w sobie całą paletę kolorów, inne były jednobarwne.

To był jego skarb, najwspanialsza rzecz, jaką kiedykolwiek dostał. Dobrze pamiętał ten dzień. Pojechali wtedy z mamą do samego miasta, na plac, gdzie rozstawiło się wesołe miasteczko. Przejazd na karuzeli był niesamowity, ale z tych emocji we wspomnieniach zachowało się tylko falowanie karego konika, na którym siedział, i złudna miękkość jego grzywy. Kiedy karuzela stanęła, jeszcze przez chwilę mu się wydawało, że wszystko dokoła się kręci. Mama się śmiała, ale tak ciepło, dobrze. Pięknie wtedy wyglądała w tej żółtej sukience, butach na obcasie i z uszminkowanymi ustami. Gęste jasne włosy spięła w wysoki kok, włożyła białe klipsy. Najpiękniejsza mama na świecie.

A potem wzięła go za rękę i poprowadziła między stragany. Strzelby, pistolety, lalki, figurki, gwizdki, święte obrazki – czego tam nie było! I te kulki. Jedna wyjęta z woreczka, na zachętę, do obejrzenia, reszta skryta w jucie. Sprzedający zobaczył, że chłopiec wpatruje się w tę kulkę jak urzeczony. Sięgnął po woreczek i po chwili w jego dużej dłoni zagrzechotało i zabłyszczało wiele kulek. Chłopiec od razu zauważył, że choć są podobne, to jednak każda jest inna. Mężczyzna zachęcił go wzrokiem; chłopiec zanurzył swoją małą rączkę i delikatnie, ujmując ją między kciukiem i palcem wskazującym, wyciągnął jedną kulkę. W szkle zatopiono niebieskie drobinki; niebieskie jak oczy mamy. I jak te niezapominajki na ceracie.

Mama kupiła mu je wszystkie. Wracał wtedy do domu, jedną ręką ściskając dłoń mamy, drugą – woreczek z kulkami. Był najszczęśliwszy na świecie.

Teraz już nie był taki szczęśliwy. Bał się.

Prażyło sierpniowe słońce. Zza okna słychać było pokrzykiwania i jakieś śmiechy. Dzieci z okolicznych domów biegały po podwórku, wzniecając tumany kurzu. Chłopcy pewnie grali w piłkę albo bawili się w zabijanie żab. Nie lubił ani tych zabaw, ani tych chłopców. Śmiali się z niego. Był niższy, słabszy, mniej sprawny. Poszturchiwali go i popychali. „Poskarż się ojcu" – rechotali.

Nie miał ojca, nigdy go nie miał.

Miał mamę, ale mama była zajęta.

Chciałby, żeby do niego przyszła, żeby go przytuliła. Czasem to robiła, bywało, że zmierzwiła mu włosy, gęste jak u niej. Ale musiała mieć dobry humor i nie pić.

A teraz piła. Oboje pili, ona i wujek. Kazała nazywać go wujkiem i nie denerwować. Nie przeszkadzać im.

Siedział więc przy stole, cicho i grzecznie.

Zaczął delikatnie turlać kulki. Najpierw tylko dwie, od prawej do lewej dłoni, powolnymi posunięciami. Potem dołączył kolejne dwie; toczyły się po ceracie, zgrabnie się wymijając. Kolorowe drobinki w środku wirowały.

Kulek przybywało, sztuczka stawała się coraz trudniejsza. Co jakiś czas szkło stukało o szkło, a uderzone kulki odskakiwały od siebie, głucho uderzając o stół.

Z pokoju obok, oddzielonego od kuchni grubą brązową kotarą, dobiegły jakieś głosy. Męski był donośniejszy, zdenerwowany. Kobiecy coś bełkotliwie tłumaczył.

Głosy stały się coraz głośniejsze. Już wolał te postękiwania, jęknięcia, a potem ten okropny śmiech. Wtedy był bezpieczniejszy. I mama też była bezpieczniejsza. Wówczas nic jej nie groziło. Kiedy nie leżała z wujkiem w łóżku, bywało różnie. „Ma ciężką rękę" – tłumaczyła siniak na policzku.

Usłyszał ciężkie klapnięcia bosych stóp na drewnianych deskach, narastające, nadchodzące.

Kotara się rozchyliła i do kuchni wszedł rosły mężczyzna. Miał na sobie rozciągnięty i wymięty podkoszulek, który odsłaniał barczyste ramiona. Na jednym z nich był tatuaż – kobieta, ale z rybim ogonem. „Syrena" – śmiała się mama, a on ją wtedy klepał po pupie. Nie podobała mu się ta syrena, było w niej coś złowrogiego.

Poczuł zapach wódki. I potu.

Skulił się odruchowo.

Mężczyzna podszedł bliżej stołu.

– Idź na podwórko – powiedział.

Chłopiec, nie podnosząc wzroku, pokręcił głową. Tamci by go znowu dręczyli. I mamy nie powinien zostawiać.

– Spierdalaj, mówię. – Mężczyzna oparł się dłońmi o stół.

Chłopiec znowu pokręcił głową. „Gdzie jest mama?" – pomyślał.

– No ruszże się! – Mężczyzna uderzył go w ramię. Zabolało; dłoń była duża, twarda. Dłoń stolarza.

Kotara znowu zafalowała. Kobieta zrobiła kilka kroków. Z trudem utrzymywała równowagę.

– Coo? – zapytała bełkotliwie.

– Mówię, żeby wyszedł, gówniarz jeden. Dziwadło takie. Co za chłop z niego wyrośnie? – Mężczyzna odwrócił się w jej stronę.

Zrobił się czerwony na twarzy. Od alkoholu, gorąca, ze złości.

– Daj spookóój... – Kobieta się zachwiała. Oparła się plecami o ścianę i powoli zsunęła na podłogę. Przez chwilę siedziała z podkurczonymi nogami; biała halka na ramiączkach się podwinęła, odsłaniając obfite owłosienie łonowe. Jedno ramiączko zawisło na krągłym ramieniu, pociągając za sobą stylon. Materiał zatrzymał się na ciemnobrązowym sutku.

Chłopiec nie chciał oglądać takiej mamy. Zamknął oczy. Pod powiekami pojawiła się inna mama – przy straganie, ładna, uśmiechnięta, jego.

Mężczyzna szarpnął go za koszulkę. Materiał zatrzeszczał, gdzieś puścił szew.

– Idź, kurwa. No idź.

Chłopiec zadrżał. Zaraz się rozpłacze, a tego wujek nie lubi chyba najbardziej. „Jaka baba" – sarknie. I uderzy.

– A jak ty chłopaków na podwórku nie lubisz, to może ty podglądać lubisz, co? No?

To było coś nowego. Do tej pory chłopiec tego nie słyszał.

– Pewnie, że tak. Tyś taki sam chujek, jak twój ojciec. To ja ci pokażę.

W głosie mężczyzny była złość, coś więcej nawet. Zrobił się jak Azor u sąsiadów, kiedy chłopcy zastawili wejście do budy szeroką deską i walili w tę budę kijami. Potem, gdy wreszcie odsunęli deskę, Azor wystrzelił jak oszalały. Szarpał łańcuch, odsłaniał kły, oczy miał dzikie, z pyska kapała mu ślina.

Mężczyzna popchnął chłopca. Ten próbował się schwycić ceraty, ale drobne palce prześlizgnęły się po materiale. Obdrapany taboret się zachwiał. Chłopiec spadł na zimne deski. Zabolało go ramię. Próbował się podnieść, ale ciężka dłoń chwyciła go za szyję i przydusiła do podłogi. Paznokcie bezsilnie drapały drewnianą podłogę. Leżał na brzuchu, na płasko, wyswobodził tylko głowę, przekręcając ją na bok. Jednym okiem patrzył na matkę, drugą połowę twarzy miał przyklejoną do podłogi. Matka też na niego patrzyła, ale go nie widziała. Ona też była jak ten Azor, tylko jakby na odwrót: on chciał rozszarpać wszystkich, jej było wszystko jedno.

Mężczyzna wsunął dłoń między podłogę a brzuch chłopca. Przez chwilę się mocował z guzikiem jego krótkich spodni. W końcu udało mu się przecisnąć go przez otwór. Szarpnął materiał, zsuwając spodenki aż do kostek. Zostawił je tam. Potem pociągnął za gumkę bawełnianych majtek; za mocno. Rozległ się trzask i guma puściła, rozprężając się. Mężczyzna schwycił trykot i obciągnął majtki poniżej kolan chłopca.

Scenariusz zawsze był taki sam – on ściągnie mu spodnie i majtki i spuści lanie. A ona będzie patrzeć. Teraz jednak było inaczej. Mężczyzna był tylko w kalesonach, bez spodni, z których w takich sytuacjach wyciągał skórzany pasek, i potem, w zależności od przewiny, bił końcem z dziurkami albo ze sprzączką.

Chwila nadziei. „Jest podpity, zezłościł się, ale teraz się ocknie i odpuści" – pomyślał chłopiec.

Ucisk wokół szyi na chwilę zelżał. Chłopiec kątem oka zobaczył, że mężczyzna wykonuje jakieś ruchy ręką wokół swoich bioder. Stęknął, wyprężył się jak kot, a potem przesunął dłonią wzdłuż nóg. W końcu wierzgnął jedną stopą, odpychając od siebie biały materiał – swoje kalesony.

Chłopiec wiedział, co się dzieje, gdy wujek się tak rozbiera przy mamie. Ona się kładła, on na niej i oboje zaczynali się trząść i stękać. Podejrzał ich kiedyś przez szparę w zasłonie. „On jej wkłada – śmiali się koledzy na podwórku. – Każdy facet to robi, i potem się rodzą dzieci. Albo bękart, jak ty".

Ale on przecież nie był kobietą, nie był matką.

Mężczyzna rozsunął mu nogi. I wtedy chłopiec zrozumiał, że zaraz stanie się coś okropnego.

Ból był nie do wytrzymania. Uderzenia metalowej sprzączki o gołe pośladki wydawały się przy tym delikatnym poklepywaniem. Raz za razem. Piekło, szarpało, rozrywało od środka. Cierpienie rozlewało się po całym ciele, wędrowało przez żołądek do gardła. Kwaśna gula rozrastała mu się w buzi. Pchnięcie za pchnięciem, coraz szybsze. Mężczyzna zaczął dyszeć, przyspieszył. Chłopiec jednym zapłakanym okiem patrzył na matkę. Miała otwarte oczy i też patrzyła, ale jej wzrok nie zatrzymywał się na synku, tylko przenikał go i wędrował gdzieś dalej.

– Uhh! – Finalne sapnięcie.

Nacisk zniknął, została wilgotna, pulsująca bólem rana.

Mężczyzna podniósł się, wciąż posapując. Przez chwilę postał, potem wciągnął kalesony. Podszedł do stołu. Chłopiec leżał i się trząsł. Patrzył na niego.

– No to się dowiedziałeś, co to znaczy być prawdziwym mężczyzną.

Powietrze świsnęło i mężczyzna zamaszystym ruchem zmiótł kulki ze stołu. Kolorowe refleksy na chwilę zawisły w powietrzu, a potem rozległa się seria brzdęknięć. Część kulek rozprysła się, uderzywszy o podłogę, inne potoczyły się w różnych kierunkach – pod kredens, za kotarę, w kierunku sieni.

Mężczyzna odwrócił się i poszedł do pokoju. Chłopiec usłyszał głuche plaśnięcie, a po jakimś czasie chrapanie. Dopiero wtedy spróbował się podnieść. Kostki wciąż miał oplecione swoimi spodniami i majtkami. Zsunął je dłonią i stanął na trzęsących się nogach. Schylił się po bieliznę. Poczuł wilgoć na udzie. Spojrzał i zobaczył smugę krwi. Na miękkich nogach powoli podszedł do pieca i ściągnął z niego ścierkę. Zaczął się wycierać. Bolało i piekło, krew mieszała się z czymś mlecznym.

Chłopiec starannie złożył i schował zabrudzoną ścierkę w wiadrze z węglem. Wciągnął majtki i spodnie. Klęknął i na kolanach zaczął powoli sunąć po deskach. Syknął – nie zauważył drobinek szkła i oparł na nich dłoń. Ostre okruchy wcisnęły się pod skórę. Powoli zbierał ocalałe kulki i wkładał je do kieszeni spodni. Ostatnia doturlała się do matki. Chłopiec przesunął się w jej stronę. Wyciągnął dłoń i zgarnął tę najładniejszą, ostatnią, niebieską. Potem podniósł wzrok i zatrzymał go na twarzy matki.

Ona jakby na chwilę wróciła, zamglony błękit jej oczu na moment się rozjaśnił.

– No i coo? Nie patrz tak na mniee… – wybełkotała.

Przymknęła powieki i zaczęła głośno oddychać przez półotwarte usta.

Chłopiec rozejrzał się po kuchni. Powoli, przełamując ból, wstał i podszedł do stołu. Spojrzał na lep. Ostatnia ofiara jeszcze lekko ruszała skrzydełkami.

Sięgnął po woreczek i przełożył do niego kulki z kieszeni.

To, co się stało, było okropne. Wujek, mama, kulki. Strach, łzy, ból, upokorzenie, lęk, niesprawiedliwość, osamotnienie. Coś przecież powinien teraz czuć.

Ale nie czuł nic. Już nie czuł nic.

Rozdział 1

Winogrona bujnymi kiściami zwieszały się z gałązek. Widziała takie na plantacjach w Słonecznym Brzegu. Wielkie żółte głowy słoneczników, ogromne kolby kukurydzy i te bujne kiście drobnych winnych gron. Jak wiele zależy od klimatu – słońce i ciepło, lekki wiatr, błękitne niebo i życie rozkwita. Tu podobno już w październiku trzeba kożuch z szafy wyciągać. Wtedy urlop się kończył; początkowe zaczerwienienia zdążyły się już zmienić w karmelową opaleniznę; zostały tylko skromne białe paski pod skąpym dwuczęściowym opalaczem. Wiedziała, że wspólnie będą się z nich śmiać, kiedy on ściągnie z niej dżinsy i koszulkę i powie, jak bardzo za nią tęsknił, a potem wycałuje każdy kawałek jej ciała: opalonego i nieopalonego.

I tak było, kiedy się kochali w użyczonym przez kolegę domku letniskowym nad Zalewem Zegrzyńskim. Jeździli tam nawet jesienią i zimą, włączając w małym pokoju farelkę. Bujną wiosną, kiedy natura bardziej sprzyjała ich gorączkowemu romansowi, wszystko się zawaliło. Podobno żona dowiaduje się ostatnia; widać żony podpułkowników mają lepszy wywiad. Pani Rolska nie zrobiła afery na całą komendę, przeprowadziła to w białych rękawiczkach. „Ona jest pragmatyczna nie z wyboru, a z charakteru" – stwierdził Andrzej. I ma ojca w SB, pułkownika. To on załatwił Adzie ten „awans". Nie wiedziała, co ją bardziej zabolało: czy to, że Andrzej postawił na rodzinę („Dzieci, trzy i pięć lat, wyobrażasz sobie, że je zostawiam?"), czy to, że została zesłana na koniec świata, do komendy, gdzie najbardziej spektakularne sprawy ostatniego roku to bimbrownia, przywłaszczenie mienia w zakładach maszynowych i pijacka burda.

„O Boże"– jęknęła w duchu.

– O kurwa – powtórzyła zduszonym szeptem.

Zaklęcia jednak nie pomagały. Nie tym razem. Głowa rozpadała się na kawałki, a wysuszone wargi bolały. Niepamięć wczorajszego dnia sączyła niepokój i niejasne poczucie winy. Poranek zapowiadał się fatalnie, a cały dzień pewnie będzie przypominać brudną szmatę.

Postanowiła przyjrzeć się winogronom na etykiecie z pozycji pionowej. Ostrożnie usiadła na tapczanie. Świat zawirował. Butelka była prawie pusta, na dnie została odrobina bursztynowego płynu. „Winiak luksusowy, ale kac zwyczajny" – pomyślała.

Przez chwilę po przebudzeniu nie wiedziała, gdzie się znajduje. Po to właśnie piła – żeby wieczorem paść w białą pościel ostemplowaną grantową pieczątką „MO KOM. MIEJ. SUWAŁKI" i stracić przytomność, a rano jeszcze przez moment nie przypominać sobie, co się wydarzyło przed trzema miesiącami.

„Chujoza" – mówili koledzy ze stołecznej, kiedy jakaś sprawa szła im wyjątkowo opornie.

„Chujnia" – mówiło się tu, w Suwałkach. Bliżej do ZSRR, to i rosyjski bliższy. Хуйня.

Chujnia to było najlepsze określenie dla jej sytuacji – tego mieszkanka jak w podrzędnym zajeździe, tej komendy z nalanym, często skacowanym i wszechwładnym komendantem Szkudłą, tego miasta, gdzie w centrum stare chałupy mieszały się z nowymi blokami, a na głównym skrzyżowaniu ścigały się furmanki. Takie miejsca są dobre na wakacje, jako egzotyczna odskocznia od życia w stolicy. Ona wylądowała tu na dłużej, może nawet na bardzo długo.

Porucznik Ada Krzesicka – warszawianka po szkole oficerskiej w Szczytnie, specjalizacja: zwalczanie przestępstw kryminalnych – która w nagrodę za dobre wyniki trafia do jednej z najlepszych stołecznych komend, pracuje przy sprawie Federa i Dębińskiego, ma perspektywy i szanse na szybkie wspięcie się po drabinie milicyjnej hierarchii, ląduje w komendzie miejskiej w Suwałkach. „Miasto wojewódzkie" – podkreśla Szkudła. Tak, od roku. „Powiat czy województwo, co za różnica" – myśli Ada. Mentalnie, ludzko, okolicznościowo – tak samo, jak było. Chujnia.

Rolski czasem dzwoni i mówi, że się o nią martwi. Niepotrzebnie. Ada przecież panuje nad sytuacją. Pije tylko w piątki, soboty i niedziele. W dni robocze jest trzeźwa. Niestety.

Wstała, przytrzymując się blatu stołu. Głowę miała jakby owiniętą szczelnie w koc. „Będzie pani zadowolona. Nowiutki blok, piękne mieszkanko – powiedział Szkudła, wręczając jej klucze do służbowego lokum. – Może to nie stolica, ale...". Zawiesił wtedy głos, patrząc na nią tymi swoimi małymi oczkami zatopionymi w fałdach tłuszczu. To „ale" mogło znaczyć, że jest dumny, iż tak mu się pięknie miasto rozwija, że wyrównywanie szans w Polsce Ludowej to nie puste hasło, a rzeczywistość. A mogło też znaczyć: „...ale kiedy ktoś dostaje wilczy bilet z Warszawy za wchodzenie do łóżka przełożonemu, to nie powinien narzekać".

Ada była przekonana, że Janusz Szkudła wiedział, co się kryło za tym jej przeniesieniem. Oficjalnie: „wsparcie działań Milicji Obywatelskiej na terenie województwa suwalskiego wykwalifikowaną kadrą z komendy stołecznej". Nieoficjalnie: łatwa pani porucznik dostała karniaka z samej góry. A skoro Szkudła wiedział, to wiedziała i cała komenda. I pół Suwałk. Tu się żyło razem, jak w rodzinie. Wszystko zostawało w środku, nic nie wychodziło na zewnątrz, tego się Ada przez te trzy miesiące nauczyła.

Popatrzyła na bladożółte ściany („Kolor jak popłuczyny po tym bułgarskim słońcu" – pomyślała), marynistyczny obrazek w jasnobrązowych ramkach, meblościankę na wysoki połysk i smętne drzewko szczęścia na parapecie. Drzewko szczęścia ją ubawiło, taka niefortunna nazwa w tych okolicznościach, choć akurat ta roślinka stanowiła jedyny przyjemny akcent podczas jej bytności tutaj. Beata Morka, sekretarka Szkudły, rudawa dwudziestokilkulatka z zawsze wymalowanymi paznokciami, wsadziła do glinianej doniczki zaszczepkę, żeby pani porucznik z Warszawy milej się mieszkało. Sympatyczna dziewczyna, jedyna na komendzie. I chyba jedyna poza układem. No bo co mogła do niego wnieść? Niby swoje apetyczne ciało, ale skoro Ada już wiedziała, że Beata szuka męża, to na pewno wszyscy na komendzie też to wiedzieli. A tu zdatnych do żeniaczki nie było. Szkudła, po pięćdziesiątce, żonaty, pewnie niedługo wnuki mu się sypną. Kaczmarczyk, jego zastępca, od dwóch miesięcy na zwolnieniu, z którego ponoć bliżej na cmentarz niż z powrotem za biurko. Piotr Tomczycki, młody chłopak zaraz po wojsku, przydzielony Adzie do pary, który jeszcze mleko miał pod wąsem. Faceci z innych wydziałów niż kryminalny? To samo: albo żonaci, albo nieżonaci i powody tej bezżenności były widoczne gołym okiem.

Ada poczuła nieprzyjemny skurcz w żołądku. Alkohol bez jedzenia to kiepski pomysł, kiedy wreszcie się tego nauczy? Niestety, w chlebaku została tylko zeschnięta piętka, a w lodówce – kawałek twarogu. Myśl o tej nieforemnej kulce przetworzonego mleka zawiniętego w gazę wywołała u niej kolejną falę mdłości. Wyrównała oddech, jeszcze chwilę posiedziała. Nie znosiła rzygać. Jednym to przychodziło łatwo, jak śpiew ptakowi, inni, jak ona, starali się nie dopuścić do wymiotów. To podobno cecha tych, co nie umieją słuchać swojego ciała i są zbyt spięci. Może i była zbyt spięta. Trochę jej odpuściło przy Rolskim, ale to już przeszłość. Podeszła do szafy. Wyciągnęła dżinsy i bordową koszulę z kołnierzykiem. Nie lubiła wyglądać kobieco, to znaczy przesadnie kobieco. Trochę pewnie dlatego, że gdy dziewczyna dorasta bez matki, to nie ma skąd czerpać wzorców. Ojciec się starał, ale akurat w tej kwestii mu nie szło. W innych było całkiem dobrze, dopóki się ponownie nie ożenił. Aldona, nowa pani Krzesicka, była kobieca aż za bardzo, ale akurat na niej Ada nie chciałaby się w niczym wzorować. Nie to, żeby macocha świadomie robiła jej jakąś krzywdę, Ada nie lubiła jej całkiem bezinteresownie. Do braku wcześniejszych wzorców doszedł więc antywzorzec – Ada postanowiła być całkowitym przeciwieństwem macochy: żadnych dekoltów, miniówek, tapirów, trwałych, koturnów. Kontestacja trochę pomagała, ale nie na tyle, by zatrzymać Adę w domu. To dlatego wybrała Szczytno – leżało odpowiednio daleko. Nie był to, oczywiście, jedyny powód, chodziło też o tę sprawę z przeszłości, kiedy...

Nagłe pukanie do drzwi ją zdziwiło. Nie spodziewała się nikogo. Szybko dopięła ostatnie guziki w koszuli. Pukanie się powtórzyło. Teraz było głośniejsze, bardziej natarczywe, aż wyolejowana dykta się zatrzęsła. „Kurwa, czy oni tu w Suwałkach dzwonków nie używają, tylko jak do stodoły walą?" Głowa znowu zaczęła pulsować.

– Zaraz! – krzyknęła. Szybko podeszła do stołu i jednym haustem wypiła resztę winiaku. Powinno pomóc choć na chwilę.

Wróciła do miniaturowego przedpokoju i otworzyła drzwi. Przed nią stał zziajany Tomczycki. Zobaczyła, że po policzku cieknie mu strużka potu. Nawet dość lubiła tego chłopaka. Był młody, po szkole zawodowej i wojsku, bez matury jeszcze, którą chciał zrobić wieczorowo, ale za to miał w sobie coś ujmującego, jakieś – nie wiadomo skąd nabyte w tym mieście – kindersztubę i pokorę. Jakby był obcy. A może ta przemiana dopiero przed nim? W końcu pracował na komendzie tylko kilka miesięcy dłużej niż Ada. Może nie zdążył jeszcze przesiąknąć zwyczajami i klimatem Suwałk?

– Dzień dobry, pani porucznik – wysapał. Próbował uspokoić oddech. Musiał tu przybiec z komendy. Daleko nie było, ze czterysta metrów, więc skoro się tak zmachał, to musiał naprawdę zasuwać.

– Dzień dobry – odpowiedziała. Wciąż stała w progu. Nie zapraszała go, bo, oględnie mówiąc, stan pokoju nie był reprezentacyjny. Powinna zacząć regularnie sprzątać, ale do głowy by jej nie przyszło, że ktoś mógłby ją tu odwiedzić. Beata była. Raz. I tyle.

– Przepraszam, pani porucznik, że tak nachalnie, ale sprawa jest.

Winiak jednak nie pomógł. Dudnienie w głowie nie ustawało. Polopiryna się skończyła, Ada będzie musiała przed pracą pójść do apteki. No i kupić bułkę. Nieźle się nowy tydzień zaczyna. I jeszcze ten sierżancina przylatuje. Pewnie znowu z jakąś duperelą.

– No co tam, Tomczycki? W czym Milicja Obywatelska może pomóc? Ziemniaki komuś ukradli czy bójka na weselu była? – Nawet pomyślała, że nie powinna się tak wyżywać na tym chłopaku, ale kac ma swoje prawa – kogoś opieprzyć trzeba.

Tomczycki spojrzał na nią swoimi cielęcymi, dużymi oczami.

– Trupa mamy, pani porucznik.

Rozdział 2

Jest wiele podobnych kobiet, ale ta ma w sobie jeszcze to coś. Wystarczy spojrzeć przelotnie, choćby i z daleka, by to wyczuć: niby łagodna twarz, miękka kobiecość, ale w środku jest jak mężczyźni – też chce rządzić. I patrzy w sposób, w jaki ona patrzyła: jakby go nie widziała, jakby był przezroczysty. Ale to pozór; to spojrzenie królowej, która niby nie zauważa, a widzi wszystko. Zawsze tak jest: nawet jeśli zaczyna się niewinnie, wdzięcznie, to finał będzie jednakowy – jej spojrzenie wbite we mnie. I choćby oczy się zmieniały, to zawsze będą powtórzeniem tego pierwszego razu: pogardą, niezrozumieniem, wyższością. Zostaję sam – poniżony, pokonany.

Słaba płeć, przez wieki tak się mówiło. Należy ich bronić, to rola mężczyzn. Mężczyźni rządzą, one są uległe. To jest zupełne niezrozumienie. Ta słaba płeć ma silną broń. W rzeczywistości to kobiety rządzą, mężczyźni są od nich zależni. Tu nie chodzi o przewagę fizyczną, a o panowanie, można to tak nazwać, biologiczne. Kobiety nęcą, uwodzą, niby to szukają opieki, a potem, gdy już schwycą, oplatają jak pająk siecią. Zaczynają się pretensje, marudzenie. Przemoc nie, no bo one słabe. A potem jest już tylko to spojrzenie: choćby i nic nie powiedziały, to te oczy są jak najmocniejsze, najboleśniejsze, najkrwawsze słowa.

Spojrzenie może zabijać.

Kobiety trzeba pozbawić tej broni.

Rozdział 3

– Przysłali nam porucznika ze stolicy, to i trupa załatwili. – Janusz Szkudła obrzucił Adę niechętnym spojrzeniem.

Widać było, że jest zdenerwowany. Trzymał w ręku papierosa, a na chodniku obok radiowozu Krzesicka zauważyła kilka świeżych kiepów. Szkudła był temperamentny – szybko się wkurzał i, nie przebierając w słowach, obsobaczał, kogo popadło. Na plus, co niechętnie przyznawała, trzeba mu było zaliczyć, że równie szybko się rozpogadzał. Dziś jednak był podwójnie zdenerwowany. W tym mieście poniedziałkowe poranki były trudne dla wszystkich, zwłaszcza dla facetów. A gdy suszy i jest denat do obrobienia, to już naprawdę źle. To akurat Ada rozumiała bardzo dobrze.

– A co się stało, panie komendancie, jakiś pijany wędkarz się utopił? – zapytała. Wiedziała, że jak zacznie w nowym miejscu, tak skończy. A tu kobiety musiały się jeszcze bardziej starać, żeby mężczyźni traktowali je serio, jak równe im, a nie jak mizdrzące się cizie.

– A pani porucznik by nam tu jaskółkę zrobiła?

„Jeden zero dla niego" – pomyślała Ada. Zdążyła szybko umyć zęby, biorąc podwójną ilość pasty, ale to, co zobaczyła w lustrze w łazience, nie zostawiało wiele miejsca domysłom: blada cera, przekrwione oczy, lekki obrzęk. Specjalnie nie spięła dziś włosów – blond pasma delikatnie zasłaniały jej twarz. Nie na tyle jednak, by ukryć weekendowe picie.

Wzruszyła ramionami i nic nie odpowiedziała. Wsiadła na tylne siedzenie milicyjnego fiata, Tomczycki obok niej. Komendant wgramolił się z przodu. Jego masywne ciało rozpychało fotel. Kolanami dotykała derki naciągniętej pod naporem jego szerokich pleców i solidnego tyłka.

– Jedziemy do Aten – doleciało z przodu.

– Dokąd? – W pierwszej chwili nie zrozumiała.

– Miejscowość taka, nad jeziorem – podsunął usłużnie Tomczycki.

– Jak ta boginka z mitów, Atena – zarechotał Szkudła.

– Bogini – poprawiła go Ada. „Wie, że dzwonią, ale kościoły mu się mylą".

– Niech będzie, co za różnica – zgodził się nadspodziewanie łatwo Szkudła. – Tak czy siak, historia ciekawa, bo to nieślubne dziecko tego Zeusa, a on to kochliwy był, co i raz jakąś z tego ich zestawu brał w obroty. No ale nazwa nie stąd, tylko od założyciela, co się nazywał Ateński.

Tak, zdecydowanie musi ograniczyć picie. Gdyby była w lepszej kondycji, wymyśliłaby ciętą ripostę, a tak to po raz drugi zbyła Szkudłę milczeniem. Wyniosłym, ale i tak przegrała również to starcie. Nie pamiętała mitologii, ale pewnie było, jak mówi. Skoro ma tu taką miejscowość, to może kiedyś nawet zaszedł do biblioteki, żeby sprawdzić, skąd nazwa. I przy sposobności o Atenie i Atenach się dowiedział. Że jej przy okazji dowalił, to już odrębny wątek. Zresztą wszystko jedno, byle głowa przestała boleć.

Droga była bardzo ładna. „Co jak co, ale przyrodę tu mają nie najgorszą" – pomyślała Ada. Miała wrażenie, że jadą przez zielony tunel. Mijali głównie drzewa i łąki, z rzadka drewniane zabudowania. Po mniej więcej półgodzinie zatrzymali się przy bramie, nad którą wisiała biała tablica z niebieskim napisem: „Świtezianka, Dom Wypoczynkowy Zakładów Przetwórstwa

Owocowego w Rzeszowie". Na poboczu stał inny radiowóz. W środku siedziała para nastolatków. A przy bramie stali milicjant i facet w spodniach od garnituru i we flanelowej koszuli.

– Panie komendancie, Zych Mariusz, starszy posterunkowy z posterunku w Bryzgielu. Tych, co znaleźli zwłoki, zawieźć na komendę do Suwałk? – zapytał młody chłopak w mundurze i z pryszczami na czole. Widać było, że jest przejęty. Nie ma się co dziwić, sprawy kryminalne na tym terenie były rzadkością.

– Poczekajcie z nimi, posterunkowy. Na razie idziemy na oględziny. Chłopaki ze sprzętem w drodze, skierujecie ich. Wchodził tam kto jeszcze? Śladów nie zadeptał?

– Nie, ja tylko przez próg zajrzałem, żeby się upewnić, czy rzeczywiście denatka jest. Stróża z kluczami do bramy już dowieźliśmy. – Posterunkowy wskazał ręką na faceta we flaneli. – Jest też nielegalne przejście kawałek dalej, taka pogięta siatka, nawet całkiem nisko, pan komendant dałby radę, ale pomyślałem, że...

– To dobrze, że myślicie, posterunkowy. – Szkudła przerwał ten wywód. – Otwórzcie, obywatelu. – Machnął na ciecia.

Przestraszony facet chwilę się biedził z kłódką, a potem szeroko odsunął oba skrzydła bramy.

– Wjechać? – zapytał kierowca Szkudły.

– Nie, pójdziemy. Który to domek?

– Siódemka. Prosto, a potem przy tej dużej sośnie w lewo. I zaraz pierwszy po prawo. – Posterunkowy każdy punkt instrukcji poparł odpowiednią gestykulacją.

Szkudła kiwnął głową. Ada i Tomczycki poszli za nim.

„Jest coś dziwnego w ośrodkach wczasowych po sezonie" – pomyślała Ada. W wakacje na pewno roiło się tu od ludzi. Rewia sukienek i kostiumów kąpielowych, wędkarze już o piątej rano moczący kije w jeziorze, grupki dzieci biegające po całym terenie i skutecznie mącące naturalną ciszę, zapach bigosu i naleśników ze stołówki, czwartkowe wspólne oglądanie *Kobry* w świetlicy i wieczorne ogniska. Teraz było tu pusto, słychać było jedynie głosy ptaków i szum drzew. Miejsce odludne, domki rozrzucone po puszczy, aż się prosiło, żeby tu kogoś zamordować. Albo się umówić na sekretną schadzkę, jak ci młodzi. To oni znaleźli ciało. Para licealistów, która „poczuła zew natury", jak to Szkudła nazwał. Oboje z tych terenów, musieli wiedzieć, że jest niezabezpieczone przejście, a po piętnastym września nie ma wczasowiczów. Nie było już tak ciepło, żeby wystarczyły jakieś krzaki i koc, a zresztą może zależało im na odrobinie romantyzmu, młodzi tak jeszcze mają. Szukali więc dachu, pod którym mogliby się poprzytulać. Postanowili sprawdzić, czy któryś domek jest otwarty, może gdzieś przez pomyłkę sprzątaczka nie przekręciła klucza w zamku. Nacisnęli kilka klamek i w końcu jedna ustąpiła. Ucieszyli się na krótko – na tapczanie zobaczyli kobiece ciało. Dziewczyna ponoć dostała histerii, chłopak też był przestraszony. To było wczoraj, czyli w niedzielę wieczorem. Do rana się zastanawiali, a potem zwyciężył obywatelski obowiązek albo strach, że mogliby zostać wplątani w tę historię jako podejrzani. Zawiadomili posterunek w Bryzgielu. Posterunkowemu powiedzieli, że nie dotykali ciała, ale kobieta na pewno nie żyje, nie ruszała się, nie zareagowała, kiedy weszli i…

No właśnie. Na wąskim łóżku przykrytym musztardowym kocem z jasną lamówką leżała kobieta. Chyba młoda, bo była szczupła, ładnie ubrana, miała delikatne dłonie. I worek na głowie. Gdyby nie ten fakt, można by przyjąć, że śpi. „Chociaż właściwie nie – pomyślała Ada. – Za ładnie leży jak na sen". Kobieta była starannie ułożona; ręce wzdłuż ciała, granatowa sukienka w duże żółte kwiaty obciągnięta, stopy równo, czubkami białych mokasynów na słoninie do góry.

– Na pewno nie żyje? – zapytał Tomczycki szeptem.

– A wygląda, jakby się wczasowała? – sarknął Szkudła.

Tomczycki się zarumienił. Jak szli na komendę, to wyznał jej, że „takiej" sprawy jeszcze nie miał. „No to przejdziesz chrzest bojowy" – odparła. Na razie nie było tak źle, jak się obawiała, ale prawda była też taka, że ktokolwiek zabił tę dziewczynę, zachował pozory kultury. „Elegancki morderca" – przebiegło jej przez myśl. Jak Władysław Mazurkiewicz, wielokrotny zabójca z lat pięćdziesiątych, który wyglądał jak amant filmowy. Na sali sądowej elegancki, ujmujący, bon ton. Sąsiedzi mówili, że dobry jak siostra miłosierdzia, a gdy mu umarł piesek, to płakał. Zamordował ponad trzydzieści osób.

– Jakby do trumny wyszykowana, tylko jeszcze ręce złożyć – mruknął Szkudła.

– Dla mnie to wygląda jak w teatrze – powiedziała Ada.

– To jakiś lichy spektakl – wyraził powątpiewanie Szkudła.

– W tym sensie, że jak wyreżyserowane, jakby ją ktoś w ten sposób upozował.

Po Szkudle widać było, że się zastanawia nad słowami Ady; po chwili kiwnął głową.

– Może być i tak.

Tomczycki spojrzał na nią z uznaniem.

Wciąż stali w progu, na miniaturowym ganku. Domek był malutki, dwuosobowy. Dwa łóżka po obu stronach, dosunięte do ścian zrobionych z wymalowanej na musztardowo dykty. Pomiędzy nimi nieduży stół z laminowanym blatem, na nim kremowa makramowa torebka, pewnie zamordowanej, i dwa drewniane krzesła, wyściełane brązowym materiałem. W oknie zaciągnięte gęste białawe firanki, przez które widać było tylko zarysy innego domku i pni drzew, po bokach rude zasłony. Mimo że dziś było słonecznie, w powietrzu czuło się już delikatną wilgoć, która ciągnęła od ziemi, od jeziora. Właściwie niezrozumiałe było, jakim cudem te domki nie butwiały przez jesień, zimę i wiosnę i co roku od piętnastego czerwca gościły kolejnych pracowników fabryki w Rzeszowie żądnych tej zdobyczy socjalizmu, jaką był urlop.

– No to sprawdzimy, kogo mamy pod tym workiem – powiedział Szkudła. – Kazik niedługo tu będzie. Pech, że akurat wczoraj go ząb rozbolał i tak go przypiliło, że dziś rano do tego nowego doktora poszedł. Prywatnie. – Ada nie zrozumiała, czy podziw dotyczy faktu, że Kazik jednak odwiedza dentystę, czy tego, że nie robi tego państwowo, tylko płaci. – Sierżancie, macie coś odpowiedniego, żeby śladów nie narobić? – Szkudła spojrzał na Tomczyckiego.

Sierżant sięgnął do kieszeni płóciennej bluzy i wyjął z niej długopis.

Szkudła zrobił dwa kroki i zatrzymał się przy łóżku. Ada stanęła za nim. Strasznie tu było ciasno, szczególnie kiedy trójka ludzi starała się niczego nie dotknąć. Szkudła przez chwilę lustrował dziewczynę wzrokiem, wreszcie sapnął, nachylił się i wyciągnął rękę uzbrojoną w czerwonego zenitha w kierunku worka.

– Noż kurwa! – odbiło się po chwili echem od cienkich ścian.

Tomczycki podskoczył, Ada zrobiła krok w bok, przechyliła się i zza ramienia komendanta spojrzała na twarz ofiary.

Przez sekundę jakby nie rozumiała tego, co widzi. Umysł przesłał jej prosty komunikat, że coś jest nie w porządku, że coś jest źle, niestandardowo, dopiero później przyszło olśnienie.

Ada patrzyła na ofiarę. Spod lekko zsuniętego worka wysypały się gęste pszeniczne włosy sięgające ramion. Wydatne usta były rozchylone, policzki pełne, nos nieduży, perkaty. W miejscu oczu czerniały dwa puste oczodoły.

Rozdział 4

– Baby teraz z wojska wracają – mruknął Szkudła, wskazując głową na Tomczyckiego.

Ada patrzyła na sierżanta ze współczuciem. Im bardziej komendant mu dosrywał, tym żarliwiej gotowa była go bronić. Tomczycki w ogóle nie był w jej typie – wysoki, chudy, jasny szatyn o dużych oczach i ze źle obciętymi włosami. Zdecydowanie wyglądał jak cielak – niepewny swojego losu, oddzielony od matki. Czuła się trochę jak matka. A trochę nie, bo nie potrafiła rozgryźć sierżanta – czy on szuka u niej wsparcia, czy może raczej jest nią zauroczony? Była od niego starsza o jedenaście lat – na pierwsze chyba za mało, na drugie – raczej za dużo.

– Lepiej. – Tomczycki się wyprostował. Był blady, trzęsły mu się nogi i ręce.

– Weź. – Ada podała mu chusteczkę wyciągniętą z torebki.

Tomczycki przetarł twarz, delikatnie złożył bawełniany kwadrat i schował go do kieszeni.

– Przepraszam, ale to...

– To trup, Tomczycki – powiedział Szkudła. – Naturalna kolej rzeczy, można powiedzieć, w końcu każdego z nas to czeka. No, prawda, ją to o wiele za wcześnie spotkało. I te oczy. Ech, co za swołocz to zrobiła?

Przy bramie nastąpiło jakieś poruszenie. Po chwili w ich kierunku ruszyło dwóch mężczyzn z walizkami w dłoniach.

– Kazik, no wreszcie. – Szkudła rozłożył ramiona, jakby chciał przytulić nowo przybyłego. – Ty o estetykę się troszczysz, a my tu mamy takie bagno.

Ada spojrzała na Kazimierza Gugałę. Wcześniej wydawał się jej nawet przystojny, ale teraz jego twarz była zdeformowana – prawa strona wyraźnie opuchnięta.

– Czo robicz, czeba było rwać – powiedział Gugała, zaciskając zęby na papierowym ruloniku.

– Uuuu, to ty biedny – zatroskał się Szkudła. – Ale ponoć Staszek to fachura.

Gugała pokiwał głową.

– Prawie nie boli. Jeszcze chwile poczymam.

Szkudła spojrzał na Adę.

– Gdyby pani porucznik potrzebowała dentysty, to lepszego nawet w stolicy nie znajdzie. No dobra, to wy wchodzicie, chłopaki, ja tu poczekam, a porucznik Krzesicka i sierżant Tomczycki pójdą porozmawiać z młodymi.

* * *

– My wszystko jeszcze raz powiemy, pani porucznik, tylko żeby... No, może można tak zrobić, żeby niekoniecznie rodziców informować? – Dziewczyna międliła w palcach rękaw wełnianego swetra. Była drobna, delikatna, wyraźnie przestraszona. I zawstydzona. To, co miało zostać między nią a stojącym obok chłopakiem, nagle stało się zeznaniami dla MO.

„Na pewno nie tak wyobrażała sobie intymność" – pomyślała Ada. Chłopak nerwowo przytaknął.

– A ile wy w ogóle macie lat? – zapytała Krzesicka.

– Osiemnaście, skończone. – Teraz on przejął pałeczkę. Chyba poczuł się pewniej. – Jola skończy osiemnaście w grudniu, ale rocznikowo to jakby już. – Ścisnął dziewczynę za rękę, a ona spojrzała na niego z miłością.

Ada zaczynała ich lubić i nic nie mogła na to poradzić.

– Dobrze, to jeszcze raz opowiedzcie, jak to było.

– No więc wczoraj po obiedzie umówiłam się z Maćkiem. Oficjalnie to z Anką, miała potwierdzić, jakby co. Rodzice nie bardzo lubią, jak się z Maćkiem widuję. Że niby on to nie dla mnie, bo ja w liceum, córka aptekarzy, a Maciek w technikum drzewnym.

– Mezalians. Tak mama Joli mówi. Co za uprzedzenia, zupełnie niewspółczesne! – Chłopak się uniósł, ale po chwili się uspokoił. – Więc widujemy się potajemnie. Żeby porozmawiać, pospacerować, żeby… no, to też.

Jola się spłoniła.

– Daj spokój. – Spojrzał na swoją dziewczynę. – Przecież pani porucznik na pewno rozumie, jak to jest. „Ja mam dwadzieścia lat, ty masz dwadzieścia lat…" – zanucił nerwowo.

„…przed nami siódme niebo. Dwudziestolatki, dwudziestolatki! To ja i ty! To ja i ty! Zapytaj ojca, zapytaj matki, jakie się wtedy ma sny" – dokończyła w myślach Ada.

Dziewczyna lekko się uśmiechnęła, Tomczycki kucnął, żeby poprawić sznurówki w lewym bucie. Ciekawe, jakie on miał sny.

– Więc wczoraj spotkaliśmy się na końcu wsi. To znaczy, ja przyszłam, a Maciek czekał na mnie na swoim motorze. Umówiliśmy się już wcześniej, że tu przyjedziemy.

– To był pierwszy raz? – zapytała Ada i prawie od razu uświadomiła sobie dwuznaczność tego dociekania. – To znaczy, czy pierwszy raz do – przeniosła wzrok na tablicę nad bramą – Świtezianki przyjechaliście?

– Pierwszy. Wcześniej to tak bardziej na świeżym powietrzu. U nas tereny piękne i odludne, więc… – Dziewczyna urwała.

– Więc przyjechaliście tutaj. O której?

– Po południu. Nawet tak bardziej pod wieczór. Jakoś po szóstej było.

– I co dalej?

– Maciek zostawił motor trochę dalej, w tamtym zagajniku, żeby nie tak na drodze, na widoku. Że jest ta sforsowana siatka, oboje wiedzieliśmy, bo w wakacje kilka razy jeździliśmy tą trasą na wycieczki. Nawet się dziwiłam, że nie naprawiają… Ale nie naprawili i tędy przeszliśmy. Ja to niespecjalnie wierzyłam, żeby któryś domek był otwarty, ale Maciek mówi, że to ludzkie tak czegoś nie dopatrzyć, więc jest szansa, że ktoś zapomniał i nie zamknął. Bo włamywać się absolutnie nie mieliśmy intencji – zastrzegła. – Gdyby się okazało, że nici z planu, tobyśmy pojechali gdzie indziej. A tak…

– A tak to los zadecydował inaczej – dokończyła Ada. – No i co było dalej?

– No dalej to właśnie ten domek był otwarty. To znaczy, tego nie było od razu widać, drzwi nie były otwarte na oścież, tylko zamknięte, jak w każdym innym. Tyle że tam naciskałem klamki i nic, a tu – drzwi ustąpiły.

– Weszliście i co? – zapytała Ada.

– Przez chwilę jeszcze staliśmy na ganku. Oboje się tak ucieszyliśmy, że się pocałowaliśmy. A potem Maciek wziął mnie za rękę i… Maciek zobaczył ją pierwszy, bo jest wyższy.

– Powiedział coś?

Dziewczyna przez chwilę ze sobą walczyła.

– „Kurwa" powiedział. Choć w ogóle nie przeklina, przy mnie zwłaszcza.

– A ty?

– Ja to najpierw nic, bo widziałam tylko nogi i sukienkę na łóżku, a potem, jak się Maciek odsunął i zobaczyłam resztę, zwłaszcza ten worek, to zaczęłam krzyczeć. Maciek mnie chwycił i uspokoił.

– To było trudne, bo Jola jak w jakimś amoku była. Darła się, przestała, kiedy powiedziałem, że morderca może nas usłyszeć.

– Nie miałeś wątpliwości, że ona nie żyje? – zapytała Ada.

– Od razu tak pomyślałem, przez ten worek. No a potem, kiedy Jola tak krzyczała, a ona nic... Umarłego by to obudziło. A ta kobieta nadal leżała bez ruchu, czyli... Była nieżywa.

– A dlaczego od razu nie pojechaliście na milicję? – Ada przyglądała się dziewczynie. Była bardzo ładna. Oboje zresztą byli ładni. Ciekawe, czy to doświadczenie ich zbliży, czy wręcz przeciwnie. I jeszcze ten „mezalians". Trudno być młodym, a później wcale nie jest łatwiej.

– Ja się bałam. Że nas od razu posądzą, bo przecież żadnych świadków, że to nie my. A nawet jeśli nie o zabójstwo, to o włamanie albo coś takiego. Przecież my tam nielegalnie byliśmy – powiedziała dziewczyna.

– Zgodnie tak postanowiliśmy. Rano jednak Jola powiedziała, że nie da rady z taką tajemnicą, że ją to wykończy, bo milicja pewnie i tak do nas trafi, więc powinniśmy się sami zgłosić. Zgodziłem się w końcu, może lepiej mieć to za sobą... – Maciek spojrzał na Adę. – To jak, pani porucznik, obejdzie się bez informowania rodziców?

– To się jeszcze okaże.

Wszyscy obrócili się w kierunku, z którego dobiegał głos. Komendant Szkudła stanął obok Tomczyckiego.

– Pełnoletni są? – zapytał Adę.

– On tak, ona rocznikowo też.

– Przesłuchaliście ich?

– Wstępnie tak. Zgadza się z tym, co już przekazał posterunkowy – odparła Ada.

– To jak będzie, panie poruczniku? – Chłopak nie odpuszczał, dziewczyna znowu bawiła się rękawem swetra. – Da się nie mówić rodzicom?

– Panie komendancie. – Szkudła znowu był chmurny. – Niby taki dorosły, skoro gzić się chciało, a teraz portkami trzęsie. Zobaczy się. Na razie pojedziecie do Suwałk i poczekacie tam na porucznik Krzesicką. Posterunkowy – Szkudła odwrócił się do Zycha – zawieźcie ich. A potem wróćcie z kimś do pomocy, trzeba pilnować terenu.

Posterunkowy kiwnął głową i poszedł do auta.

– Pani porucznik niech przez radiostację poprosi o wezwanie naszego Tadzia Sochy, znaczy się, lekarza sądowego. – Szkudła otarł ręką czoło. – Nieźle się ten tydzień zaczyna, psia mać. No nic, technicy pracują, Tadzio nam powie resztę. Jedno jest pewne, to zostaje w tym lesie.

– Znaczy co zostaje? – Ada jakby nie zrozumiała.

– Oczy wydłubane. Nie potrzeba nam paniki w mieście.

– To jakaś lokalna cenzura? – Ada kpiąco spojrzała na Szkudłę. Burczało jej w brzuchu, głowa znowu tępo pulsowała. Była podminowana, organizm domagał się kolejnej porcji alkoholu. Albo chociaż zapełnienia żołądka i czegoś na ból głowy.

– A ty sobie myślisz, że my tu chcemy powtórki z Zagłębia? – Szkudła też był zdenerwowany. Wcześniej nigdy nie powiedział do niej na „ty". Zawsze „pani porucznik" albo w liczbie mnogiej. Teraz mu hamulce puściły. – Żeby mi od razu panika wybuchła, że wampir na Suwalszczyźnie grasuje? Trzeba jak najszybciej złapać wariata, a do gazet nie dawać informacji o oczach. O worku zresztą też nie. Wykonać! – Odwrócił się i poszedł w stronę domku numer siedem.

– Pani porucznik sądzi, że to na serio z tym wampirem? To znaczy, że ktoś mógłby i u nas? Tamtego przecież złapali?... – Tomczycki patrzył na nią jak dziecko, które się domaga szczęśliwego zakończenia bajki.

– Tego to nie wiem, ale jedno mogę powiedzieć ci już teraz: wyłupione oczy nie zapowiadają niczego dobrego. – Ada pocieszająco poklepała Tomczyckiego po ramieniu i poszła do radiowozu.

Zanim sięgnęła po słuchawkę, pomyślała jeszcze, że właściwie spełniło się to, czego chciała – jest sprawa z prawdziwego zdarzenia. Szkoda, że w innych dziedzinach życia takie myślenie życzeniowe nie działa.

Rozdział 5

– Marianna Kozioł, urodzona trzeciego marca tysiąc dziewięćset pięćdziesiątego czwartego roku. Adres zameldowania: Emilii Plater osiem, mieszkania trzy – przeczytała Ada z dowodu osobistego.

Siedzieli w swoim pokoju na komendzie. Ada miała biurko przy oknie, Tomczycki – przy drzwiach, w rogu pokoju. Tkwił w tym swoim kąciku jak w klatce – po lewej i za plecami miał wymalowaną na wysoki połysk ciemną boazerię z wąskich deszczułek, przed sobą blat w dębowej okleinie. Gdyby nie paprotka zwieszająca się z metalowego stojaka przymocowanego do ściany, ten wszechobecny brąz by go pochłonął. Ada miała zdecydowanie lepiej – okno wychodziło na ulicę, a właściwie na sporą lipę, która ją zasłaniała. I dobrze, bo po drugiej stronie stała brzydka kamienica, a obok niej przekrzywiona drewniana chałupa.

– To w tych nowych blokach – powiedział Tomczycki. – Trzeba będzie iść – dodał ze smutkiem.

„Informować o śmierci bliskiej osoby też pewnie nie miał okazji" – pomyślała Ada.

– No trzeba. Już po czternastej, to jest szansa, że kogoś zastaniemy w domu. Panna, więc pewnie z rodzicami mieszkała.

Tomczycki pokiwał głową.

– Przykro – powiedział w końcu. – Taka ładna i młoda dziewczyna.

– To i pewnie naiwna. – Do ich pokoju wszedł Szkudła. – Wszystko wskazuje na to, że przyszła do tego domku z własnej woli. Żadnych oznak walki przed śmiercią, zupełnie jakby bezwolnie się dała udusić.

– A coś jeszcze bezwolnie dała sobie zrobić? – zapytała Ada.

– To się okaże podczas sekcji. Śladów w domku dużo, no ale jak ma być mało, skoro przez cały sezon przewijali się tam ludzie. A potem jeszcze ci młodzi się zjawili. Technicy zebrali, co mogli, sprawdzimy odciski palców w bazie.

– Ten cieć, jak mu tam… – Nie mogła sobie przypomnieć Ada.

– Mikołajczuk – podpowiedział Tomczycki.

– Mikołajczuk. Twierdzi, że ma komplet kluczy: do każdego domku i do bramy. Grzechotał nimi na tym dużym metalowym kółku. Ale to jeden komplet – zauważyła Ada.

– Zych był u niego w domu, okazał mu drugi. Też przeliczyli, niczego nie brakuje. A tak w ogóle to Zych mówi, że to kościelny, uczciwy jak kryształ. I mało pijący.

„Jak na te warunki to niemal święty" – pomyślała Ada. Głośno zaś powiedziała:

– Ale technicy stwierdzili, że nie było włamania. Ktoś te drzwi po prostu otworzył kluczem. Jak to wyjaśnić?... Ostatni raz była tam sprzątaczka, siedemnastego września.

– Jutro przyjedzie na komendę, ale Zych już z nią rozmawiał – powiedział Szkudła. – To jego ciotka – dodał, widząc zdziwienie na twarzy Ady. – Sprząta tam od początku, czyli od dwunastu lat. I zarzeka się, że zawsze zamyka domki po sprzątnięciu.

– No to cud. – Ada uśmiechnęła się ironicznie. – Na teren ośrodka też nie weszli bramą, bo była przecież zamknięta. Przez to pogięte ogrodzenie chyba także nie.

– A dlaczego nie? Mogli, jak te dzieciaki – zastanowił się Szkudła.

– Technicy niczego tam nie znaleźli, tylko nitki ze swetra tej dziewczyny. No i gdyby wybrali ten sposób, to by sugerowało, że oni w takim samym celu się tam zjawili – odpowiedziała Ada.

– A pani porucznik to myśli, że jak kobieta i mężczyzna do takiego domku jadą, to jaki cel chcą osiągnąć?

Adzie przypomniało się Zegrze. Też był wrzesień, też pusto, też domki po sezonie. Bolesny skurcz. I choć głowa nie chciała wspominać, to ciało pamiętało.

– Różnica polega na tym, że ci młodzi to para, chcieli się po prostu kochać. – Kątem oka zauważyła, że Tomczycki się schyla po coś pod biurkiem. To schylanie się to był chyba stały patent na pokrywanie wstydu. – A z tej dwójki jedno miało inne zamiary.

– Ale początkowo miało być tak samo. Dziewczyna wiedziała, na co się godzi – nie ustępował Szkudła. – Potem się to pogmatwało.

Ada pomyślała, że określenie morderstwa i wyłupienia oczu pogmatwaniem to jednak spora niefrasobliwość.

– Mnie to nie pasuje – powiedziała po chwili namysłu. – Żeby się tak skradać, trzeba być ze sobą bliżej, dłużej. Więcej zaufania musi być.

– No i może tak było. Statystyki jasno mówią, że najczęściej morduje ktoś z bliskich.

– A w tych statystykach jest wyjęcie oczu? – zapytała Ada.

Szkudła machnął ręką, jakby chciał się odgonić od natrętnej muchy.

– Mam nadzieję, że to się wyjaśni niebawem. Niebawem, słyszycie? – Surowo spojrzał na podwładnych. – A linię brzegową już sprawdzili? – zapytał po chwili milczenia.

– Sprawdzają. – Tomczycki wysunął się o krok do przodu jak uczeń przy tablicy. – Blizne to duże jezioro, zejdzie się im. Choć na razie najbardziej prawdopodobna hipoteza jest taka, że przypłynęli łódką. I potem on nią wrócił. Tyle że tych miejsc, z których mogli dopłynąć, jest bardzo dużo. Ja trochę znam te okolice, wędkowaliśmy tam z tatą. Jest przynajmniej kilkanaście pomostów, zwykle są przy nich jakieś łódki. Niektórzy to i wioseł nie chowają albo tylko w krzakach złożą, więc... – Rozłożył ręce.

– Zobaczymy. Jak technicy skończą, dajcie znać. Teraz odwiedźcie rodziców tej Kozioł. – Szkudła odwrócił się i poszedł do swojego gabinetu.

* * *

„Odwiedźcie, dobre sobie. Odwiedzić to można sąsiadkę w imieniny". Ada szła powoli, Tomczycki jeszcze wolniej. Jakby na przekór wszystkiemu świeciło słońce; był bardzo pogodny poniedziałek. Szli chodnikiem przyjemnie zacienionym lipami. Właściwie to nie zdążyła poznać Suwałk. Miała swoje stałe trasy: mieszkanie – komenda – sklep, kilka razy się powłóczyła po okolicy, zupełnie jednak bez entuzjazmu. Dziwne miejsce, jakby się nie mogło zdecydować, czy być prowincją, czy jednak aspirować do miasta wojewódzkiego. Drewniane chałupy, studnie z żurawiem, klepiska na podwórkach mieszały się z nowymi blokami, nowoczesną biblioteką i pokaźnym domem handlowym z dużym napisem „Społem". Dla jednych to był przejaw rozwoju, możliwość awansu, dla innych – zawłaszczenie znanego świata, najazd obcego. Nagle poczuła, że coś oblepia jej twarz. Przejechała ręką; na dłoni zostały lepkie białe nitki.

– Babie lato – powiedział Tomczycki.

– Wiem – odparła krótko. Nawet człowiek z miasta zna takie zjawisko.

– Nitki przędne pająków – ciągnął niezrażony Tomczycki. – Przyczepiają się do nich i podróżują, szukając miejsca na zimę.

Tego akurat nie wiedziała.

– Interesujesz się przyrodą? – zapytała.

Tomczycki się uśmiechnął.

– Takie rzeczy się po prostu wie, jak się często bywa w lesie czy na łące. Lubię babie lato, bo ono się wiąże z ładną pogodą.

Ada czuła, że nie całkiem się uwolniła od tych nitek, jakaś musiała się jej wpleść we włosy. Jest taki obraz, nie mogła sobie teraz przypomnieć autora, ale tytuł to chyba właśnie *Babie lato*. Na łące leży korpulentna chłopka, która wyciąga rękę do białych nitek i się nimi bawi. One się do niczego nie kleją, są jak napięte struny. Ada zaś czuła, że ją te nitki oplatają, jakby chciały ją schwycić w pułapkę. Sprawa morderstwa ją dręczyła. Jasne, każde zabójstwo, póki niewyjaśnione, nie chce wyjść z głowy, zresztą potem też w niej zostaje. Milicjant do końca życia nosi w pamięci wszystkie swoje sprawy. Aż dziwne, że w tej profesji da się normalnie żyć, założyć rodzinę, jeść schabowego w niedzielę i huśtać dzieci na placu zabaw. Choć właściwie – czy rzeczywiście się da?... Teraz mijali parterowy pawilon Eldomu z napisem „Mixery, froterki". Czy jej kiedykolwiek będzie potrzebna froterka?... Czy to, że jej się życie prywatne nie układa, to przypadek, czy może raczej wynik tego, że ona się do takiego zwyczajnego życia nie nadaje? Mąż, dzieci, frania w łazience i raz do roku wyjazd nad Bałtyk. Czy gdyby miała normalny dom, byłaby inna? Nagle poczuła straszną tęsknotę za matką, choć pamiętała ją dość mgliście, bo gdy mama wpadła pod koła tego auta, Ada miała pięć lat. Takie chwile smutku ją dopadały, kiedy nie potrafiła sobie z czymś poradzić.

A teraz właśnie się denerwowała. Okropnie niewdzięczne zadanie. Wolałaby zastać ojca tej dziewczyny, nie matkę. Jest takie przysłowie, że co matce sięga do serca, to ojcu do kolan. Bardzo nie chciała ranić serca matki. „Ada, nie rozklejaj się".

Stanęli pod blokiem.

– To będzie drugie piętro – powiedział Tomczycki, gdy weszli na klatkę.

Ada pokiwała głową i ruszyła na górę. Kiedy zdjęła palce z dzwonka, poczuła, że jej dłoń jest lepka. Nie od babiego lata, a od potu.

Usłyszała jakiś ruch w mieszkaniu i po chwili drzwi się otworzyły.

W przedpokoju stała około czterdziestopięcioletnia kobieta.

– Porucznik Ada Krzesicka, komenda miejska w Suwałkach. A to sierżant Piotr Tomczycki. Obywatelka Jadwiga Kozioł, matka Marianny Kozioł? – zapytała, opanowując drżenie głosu.

– Tak – odpowiedziała kobieta. – Ale nie bardzo rozumiem...

Adzie wydawało się, że słyszy, jak Tomczycki przełyka ślinę.

– Wejdźmy, dobrze? – Zadała to pytanie takim samym tonem jak Andrzej, kiedy informował ją, że „sprawa wymknęła się spod kontroli". Wtedy od razu wiedziała, że „Czy możemy porozmawiać?" oznacza katastrofę. Matka Marianny jeszcze nie rozumiała, że jej życie za chwilę legnie w gruzach.

* * *

– To będzie tu. – Tomczycki zaparkował na gruntowej drodze. Kiedy Ada wysiadła z auta, poczuła intensywny żywiczny zapach. Dokoła wszędzie było drewno: w balach, jeszcze nieokorowane, pocięte deski różnej grubości, wióry. Z głębi placu dobiegał hałas maszyn.

– Właśnie kończą. – Tomczycki spojrzał na zegarek. – Pani Kozioł mówiła, że o czwartej przyjeżdża po nich autobus i rozwozi po okolicznych miejscowościach.

Poszli w stronę baraku. Przy krajzedze stał dojrzały mężczyzna w drelichu, na pewno nie ten, z którym chcieli rozmawiać.

– Dzień dobry, Milicja Obywatelska, szukamy Krzysztofa Majchrzaka – zaanonsowała ich Ada.

– Dzień dobry. Przeskrobał co? – zdziwił się pytany.

– A zdarzało mu się? – odpowiedziała pytaniem na pytanie Krzesicka.

– No właśnie nie, dlatego się dziwię. – Facet podrapał się po głowie.

– To się nie dziwcie, tylko powiedzcie, gdzie jest.

– W baraku, przebiera się chyba.

Kiedy stanęli przed drewnianym budynkiem, Tomczycki zaproponował:

– To może ja wejdę. Skoro się przebiera, to pani porucznik...

– Widziałam mężczyzn w slipach, sierżancie. – Ada się uśmiechnęła. Tomczycki jednak był rozczulający. – Ale idź.

Sierżant spojrzał na nią niepewnie, nie wiedząc, czy żartowała, czy mówiła serio, pchnął jednak szerokie drzwi i zniknął w środku. Po niedługim czasie wyszedł z młodym, wyraźnie przestraszonym chłopakiem. „Boi się, bo wie, że milicja, a milicja to zawsze jakiś kłopot – pomyślała – ale nie rozpacza, czyli o śmierci dziewczyny jeszcze nie wie". No tak, tę część Tomczycki znowu jej zostawił.

– Krzysztof Majchrzak. – Tomczycki przedstawił go jak petenta. I umilkł.

– Porucznik Ada Krzesicka – powiedziała. – Jesteśmy tu w związku ze śmiercią Marianny Kozioł.

Chłopak najpierw w niedowierzaniu pokręcił głową, a potem po prostu się rozpłakał. Matka Marianny długo na nią patrzyła, jakby nie rozumiała przekazu. Takie wyparcie to częsta sprawa, zwłaszcza gdy kogoś z ofiarą łączyła naprawdę silna więź. To coś jakby blokada przekazu informacji – człowiek słyszy, rozumie poszczególne słowa, a i tak nie pojmuje ich sensu. Chłopak aż tak się nie bronił, ale widać było, że naprawdę jest wstrząśnięty.

– Ale jak? – wykrztusił w końcu.

– Milicja to bada. – Ada była oszczędna w przekazywaniu informacji. – Gdzie pan spędził wczorajszy dzień i noc?

Chłopak, mimo lekkiego wstrząsu, kojarzył jednak nieźle, bo zapytał:

– Matko, ale że ja jestem podejrzany? W życiu, za nic! Ja Mariankę bardzo kochałem, żenić się chciałem. No jak ja bym mógł?!

„Dłońmi w rękawiczkach" – pomyślała Ada, bo tak właśnie zamordowano niedoszłą panią Majchrzak. Swoją drogą, to ciekawe, bo wszystko wskazuje na to, że ona rzeczywiście z własnej woli poszła do tego domku i raczej nie po to, żeby o świcie wyruszyć na ryby. Najwyraźniej miłość nie była w tym związku rozłożona równomiernie.

– Nie twierdzę, że pan by mógł, po prostu pytam, gdzie pan był. To rutynowa sprawa.

Chłopak nie był chyba do końca przekonany, ale odpowiedział:

– Rano to w domu, z rodzicami i bratem, potem do kościoła, no bo przecież niedziela. Później wspólny obiad, a po obiedzie to do kolegi poszedłem, na imieniny, bo wczoraj było Bogusława, a on Boguś. Spotkaliśmy się w barze, tym przy rynku, przyszło jeszcze kilku jego znajomych. No, nie powiem, może troszkę przesadziliśmy z piwem, bo ostatecznie nocowałem u niego, żeby już po nocy rabanu nie robić w domu.

– A u niego, to znaczy u kolegi Bogusia, rabanu nie zrobiliście? – zapytała Ada.

– No trochę to zrobiliśmy, ale Boguś mieszka z babcią, a babcia ma bardzo słaby słuch, za to twardy sen.

– A ten Boguś to?...

– Bogusław Marczyk. Zresztą on tu jest, bo my koledzy z pracy. Jeszcze w szatni.

Tomczycki spojrzał pytająco na Adę, ta kiwnęła głową. Po kilku minutach sierżant wrócił z młodym zwalistym mężczyzną.

– Bogusław Marczyk. – Sam się przedstawił, nie czekając na pytanie, zupełnie jakby nie pierwszy raz był w takiej sytuacji. – Mogę zapytać, o co się rozchodzi?

– Na razie to my pytamy. Gdzie był pan wczoraj? – Ada się mu przyglądała. To był inny typ niż Majchrzak – wesołkowaty, hop, do przodu.

– No jak gdzie? Z kumplami, z Krzyśkiem też. Nie powiedział?

Albo obaj świetnie grali, albo Majchrzak i Marczyk naprawdę nie mieli pojęcia o tym, że ten pierwszy od wczoraj już nie ma dziewczyny.

– Powiedział. Ale pytam pana.

– Zaczęliśmy w barze, a później, jak już trochę mieliśmy w czubie, to poszliśmy do mnie, to znaczy do mieszkania babki, bo ja u niej jestem zameldowany. No i do rana się przekimaliśmy, a potem do pracy. Trochę dziś trudno, ale jakoś poszło. – Uśmiechnął się.

Fakt, obaj byli lekko sfilcowani, ale żaden nie wyglądał na zmyślnego mordercę. Ada przyjrzała się ich dłoniom – czy takimi grabiami łatwo by się wyjmowało oczy?...

***

Wcześniej jakoś nie zwracała na to uwagi, pewnie dlatego, że już przywykła. Dziś zauważyła, a właściwie poczuła, pieczenie i łzawienie. Może dlatego, że prawie cały dzień spędziła poza komendą, na świeżym powietrzu? A może dziś komendant wykurzył więcej ekstra mocnych – pety już się wysypywały z popielniczki. Tak czy owak, gęsty dym papierosowy podrażnił jej oczy. Miała wrażenie, że cały gabinet komendanta jest zasnuty mgłą jak trującym babim latem.

– A w papierach ma czysto? – Szkudła nie był zadowolony z alibi Majchrzaka.

– Czysto. Rozmawialiśmy jeszcze z kierownikiem tartaku: dobry, spokojny, żadnych wad.

– Wady to się każdemu znajdzie. – Wzruszył ramionami Szkudła.

– Pewnie tak, ale oczywistych nie ma żadnych. Alibi solidne: wpół do czwartej wyszedł z domu, po obiedzie, przed czwartą już był w tym barze.

– A matka nie była zdziwiona, że córka nie wróciła na noc do domu? – Komendant zmienił temat.

– Trochę była. Choć bardziej obstawiam wstyd. Bo w końcu powiedziała, że córce się zdarzyło „kilka razy" nocować poza domem.

– U chłopaka? To znaczy u tego Majchrzaka?

– Tak. To znaczy nie. Z Majchrzakiem, ale u tego Bogusia właśnie, czyli u jego babki. Chyba za jej nieświadomą zgodą. Marczyk i Majchrzak mówią „babcia", ale tak naprawdę to prababka. Ma osiemdziesiąt osiem lat, problemy z oczami i ze słuchem. I ponoć z głową, jakieś starcze cofnięcia. Jest trochę jak duże dziecko.

– Starość się nie udała Panu Bogu. – Pokiwał głową Szkudła. – No to trzeba dalej szukać. Dalsza rodzina, znajomi, jacyś chłopcy z przeszłości. Działajcie, pani porucznik.

– Panie komendancie, ja znam statystyki i wiem, że tak trzeba, ale mnie się wydaje, że tym razem to ślepy, za przeproszeniem, trop.

Szkudła sięgnął po sfatygowane beżowe opakowanie z żółtym paskiem i wyjął z niego ostatniego papierosa. Zmiął pudełko i cisnął pod biurko. Zgrzytnęła zapalniczka i po chwili gęsty kłąb dymu popłynął w stronę Ady. Komendant milczał wyczekująco.

– Ze statystyk wynika, że najlepiej być samotnym, bo w większości wypadków mordują bliscy. Ale te zabójstwa mają podłoże uczuciowe, często są w afekcie. Puszczają hamulce, w ruch idzie nóż, strzelba, siekiera. Niby są zaplanowane, ale i tak się coś rypnie, właśnie ze względu na emocje. A tu… Szczyt opanowania, wszystko przeprowadzone wręcz perfekcyjnie. Jakby tych emocji nie było.

– Co sugerujecie? – Szkudła patrzył na nią bez aprobaty.

– Że nie mamy do czynienia ze zwykłym morderstwem, że to coś lepiej przygotowanego, odmiennej natury. Panu komendantowi ta zbrodnia nie wydaje się inna? – Wytrzymała to spojrzenie.

Szkudła zaciągnął się ostatni raz i wcisnął kciukiem niedopałek w stertę kiepów w popielniczce.

– Mnie się wszystko wydaje takie, jakie się powinno wydawać. I dlatego jestem komendantem.

Rozdział 6

Salę wykańczał ktoś, kto nigdy nie widział trupa, zwłaszcza trupa po przejściach.

Adzie wydawało się, że już jakoś sobie radzi w prosektorium, ale ten seledynowogroszkowy odcień kafli, ciągnących się od podłogi do sufitu, w połączeniu ze słodkawą, mdłą wonią, która wgryzała się w ubranie i we włosy, tworzył piorunującą mieszankę.

– Pani porucznik na pewno nie potrzebuje pomocy lekarskiej? – zapytał ze zbyt szerokim uśmiechem mężczyzna w białym fartuchu.

Zygmunt Fornal. Doktor Zygmunt Fornal. Ada poznała go niedługo po przyjeździe, kiedy musiała uzupełnić książeczkę zdrowia. Trochę od niej starszy, w modnej koszulce polo wystającej spod fartucha, ze złotą bransoletką na nadgarstku, lekko wybrylantynowany, typ lowelasa. Prowincjonalnego, ale bardzo pewnego siebie. Na tej wizycie, podczas pierwszego w życiu spotkania, ewidentnie ją podrywał. „Ma pani takie piękne oczy, lazurowy błękit" – usłyszała w jego gabinecie. Do prosektorium pasował jak pięść do nosa. I co on właściwie tu robił?

– Dziękuję, daję radę. – Przełknęła ślinę. Teraz zadbała o posiłek; zjadła akurat tyle, by nie mieć pustego brzucha, ale też żeby go za bardzo nie obciążyć. Do prosektorium weszła ze szklanką kawy. Że niby na komendzie nie zdążyła wypić.

W rzeczywistości wsypała jej dwa razy tyle co zwykle, prawie do linii koszyczka. Tu mówili – podstakannika. Wyszła diablica – czarna, smolista. I bardzo aromatyczna. Podniosła ją do ust, udając, że bierze łyk, i mocno się zaciągnęła. Pomogło. – A pan doktor kogo tutaj leczy?

Fornal znowu się uśmiechnął. To był facet, który lubił się uśmiechać, wiecznie z siebie zadowolony.

– Pracujemy w jednym budynku. Ja z żywymi, Tadzio ze sztywniakami. I czasem sobie razem pijemy kawkę, jak pani porucznik. I pan sierżant.

Tadeusz Socha ułożył usta do uśmiechu. Nie tak ostentacyjnie jak Fornal, ale jednak. Obaj więc ją przejrzeli. Spojrzała w bok, na Tomczyckiego. Jeszcze się trzymał, ale stopień bladości jego twarzy niebezpiecznie wzrastał.

Postanowiła zignorować tę uwagę.

– To co pan doktor ustalił? O której nastąpił zgon? – zwróciła się do Sochy.

– W niedzielę między ósmą a szesnastą.

– To by się zgadzało. Ci młodzi przyszli tam około osiemnastej. A dokładniej nie da rady stwierdzić?

– Tak napiszę w raporcie. Nieoficjalnie mógłbym zawęzić do dwunastej–szesnastej.

Ada pokiwała głową. Jeśli Marianna Kozioł umówiła się na randkę, to godzina ósma jest mniej prawdopodobna niż południe.

– I teraz tak: najpierw był gwałt, ale... – Socha na moment zawiesił głos – ...nie do końca tradycyjny. To znaczy, z jednej strony są ślady współżycia z oznakami przemocy: otarciami, zaczerwienieniem, ale z drugiej – nie ma żadnych innych fizycznych dowodów, że zmarła się broniła. Jest za to wykrywalny zapach trichlorometanu, czyli chlorowej pochodnej metanu.

– Odurzył ją chloroformem? – zdziwiła się Ada.

To by tłumaczyło tę „łagodność" morderstwa. I zmniejszało prawdopodobieństwo popełnienia zbrodni przez kogoś bliskiego. Chyba że Marianna Kozioł bardzo podpadła jakiemuś znajomemu, który był związany ze środowiskiem medycznym lub chemicznym.

Socha trafnie odczytał jej milczenie.

– Wziewnie. W żołądku czysto. Całkiem sprawnie mu poszło. Za pierwszym razem takiego efektu raczej by nie uzyskał. To trudna substancja.

Ada o tym wiedziała. Chloroformu przez lata używano w anestezjologii – z różnym efektem. Czasem pacjenci wybudzali się podczas operacji, a czasem zasypiali już na zawsze. Nie wystarczy, jak w kryminałach w kinie, pomachać chusteczką przed nosem i ofiara pada jak mucha. Trzeba się solidnie pozaciągać, a dawkowanie to trochę rosyjska ruletka.

– Zwykle jest tak, że jeśli zostaje użyty chloroform, to między ofiarą a sprawcą istnieje pewien stopień zaufania – powiedział Socha.

– Czyli to może jednak ktoś bliski? – wtrącił Tomczycki. Wciąż był blady, ale jeśli do tej chwili wytrzymał, to istniała spora szansa, że już go nie zmuli.

– Niekoniecznie – odpowiedział Socha. – Można też ufać komuś mało znanemu ze względu na jakieś jego przymioty na przykład. Albo sprawowaną funkcję.

– Albo zawód. Na przykład lekarza. – Ada spojrzała na Fornala.

– Mnie można ufać bardziej niż Tadziowi, bo ode mnie pacjenci wychodzą w lepszym stanie.

Zaśmiali się wszyscy trzej. Ada karcąco spojrzała na Tomczyckiego. Szybko się brata, nie ma co. Przypomniała jej się pierwsza rozmowa z Beatą, sekretarką Szkudły. „Żeby ci tu dobrze było, powinnaś być facetem z pozycją. Oni się razem trzymają. Reszta to płotki, bez znaczenia. A kobiety... Ech, chyba że tę grubą rybę za ogon złapią". Widać Tomczycki też by chciał do większego akwarium. Sierżant spoważniał pod jej wzrokiem.

– A czy pańskim zdaniem chloroformu mógłby użyć ktoś, kto nie ma doświadczenia medycznego? – zapytała.

Socha chwilę się zastanawiał.

– Doświadczenie musi mieć, ale niekoniecznie zdobyte w pracy lekarza. Możliwości są różne: oczywiście medycy, ale też weterynarze, felczerzy, dentyści, studenci kierunków medycznych. Albo ci, którzy mają dostęp do chloroformu, co nie takie trudne, i sobie ćwiczą: na psach, kotach, królikach.

– A pozostałe sprawy? – Ada wolałaby, żeby w tej kwestii odpowiedź była bardziej jednoznaczna. Trudno, trzeba będzie iść tropem narzuconym przez Szkudłę.

– Podsumowując: najpierw otumaniona, potem zgwałcona – brak śladów biologicznych, sprawca był przygotowany, miał prezerwatywę. Potem ją udusił. Brak odcisków palców, użył rękawiczek. Również dość wprawnie, ma sporo siły. A na koniec wyjął oczy. I, jak rozumiem, zabrał ze sobą, bo ani przy ofierze, ani w pobliżu ekipa ich nie znalazła. A, no i była ubrana. Całkowicie, czyli najpierw ją rozebrał, przynajmniej z rajstop i majtek, a później ubrał.

Adę przeszył dreszcz – i lekkiego obrzydzenia, i podekscytowania. „Co się ze mną dzieje? To tylko praca".

– Na pewno już wtedy nie żyła?

– Tak. Na szczęście dla niej. Tu też pewna ciekawostka. – Socha siorbnął łyk herbaty ze szklanki ustawionej na wykafelkowanym stole.

Tomczycki czknął, Ada powiedziała:

– Kawy się napijcie, sierżancie, pomaga na czkawkę.

Tomczycki wsadził nos do szklanki.

– Bo gdyby morderca chciał ofiarę po prostu pozbawić oczu, to nie bawiłby się w ceregiele, tylko by wydłubał oczy po kawałku, to znaczy nacinając kolejne warstwy gałki ocznej i wyciągając, aż do dna.

Tomczycki wciąż się inhalował kawą.

– A tu czysta robota, żadnej rzeźnickiej dłubaniny. Z dużym prawdopodobieństwem jakimś kulistym narzędziem podniósł gałkę, zapewne po to, żeby nie uszkodzić twardówki, podciągnął, sprawnie odciął nerw wzrokowy, dodatkowo zaciskając tętnice, żeby się nie polało za dużo krwi. Bo oko jest, wbrew pozorom, solidnie ukrwione i przymocowane. Ludzie myślą, że taka delikatna galaretka, która się trzyma w oczodole siłą woli. Tymczasem ten nerw to solidny powróz, jak na przykład łożysko. Pamiętam staż na położnictwie. Gdy kolega miał przeciąć pępowinę, to aż się spocił. Chyba mu specjalnie położna dała stępione nożyczki, bo tylko się ślizgały po sznurze i dopiero po chwili go przerżnął. A kiedy mu kazała pociągnąć, to już nie chciał być dupa i tak szarpnął, że krwawy placek łożyska mu chlupnął na buty.

Ada usłyszała trzask zamykanych drzwi. Tomczyckiemu kawa nie wystarczyła.

Rozdział 7

Podeszła do okna. Było jeszcze ciemno. „Która to może być?" – pomyślała. Wróciła do tapczanu i wyciągnęła spod poduszki zegarek. Włączyła światło. Pokój zalała żółta jasność. Czwarta czterdzieści pięć. Od trzech dni budziła się o takiej nieludzkiej porze i nie mogła już zasnąć. Trochę ją trzęsło bez alkoholu.

Denerwowała się śledztwem. Miała poczucie, prawie pewność, że czynności, które wykonuje, są, co prawda, zgodne z poleceniami szefa i ze standardowymi procedurami, ale w tym przypadku donikąd ich nie doprowadzą.

I jak na razie wszystkie tropy kończyły się w ślepych zaułkach.

Majchrzak – brak motywu, brak możliwości.

Ten krępy, kędzierzawy, którego nazwiska nie pamiętała, poprzedni chłopak Marianny Kozioł, miesiąc temu się ożenił. Żona, w już widocznej ciąży, dała mu alibi.

Matka, nierozstająca się z chusteczką – przy okazji, Tomczycki wciąż nie oddał jej chusteczki, którą mu pożyczyła w Atenach. A była wyjątkowo ładna, Ada kupiła komplet trzech w kolorową kratę w Domach Centrum – wciąż powtarzała to samo: „Taka dobra dziewczyna, kto mógłby chcieć ją skrzywdzić?".

Ta opinia się pokrywała z tym, co zeznały koleżanki ze sklepu – miła, uczynna, koleżeńska. Nie wyniosła, chociaż ładna.

Marianna Kozioł rzeczywiście mogła przyciągać spojrzenia; i to nie tylko męskie. Średniego wzrostu, szczupła, ale z zaznaczoną talią i krągłym biustem, okrągła twarz, regularne rysy, gęste blond włosy i niebieskie oczy. Idealnie by się nadawała do Mazowsza. Atrakcyjna, eksportowa polska dziewczyna.

Jedna rozmowa była trochę inna. Sąsiadka z parteru, samotna emerytka. Też wychwalała „Mariankę" – że czasem zakupy przyniosła, gdy wracała z pracy, bo sąsiadce dokuczają powyginane artretyzmem nogi, że zawsze kulturalna, w drzwiach przepuszczała, „dzień dobry" mówiła, dla rodziców pociecha. I ten chłopiec także miły, taka ładna para. Ale potem powiedziała, że kiedyś „Marianka usiadła w kuchni, do wspólnej herbaty, zapatrzyła się w okno i wyznała, że czasami marzy, żeby mieć coś innego, lepszego, ciekawszego. Że nie ma powodów do narzekań, skąd, ale jest w niej takie dziwne pragnienie, żeby poznać inne życie".

Marzenia młodych dziewcząt – no która ich nie ma? Przeczytają *Anię z Zielonego Wzgórza* albo *Dzikuskę* i potem trudno im w szarym świecie. Tyle tylko, że większość z nich z tego wyrasta i idzie ścieżką rodziców – koniec szkoły, szybki ślub, szybkie dzieci. A potem to już nie ma czasu na marzenia.

Marianna chyba nie do końca wyrosła z marzeń. Matka przyznała, że już trochę się z ojcem, to znaczy mężem, niecierpliwili, kiedy ślub, kiedy wnuki, a tu nawet zaręczyn nie było. I ponoć dlatego, że Marianna zwlekała, bo on to chciał. Rzeczywiście, tak powiedział w tartaku, kiedy Ada pierwszy raz z nim rozmawiała.

„No i co takiego? – Szkudła wzruszył ramionami. – Kobiety tak mają, fiu-bździu w głowie, jaki to ma związek ze sprawą?".

Według Ady mogło mieć. Bo to niezdecydowanie, niechęć, żeby wykonać ostatni krok w „poważne życie", czyli założenie podstawowej komórki społecznej, to było jak otwarta furtka na nową znajomość. Co prawda, nikt nie zauważył, żeby się umawiała z kimś innym niż Majchrzak, ale zarazem, skoro już miała chłopaka, to z drugim musiała być ostrożna i się kryć. Przynajmniej do czasu, aż ten nowy nie zajmie miejsca tego starego. Bo tak odważna, żeby zostać bez pary, to Marianna najwyraźniej nie była – to się musiało odbyć na zakładkę.

Ada była pewna, że rozgryzła pannę Kozioł – nieśmiałą marzycielkę, która oficjalnie brała, co życie dało, ale w głębi ducha nie traciła nadziei na lepsze rozdanie.

Ten facet, który ją odurzył, zgwałcił, udusił, a potem pozbawił ładnych niebieskich oczu, musiał ją czymś ująć, urzec. Sprawił, że mu zaufała. I musiał być atrakcyjny. Bo Majchrzak to niebrzydki chłopak, no, może trochę wymoczkowaty. A Marianna nie szukała podobieństwa Majchrzaka, tylko jego przeciwieństwa. Kto jest przeciwieństwem dwudziestokilkuletniego szatyna średniego wzrostu, pracownika tartaku, uczciwego i dość nudnego?

A czego szukał ten, który ją zamordował?

Na pewno nie związku na stałe, nie miłości życia, nie rozrywki. Po co mu ona była? Do czego potrzebna?

Do seksu? Toby ją albo uwiódł, albo zgwałcił, gdyby zmieniła zdanie. Owszem, z gwałtami wiążą się morderstwa, kiedy ofiara stawia opór albo oprawca boi się rozpoznania.

Morderca był opanowany i schludny. I to, według Ady, też wykluczało osoby z bliskiego kręgu znajomych. Przecież gdyby to był ktoś bliski, to musiałby żywić tak dużą urazę do Marianny Kozioł, że mimo tych więzów byłby gotów ją uśmiercić. W takiej sytuacji często dochodzi do nadzabijania – morderca zbyt żarliwie, z naddatkiem zadaje śmiertelne ciosy. Ofiara już nie żyje, a on nadal masakruje ciało, dając w ten sposób ujście destrukcyjnym emocjom.

„Elegancki morderca" – znowu to do niej wróciło. Facet z Aten był elegancki.

No i te oczy. Dlaczego je wyjął? Dlaczego przykłada do nich taką wagę? Co to miało znaczyć? Ewidentnie był przygotowany, tu nie było wątpliwości. Nie każdy nosi przy sobie skalpel, odpowiednią łyżkę – „taką do lodów, gdyby jedną połówkę kulki odjąć, można by wykorzystać", stwierdził Fornal podczas sekcji; lekarz traktował lekko i życie, i śmierć. Zabawny luzak, pewnie tak o sobie myśli. Brat łata dla facetów, lep na kobiety. Ady nie ruszał, ale jej serce wciąż było zajęte. Szkoda, że ciało samotne.

Zdaniem Ady te oczy były kluczowe. Wszystko inne wtórne. „Gwałt wtórny?" – Szkudła nie podzielał tej opinii. Nawet Tomczycki, który wodził za nią wiernym wzrokiem, też miał wątpliwości. „Że niby przy okazji zgwałcił? To wbrew naturze".

Może Ada, kochanka na zesłaniu, rzeczywiście niewiele wiedziała o męskiej naturze?

A co morderca zrobił z oczami? Skoro sobie zadał trud, żeby je pozyskać w całości, to nie zakopał ich w lesie, tylko zabrał ze sobą, czyli do tego też był przygotowany – jakiś pojemnik z formaliną czy coś w tym stylu. Czy to znowu wskazuje na krąg medyczno-chemiczny? I co dalej? Wystawi na meblościance? Będzie oglądał? To jego trofeum? Chodziło o oczy Kozioł czy po prostu o oczy kobiety? Wszystko jedno jakie czy określonego koloru?

Czuła, że za chwilę rozsadzi jej głowę. Nie piła, w końcu był tydzień roboczy, zresztą w ogóle odstawi picie. Nie chce być jak te opijusy z komendy. Oni to nie tylko w weekendy, lecz także po robocie tankują. Wczoraj też szli ławą do kantyny. Śledzik, pieczeń rzymska i stołowa czysta. Jedzenie było tam nawet niezłe, ale Ada traktowała to miejsce czysto użytkowo – szybko zjeść obiad i wyjść. Czuła się nieswojo sama przy stoliku i jeszcze gorzej, gdy któryś się do niej przysiadał. Dlatego wczoraj na obiadokolację kupiła w społemie serdelki i korniszony. Dobre nawet, choć z czego te pękate kiełbaski były zrobione, to trudno powiedzieć. I może lepiej się nie dowiadywać.

Znowu spojrzała na zegarek. No proszę, straciła poczucie czasu – była za dziesięć siódma. Wyjrzała przez okno. Ta sama ulica, co komenda, tylko blok trochę oddalony od centrum. Niby lepiej, bo ciszej, czyściej, w okolicy pełnej takich samych, pachnących nowym betonem budynków. Gdyby nie lipy, byłaby tu sama szarość: bloków, płyt chodnikowych i asfaltu. W szarych gazonach nie zdążyli niczego posadzić, pewnie dopiero na wiosnę. Lipy jeszcze się zieleniły – w tej części Polski wegetacja była opóźniona o dwa–trzy tygodnie.

Wciągnęła dżinsy, włożyła elastyczny biały golf. Cudowny, lekki, dopasowujący się do ciała. No i nie trzeba go było prasować. Jedną trzecią pensji ją kosztował. Z dobrych czasów warszawskich, w peweksie kupiony.

Poszła do kuchni, zapaliła gaz i nastawiła czajnik. Do szklanki wsypała drobnej, granulowanej czarnej herbaty. Ukroiła dwie grube kromki chleba – lepsze tu mieli pieczywo, to im trzeba oddać. Z lodówki wyciągnęła serdelek z wczoraj. Korniszony na śniadanie jej nie pasowały, więc odcięła kawałek sera żółtego. Był tłusty, lepki, z trudem odchodził od noża. Na stole postawiła też małą szklaną butelkę z aluminiowym kapslem. Lokalny przysmak, którego nie znała. Serwowit, czyli, jak tu mówili, mleczny szampan. W rzeczywistości – sfermentowana, gazowana serwatka. Coś tak dziwnego w smaku, że aż trudnego do oceny.

Ale z bąbelkami. Namiastka dawnego życia.

***

Na komendzie było dziwnie spokojnie.

Beata nieobecna programowo – pogrzeb kogoś z dalszej rodziny, gdzieś pod samą granicą. A Szkudła? Zresztą co tam Szkudła, szefowi wolno wszystko i szef z tego korzysta – gdzie Tomczycki? Chłopak wyregulowany jak szwajcarski zegarek: punktualny, zawsze na czas?

Ada wyszła z pokoju. Na końcu korytarza na jednym z dwóch krzeseł pod ścianą siedział jakiś mężczyzna. Czy była tak zamyślona albo zaspana, że go nie zauważyła, czy przyszedł dopiero teraz? Ale nie słyszała trzaśnięcia, z jakim zawsze, nawet jeśli je przytrzymać, zamykały się frontowe drzwi do komendy.

Potrzebuje więcej snu i więcej kawy, jeśli ma być na chodzie. A musi być, bo inaczej nie ruszy z tą cholerną sprawą. Po przeprowadzonej wczesnym porankiem analizie coraz bardziej się utwierdzała w przekonaniu, że to będzie trudne śledztwo.

Tym razem drzwi grzmotnęły przepisowo.

W korytarzu pojawił się doktor Fornal. Podszedł do faceta z krzesła, tamten się podniósł i podali sobie dłonie. W tym momencie na szczycie prowadzących na piętro schodów zobaczyła Tomczyckiego. Trzymał się poręczy i jakby zastanawiał, co dalej.

„Popił" – pomyślała Ada. Zrobiło się jej przykro. Ona też miała swoje za uszami, ale ostatnio się pilnowała. Życie bez polepszacza nastroju nie było łatwe, ale jakoś się da. Zresztą ona piła dla ukojenia egzystencji, a on? Już doszlusował do kolegów? Przechodził właśnie rytuał inicjacyjny i niedługo będzie jednym z nich?

Tomczycki, przesuwając dłoń po drewnianym oparciu, niepewnym krokiem ruszył na dół. Fornal i ten drugi patrzyli w jego stronę. Ada, żeby dać wyraz swojej dezaprobacie, już miała się odwrócić i odejść, gdy usłyszała głos doktora:

– Widzę, że nie jest tak źle. Janusz też już wrócił z Rygi?

„Z Rygi? – pomyślała Ada. – Znowu jak coś z tymi Atenami?". Dopiero gdy Tomczycki pokonał wszystkie schody i stanął bliżej niej, zobaczyła jego twarz i zrozumiała – nie był pijany, był chory. Blady, z podkrążonymi oczami, jakby jeszcze wychudły, mimo że i tak wszystko na nim wisiało. Pewnie wymiotował. I Szkudła, zdaje się, także, stąd ta Ryga. Epidemia czy co?

– A pani porucznik w dobrej formie? – Fornal podszedł do nich.

– Dziękuję, zdrowie dopisuje. Wirus jakiś na komendzie panuje? – zapytała.

– Nieświeży tatar raczej. – Fornal poklepał Tomczyckiego po ramieniu. – Tym razem stołówka się nie spisała. Nasz specjalista od czystości wyjaśni, na którym etapie pojawił się błąd i kto zawinił: czynnik ludzki czy okoliczności niezależne. W każdym razie dziś pani porucznik musi się stołować na mieście, bo kantyna będzie zamknięta.

Na słowo „stołować" Tomczycki pobladł jeszcze bardziej i rzucił się na koniec korytarza, gdzie była łazienka.

„Biedaczek" – pomyślała. Nędzne doznania kulinarne, jakich doświadczała podczas wczorajszego samotnego serdelkowego posiłku, były niczym wobec katuszy, które przeżywał sierżant. Reszty komendy raczej nie było jej żal.

– Wy się nie znacie, więc przedstawię: Jan Kunda, inspektor naszego sanepidu, Ada Krzesicka, pani porucznik, która aż z Warszawy do nas przyjechała, by wesprzeć komendę miejską swoim stołecznym doświadczeniem.

Mimo kurtuazji czuła nutę ironii. On też na pewno znał kulisy jej przeniesienia. Może już wtedy, w swoim gabinecie, próbował ją poderwać, bo wiedział, że Ada „się lekko prowadzi", czy jak tam się mówi na dziewczynę wskakującą do łóżka żonatemu i dzieciatemu facetowi, który na dodatek jest jej przełożonym?

– Jan Kunda. – Mężczyzna wyciągnął dłoń w jej kierunku. Byli z Fornalem w podobnym wieku, nawet w pewien sposób podobni fizycznie – blondyni, jasnoocy, średniego wzrostu. Ale baczny obserwator na pewno by zauważył, że oprócz tego nie mieli punktów wspólnych. Fornal był ostentacyjnie wręcz „na luzie", taki spotęgowany, trochę karykaturalny porucznik Borewicz. Nawet z twarzy pasował – mięsiste usta, bokserski nos. Brakowało mu jednak tego mrugnięcia okiem, którym Bronisław Cieślak budował swoją postać. Tak, Fornal był lowelasem na serio. Nowo poznany Jan Kunda też był na serio, ale to była powaga spokojnego mężczyzny. W garniturze, w starannie wyczyszczonych butach. Nie pasował do tej zakumplowanej milicyjno-wierchuszkowej grupy.

– Proszę na siebie uważać, pani porucznik. Jeśli bakterie wyszły z zakładu mięsnego, nie tylko posiłki z kantyny były groźne. *Salmonella enteritidis* to podstępny przeciwnik, a zakazić się można także od chorej już osoby. Zalecałbym profilaktyczną kwarantannę – powiedział.

– Czuję się dobrze – odparła Ada.

– To się jednak może zmienić. Proszę się bacznie obserwować. I naprawdę – jeśli nie ma potrzeby tu siedzieć, proszę się przejść na spacer, zabrać dokumenty do domu. Z pewnością komenda będzie odkażana, więc lepiej wrócić, gdy zagrożenie minie. – Inspektor znowu do niej przemówił łagodnie, jak do dziecka.

– Zgadzam się z inspektorem. Niech pani porucznik prowadzi dziś śledztwo w terenie. I pije tylko koniak. Tam nie ma tej zarazy. – Z góry doczłapał do nich również Szkudła. On też wyglądał na wyżętego.

– Może jednak zabiorę cię do siebie, co, Janusz? – Fornal przyjrzał mu się z niepokojem. – Dobrze to ty nie wyglądasz – dodał. – Jeśli dużo z ciebie poszło, to płyny trzeba uzupełnić. U Piotrka może także. Gdy wyjdzie z łazienki, to go obejrzę.

– A pan doktor bez objawów? – zainteresowała się Ada. Często go widywała u Szkudły, albo wpadał na obiady, albo na południowe biesiadowanie w kantynie.

– Złego licho nie bierze. – Zaśmiał się. – Zresztą lekarze to są odporni na wszystko. No i wczoraj miałem dyżur – widać opatrzność nade mną czuwa.

Na końcu korytarza zamajaczyła sylwetka Tomczyckiego. Zgięty, drobiąc, szedł w ich kierunku.

– Dobra, jedziemy do szpitala – zadecydował Szkudła. – Panią porucznik żegnam i radzę słuchać speca od czystości. – Kiwnął głową w stronę Kundy.

Gdyby ta sugestia wyszła od Fornala, pewnie by ją zignorowała. Ale Jan Kunda wyglądał na rozsądnego i rzeczowego człowieka.

– Panie komendancie, pójdę za radą. – Spojrzała na Szkudłę.

Ten kiwnął głową i poczłapał w stronę wyjścia. Nagle się jednak odwrócił i powiedział:

– Jutro pogrzeb, nie zapomnijcie. Tomczycki pewnie wam nie potowarzyszy. Idźcie, nie rzucajcie się w oczy i obserwujcie.

„Nie rzucajcie się w oczy", no jasne. Zwłaszcza ona, ciało obce w tkance Suwałk.

– Byli u mnie rodzice tej Kozioł. Strasznie przeżywają, pytają, kiedy złapiemy mordercę. – Szkudła spojrzał na nią tak, jak na niego musieli patrzeć ci ludzie, którzy stracili swoje jedyne dziecko. – Smutni i wkurwieni.

Ada pokiwała głową i nic nie odpowiedziała. Poszli ze Szkudłą w dwie przeciwne strony – on do wyjścia, ona do pokoju, po torebkę i akta.

***

Żeby skutecznie tropić przestępcę, należy poznać jego świat i jego wartości. Myśleć jak on, robić to co on.

Ada była przekonana, że Mariannę zamordował ktoś stąd. Szkudła odrzucał taki wariant, bo psuł mu obraz jego miasta. Nie chodziło o to, że komendant był hipokrytą; po prostu pewne sprawy, takie jak hierarchiczne zależności, powiązania na wzór mafijnych, traktował jako coś oczywistego. W Suwałkach, co Ada zdążyła już zauważyć, panował system folwarczny, jak w Polsce sprzed wojny. I teraz, mimo że na państwowym, ci, co dzierżyli władzę, trzymali się tamtych wzorców. Te – z zewnątrz patrząc – układy nie wykraczały jednak poza określony katalog nadużyć: protekcje, kumoterstwo, czerpanie prywatnych korzyści z dobra wspólnego. Do morderstwa nikt by się tu chyba nie posunął. Chyba, bo jednak ta śmierć była inna.

Ada szła przed siebie, przyglądając się ludziom i sklepom. „Wtopić się" – raz jeszcze przypomniała sobie polecenie służbowe Szkudły. Stanęła przed witryną z napisem „Bielizna i trykotaże". Na myśl, że miałaby włożyć coś z tego asortymentu, zrobiło się jej nieswojo. Tutaj kobiety chyba sobie jeszcze nie uświadomiły, że mogą nosić spodnie. Jedna w drugą chodziły w sukienkach lub spódnicach. Ada przyjrzała się swojemu odbiciu w czystej szybie wystawowej: szczupła, średniego wzrostu, w opiętych dżinsach dzwonach, elastycznym golfie i mokasynach na słoninie – wszystko za dewizy. Nawet okulary przeciwsłoneczne, z którymi się nie rozstawała. Do tego jasne włosy, najczęściej rozpuszczone. Tu się włosy trefiło i potem przez tydzień paradowało z maksymalnie utrwaloną fryzurą. W Warszawie czuła się jak ryba w wodzie, między swoimi. Tutaj – była odmieńcem. Infiltracja była niemożliwa.

Zatęskniła za Warszawą, za Rolskim. Chciała porozmawiać z nim o morderstwie. Wolała, żeby Szkudła się nie dowiedział o tej, powiedzmy, konsultacji. Ada ceniła Andrzeja jako śledczego. Był przenikliwy i miał wyniki. Może on, patrząc z zewnątrz, zobaczy coś, co jej umyka.

Dotarła na pocztę. W kolejce czekały dwie osoby. Trochę to trwało, ale w końcu podeszła do okienka.

– Chciałabym zamówić rozmowę z Warszawą. – Wyrwała z notesu kartkę i napisała numer do gabinetu Rolskiego.

– Kto zamawia? – zapytała dziewczyna w białej bluzce.

– Ada Krzesicka.

– Na czyj koszt? Swój czy abonenta?

– Swój – odparła.

– Kabina numer jeden. Proszę czekać, będę łączyć.

Ada poszła do wskazanego aparatu. Położyła torebkę na drewnianej półce i odwróciła się w kierunku sali. Stąd miała dobry punkt obserwacyjny: naprzeciwko trzy stanowiska obsługi, z boku dodatkowe okienko do dużych paczek. Pracownice – cztery młode kobiety. Ta od przesyłek stała i tłumaczyła coś starszemu mężczyźnie. Dwie obsługiwały innych petentów. Ostatnia podniosła się z krzesła i podeszła do półek na ścianie. Ściągnęła z nich dwa klasery – pewnie chłopak, z którym przed chwilą rozmawiała, nie mógł się zdecydować, który wybrać. Ada nigdy niczego nie zbierała. Jakoś jej to nie pasjonowało – mieć rzeczy jednego rodzaju, tylko w różnych wersjach. Poza tym co by z nimi robiła? Wciąż oglądała? Wymieniała się? Jeździła na giełdy? No może z tego popłynęłoby trochę adrenaliny, bo inaczej to nuda. Do bycia kolekcjonerem potrzeba jednak specjalnych predyspozycji i… powtarzalności. Nagle przeszył ją dreszcz: a co, jeśli to morderstwo nie było jednorazową sprawą? Jeżeli zabójca jest takim właśnie kolekcjonerem? Kolekcjonerem, który zbiera oczy?

Jeśli to kolekcjoner, to będzie polował i zabijał dalej. Możliwe, że już wcześniej mordował, tylko my o tym nie wiemy. Czy były podobne sprawy? Trzeba przejrzeć rejestry zaginionych kobiet. Zakres wiekowy? Cechy wspólne? Cholera, tyle pytań.

Światełko na aparacie zamrugało. Ada chwyciła słuchawkę.

– Halo. – Usłyszała jego głos.

– Cześć. – Odchrząknęła. Czuła się chyba niezręczniej niż wtedy, gdy po prostu romansowali. Musieli uważać, żeby nikt ich nie przyuważył, ale cel był oczywisty i gra – tak się jej wydawało – warta świeczki. Teraz konspiracja była jeszcze bardziej wskazana, bo przecież mleko już się rozlało. Rolski twierdził, że stary, czyli teść, ma wszędzie wtyki. Może w telefonie w stołecznej też? Dlatego postarała się o w miarę oficjalny ton: – Masz czas? Chciałabym cię prosić o opinię w sprawie, którą prowadzę.

Ależ to brzmiało! Sucho i beznamiętnie. Im dłużej się nad tym zastanawiała, tym bardziej się jej wydawało, że w całej tej sytuacji najbardziej doskwiera jej zażenowanie, że tak się ugięli – przed systemem, przed górą. Że nie zawalczyli o siebie, tylko zaakceptowali karę. A Ada ją poniosła.

– Tak, oczywiście. Wprowadź mnie. – Andrzej też się dopasował. Lepiej mu to szło.

– Zamordowana dziewczyna, znaleziona w nieczynnym ośrodku wczasowym nad jeziorem. Leżała na łóżku, ładnie upozowana, z workiem na głowie. Na pierwszy rzut oka przyczyna śmierci nieznana. Po zdjęciu worka okazało się, że ma wyłupione oczy. To znaczy starannie wyjęte.

– Ciekawe – mruknął Rolski.

– Wyniki sekcji: otumaniona chloroformem, zgwałcona, uduszona, pozbawiona oczu. Wszystko przeprowadzone na miejscu zbrodni. Oczu nie odnaleziono. Śladów żadnych, morderca się rozpłynął w powietrzu.

– Kim jest ofiara?

– Dwadzieścia jeden lat, po maturze, pracowała w sklepie spożywczym. Ładna buzia, niebieskooka blondynka, zgrabna. Typ dziewczyny z sąsiedztwa. Miała chłopaka, była jedynaczką, mieszkała z rodzicami. Żadnych zaszłości, spokojna, grzeczna. Sąsiadka zeznała, że może trochę niespełniona marzycielka.

– A ten gwałt i w ogóle śmierć to z oznakami, że się broniła?

– Nie. Pewnie przez chloroform.

– Ale trzeba go jakoś podać. Musiała mu ufać.

Myśli Rolskiego biegły właściwym torem.

– Jest też teoria, że niekoniecznie go znała, ale to osoba obiektywnie godna zaufania. I powody, by myśleć, że ten ktoś ma szeroko rozumiane doświadczenie medyczne. Oczy były wyjęte schludnie.

– Bliskich wykluczyliście?

– Tak. Jutro pogrzeb. Myślisz, że przyjdzie?

Rolski się zawahał.

– Pewnie jest ciekaw reakcji. Takie zbrodnie wywołują strach, ale i ekscytację.

– Oficjalne info o oczach nie poszło.

– Szkudła rządzi twardą ręką – stwierdził Rolski.

– Czasem mu drży – odpowiedziała Ada.

– A tobie? To znaczy, jak się czujesz?

– Dobrze, dziękuję. – Rozmowa zaczynała iść w niewłaściwym kierunku. – I co myślisz? Masz jakąś sugestię?

– Zacząłbym od sprawdzenia najbliższych, potem bliskich, znajomych z pracy. Skoro tu pudło, to w następnej kolejności przejrzałbym rejestr przestępców seksualnych: dewiantów, zboczeńców. Ale pewnie już to robisz. Jacyś świadkowie? Plotki? Poszlaki?

– A, bo tego ci nie powiedziałam: ten gwałt, zdaniem patologa, nie nosił znamion brutalności – weszła mu w słowo Ada.

Uważała, że to istotna informacja, bo trochę inaczej rozkładała akcenty.

– Nie był najważniejszy? – dopytał Rolski.

– Najważniejsze chyba były oczy. Taka jest moja teoria. I dlatego wydaje mi się, że to nie było jednorazowe przestępstwo.

– Sądzisz, że znowu uderzy? Po jednym razie to ryzykowna teoria.

– Nie wiem. Komendant uważa, że ta sprawa jest prostsza, że nie ma drugiego dna. A ja stoję teraz na poczcie z widokiem na okienka, patrzę na klasery na półkach i intuicja mi podpowiada, że to może być kolekcjoner. Kolekcjoner oczu.

– A może to ma być jego znak rozpoznawczy? Taki swoisty podpis? Poszukam w archiwach, czy gdzieś było coś podobnego. Uważaj na siebie, Ada. – To ostatnie powiedział miękko, jak kiedyś. Ciało drgnęło. Jednak, mimo wszystko, tęskniła za nim.

Wyszła z poczty. Rozmowa z Rolskim dużo ją kosztowała. Ada od początku wiedziała, że jest żonaty, jasne, więc niby nie powinna być rozczarowana, ale rozum to jedno, a serce – drugie. Wtedy jednak miała trochę, teraz – nic. Mimo to nie potrafiła, jak to się mówi, pójść dalej. Choć nie była już z Rolskim, nie była też gotowa na nowy związek.

Postanowiła pospacerować, a potem w domu jeszcze raz przejrzeć akta – może coś jej umyka? Od wczoraj miała w tyle głowy powiedzenie „oczy są zwierciadłem duszy". Może nie chodzi o brutalny wybuch, może nawet nie tylko o tworzenie kolekcji. Może zabójca, zabierając oczy, chciał odebrać Mariannie Kozioł coś jeszcze? Duszę? Człowieczeństwo? A może Ada tylko dorabia teorię, bo wyjaśnienie jest prostsze?

Szła nierównym chodnikiem, mijając architektoniczny przeplataniec: przybrudzone kamienice, drewniane domy z gankami i bloki z cegły. Bezwiednie zatrzymała się przy witrynie zakładu fotograficznego mieszczącego się w suterenie. Spojrzała na szyld u góry: „Henryk Harabasiuk", czarny napis wstawiony w wymyślny owal. Ścianka oddzielająca miejsce wystawowe od pomieszczenia zakładu była obciągnięta białym lejącym materiałem, do którego poprzyczepiano zdjęcia. Ada lubiła, jak chyba większość ludzi, przystawać przed takimi wystawkami. Przyglądała się twarzom i postaciom nieznajomych, wyobrażając sobie ich losy i osobowości. Tutaj były same kobiety, młode, płowe, ładne – kwintesencja słowiańskiej urody. Dobrze się nadają do reklamowania usług fotograficznych. Niektóre zdjęcia były w stylu urzędowym, jak do dowodu, inne pozowane w atelier. Twarze, popiersia, sylwetki. „Wszystkie atrakcyjne, fotograf ma dobre oko" – pomyślała. Jedna odbitka, umieszczona centralnie, trochę się różniła. Kobieta, która patrzyła na nią ze zdjęcia, uśmiechała się tak, jakby w chwili naciskania migawki po drugiej stronie obiektywu stał ktoś, do kogo coś czuje. Była taka swobodna, szczęśliwa. To był powiększony kadr z jakiejś większej całości. „Pewnie żona albo dziewczyna" – zgadywała Ada. Znowu coś ją zakłuło. Oni też kiedyś zrobili sobie taką sesję. Pojechała wtedy na drugą stronę Wisły, na Pragę, żeby „bezpiecznie" wywołać odbitki. Ma je do dziś. Jedną zabrała nawet ze sobą. Zrobione samowyzwalaczem, w tym domku nad Zegrzem: siedzą na tapczanie, za nimi nieduże okno. Andrzej obejmuje ją ramieniem, ona delikatnie się o niego opiera. Uśmiechają się, jak ta dziewczyna ze zdjęcia.

Rolski powiedział jej dziś: „W końcu kiedyś tu wrócisz, wytrzymaj".

Ada pomyślała jednak, że dystans, który dzieli ją od Warszawy, jest większy niż trzysta kilometrów. I wciąż rośnie.

Rozdział 8

– To, co się stało, godzi w naturalny porządek rzeczy.

Kościół był pełny, ludzie stali nawet na zewnątrz, mimo że było chłodno i kropiło. Przyszli na pewno dlatego, że poruszyła ich śmierć Marianny Kozioł; gdy umiera ktoś młody, zawsze łatwiej o współczucie. Z pewnością jednak przeżywali także sposób, w jaki pozbawiono ją życia. Szkudła w jednym miał rację – gdyby w lud poszła informacja, że po gwałcie i uduszeniu doszło do wyłupienia oczu, w mieście zapanowałaby panika. Strach i lęk to nieobliczalne stany psychiczne, a kiedy ogarną tłum… W najlepszym razie milicja byłaby bacznie obserwowana i rozliczana z każdego kroku i każdego dnia, który upłynął od morderstwa, a w żaden sposób nie zbliżył ich do odnalezienia zabójcy.

– Akceptujemy wyroki Pana, ale trudno nam się pogodzić z tymi, które są wbrew zamysłowi boskiemu – ciągnął ksiądz.

Mszę odprawiał proboszcz, otyły sześćdziesięciolatek. Choć ton głosu i minę miał adekwatne do sytuacji, Ada nie potrafiła dostrzec u niego prawdziwego przejęcia. Ale czy można się temu dziwić? Od czterdziestu lat wygłasza takie kazania, robił to także podczas wojny, kiedy gorsze okropieństwa były na porządku dziennym. Każdy się wypala: duchowny, lekarz, milicjant. Nie ominęło to również Ady. Swoje pierwsze morderstwo, nie licząc tego z parku, gdy była dzieckiem, bardzo przeżyła – matka i czteroletni syn z wieloma ranami ciętymi zadanymi przez jej konkubenta. Tę kobietę jeszcze jakoś by wytrzymała, ale chłopczyk? Ufny, mały, bezbronny. Przepłakała kilka nocy. Wtedy złapali mordercę, tylko co z tego? Dostał piętnaście lat, po dziesięciu może wyjść. I zacząć życie na nowo, podczas gdy oni już dawno się rozłożyli w piachu. Z każdą kolejną sprawą trochę się uodparniała. Ubywało jej wrażliwości, twardniała. To podobno mechanizm obronny, bo inaczej to tylko zwariować można. Nie wolno się emocjonalnie angażować, to praca. Ksiądz na pewno też tak ma – może nawet bardziej, bo wizja życia wiecznego jest w stanie ukoić różne smutki. W jej przypadku wszystkie błędy i szanse są jednorazowe – jak życie po prostu. Jeśli coś spieprzy, będzie spieprzone. Można próbować naprawiać, ale to już zawsze będzie łatanie. A łaty – wiadomo, inaczej wyglądają, inną mają wytrzymałość.

Łapanie przestępców zawsze ma podwójny cel: ukaranie ich za niegodziwości, których się dopuścili, i ochrona społeczeństwa przed nimi. Resocjalizacja i odosobnienie mają to zapewnić. Jest w tym naiwne przekonanie, że przestępca – oskarżony, osądzony, skazany i umieszczony w zakładzie karnym – zmieni się i wyjdzie stamtąd odmieniony, naprawiony. Statystyki odsłaniały brudną prawdę, więzienia nie spełniają pokładanych w nich oczekiwań. Oczywiście, wiele zależy od przestępcy: jeśli ktoś popełnia zbrodnię w afekcie, zamroczeniu, po alkoholu, jest szansa, że gdy zrozumie, co zrobił, więcej tego nie powtórzy. Zostawali recydywiści; państwo nie wymyśliło sposobu, jak ich nawrócić na dobrą drogę. Aresztowania i kolejne odsiadki tylko czasowo odraczają zbrodnie, których się dopuszczą.

– Szukam słów pociechy dla rodziców, którzy muszą chować własne dziecko – ciągnął proboszcz.

Nie była w kościele od dawna. W dorosłym życiu zaliczyła dwa śluby i pogrzeb ciotki, ale nie o fizyczną obecność jej chodziło, a o duchowe uczestnictwo w tej wspólnocie. Nie doznała tego od czasów komunii; wtedy właściwie też nie. Ten sakrament jeszcze przyjęła, przede wszystkim dlatego, że Aldona, żona ojca, chciała mieć ślub kościelny, więc głupio by było, gdyby ona nie włożyła białej sukienki i wianka, jak koleżanki z klasy, a potem tata by prosił księdza o ślub (choć mogło mu to zaszkodzić w karierze). Pamiętała, jak dziwnie się wtedy czuła. Wiara w przemianę opłatka w ciało i wina w krew nie została jej dana, podobnie jak wiara w zmartwychwstanie. Nie potrafiła się także odnaleźć w gronie wiernych, gdzie wszystko się przeżywa razem. Nie była stadna, nigdy.

– I nie znajduję takich słów.

Czyli jednak było coś, co ją łączyło z proboszczem.

– Nie znajduję ich jako człowiek. Ale w imieniu Boga mogę powiedzieć: ufajcie. Ufajcie w jego dobro i miłosierdzie. Nie powoływał jeszcze do siebie naszej siostry Marianny, ale skoro ona już jest u bram niebieskich, to teraz jest pod jego opieką. Ziemskie zło już jej nie dosięgnie. – Tu dramatycznie i profesjonalnie zawiesił głos.

Ada patrzyła na rodziców Marianny. Siedzieli przed ołtarzem, w pierwszej ławce. Sprawiali wrażenie, jakby czerpali siłę ze słów księdza. Tak właśnie musi wyglądać wiara. Kto wie, co siedzi w ludzkich głowach.

– Dziś modlimy się o życie wieczne dla Marianny. Nie zapominajmy także o tych, którzy zostali: o jej rodzicach. Za nich, za spokój ich ducha dziś również wznosimy modły. I jeszcze dajmy odczuć wspierającą siłę modlitwy tym, którzy z ludzkiego, ziemskiego, prawnego poziomu są w tę sprawę włączeni. Naszej milicji. – Śpiewna intonacja poszybowała.

Ada zdrętwiała.

– Niech w dochodzeniu do prawdy wspomaga ich Duch Święty.

„Ja pierdolę. On to naprawdę powiedział. Rzeczywiście Kościół ma większą władzę na ludźmi w tym kraju niż cała milicja z ubecją razem wzięci". Rozejrzała się po wiernych. Żadnego zdziwienia nie odnotowała. Kilka osób spojrzało na nią znacząco – i to tyle w kwestii wtapiania się w tłum. Cóż, może z dotychczasowymi wyzwaniami śledczymi miejscowej komendy Duch sobie radził, ale teraz szybciej i skuteczniej będzie, jeśli zaraz po pogrzebie Ada pójdzie przeglądać przygotowane akta. Jeżeli wierzyła w coś innego niż solidna praca śledcza, to była to intuicja. A ta jej podpowiadała, że sytuacja jest, jak to się mówi żargonowo, „rozwojowa".

A tak naprawdę – chujnia.

* * *

– Dzień dobry, pani porucznik. – Tomczycki podniósł się zza biurka.

– O, jesteś – zdziwiła się Ada. – Lepiej się czujesz?

– Trochę. Doktor Fornal jakoś postawił mnie na nogi. Do kościoła nie poszedłem, bo jeszcze nie jestem na siłach, żeby tak długo stać, ale pracować przy biurku mogę. Coś pani porucznik wypatrzyła na pogrzebie?

Ada westchnęła. Na cmentarzu było jeszcze więcej osób niż w kościele. Jeśli trzymać się teorii, że przestępca przychodzi na pogrzeb ofiary, to mogła podejrzewać pół miasta.

– Nic niezwykłego. Ludzie byli spokojni. Większość przyszła ze współczucia, byli i tacy, co z ciekawości, ale to nie jest karalne. A u ciebie coś interesującego?

Gdy wychodziła z komendy, teczki leżały rozsypane na jej biurku. Teraz były ułożone w schludne kupki.

– Pod nieobecność pani porucznik przejrzałem zawartość akt. I opracowałem kryterium podziału. To wszystko są sprawy z tłem seksualnym, które wydarzyły się w ciągu ostatnich trzech lat, dokładnie od października tysiąc dziewięćset siedemdziesiątego trzeciego roku. I teraz tak: pierwsza kupka – pokazał palcem – to najcięższe zbrodnie, czyli gwałty zakończone morderstwem. A nawet jednak sprawa była taka, że najpierw było zabójstwo, a potem gwałt. – Tomczycki powiedział to z ewidentną odrazą na twarzy. – Tych możemy wykluczyć, bo wszyscy siedzą, ale sprawdzę jeszcze, czy żaden nie dostał przepustki, choć to by było jeszcze za wcześnie. Druga kupka – palec znowu powędrował na stół – to gwałty takie... – zawahał się – ...okazyjne. No, w sensie, że przestępca nie znał ofiary i nie zaplanował tego. To znaczy, nie był tak przygotowany jak ten nasz.

– Impulsywne? – zapytała. – To masz na myśli?

– Właśnie! – ucieszył się Tomczycki. – Jakby impuls je wywołał, bo akurat nadarzyła się okazja. Jeden na przykład w parku, dziewczyna wracała późno do domu, pielęgniarka ze szpitala. Zwykle ją odbierał narzeczony, ale tego dnia się pokłócili. A ten facet zeznał, że „po prostu musiał" i chodził po mieście, szukając „okazji". Stąd mi ta nazwa do głowy przyszła. Albo inna, w wakacje to było, stopem jechała. Zatrzymał się, zabrał, a potem nie chciał wypuścić, że niby taka „zapłata". Powiedział, bo to było lato, że go „kusiła swoim ubraniem, a właściwie prawie brakiem ubrania". No i takich spraw jest siedemnaście. Czternastu już na wolności, bo wyroki do dwóch lat, trzech jeszcze powinno siedzieć, bo doszło do pobicia i uszkodzenia ciała, w jednym przypadku określono je jako ciężkie.

– Dobrze kombinujecie, sierżancie. – Ada się uśmiechnęła.

Tomczycki się rozpromienił, ale po chwili spoważniał.

– Tylko mnie się wydaje, pani porucznik, że to nie bardzo do nas pasuje...

– Bo?... – Dlaczego jej nie pasuje, wiedziała. Ale co się nie zgadzało sierżantowi?

– Bo... Bo to wszystko takie na chybcika. Oni tego nie zaplanowali. To znaczy, chcieli zgwałcić, ale, jak pani porucznik powiedziała, to było jak impuls. Nie zadbali o warunki, o zacieranie śladów. Liczyło się tylko to, żeby...

Adzie przyszło nagle do głowy, że sierżant nigdy jeszcze nie miał dziewczyny. Sposób w jaki mówił o kobietach, zawstydzenie i ta nieśmiała delikatność wskazywały, że dla sierżanta miłość, seks i kobiety to na razie ziemia obiecana.

– Słuszne spostrzeżenie, ale wykluczyć nie możemy. Trzeba przesłuchać, to polecenie komendanta Szkudły. Kolejna kupka?

– A, to są przypadki, w których ofiara znała gwałciciela. Na przykład kobieta wpuściła do domu faceta, co jej węgiel przywoził. Kilka lat woził ze składu, to jak znajomy. Zsypał do piwnicy, a potem chciał do ubikacji. Albo jeszcze prościej – sąsiad. Jak się bać sąsiada?

Pytanie Tomczyckiego zawisło w próżni. Ada mogłaby mu powiedzieć, że bać się można wielu osób, a podejrzewać – w zasadzie każdego. Ale ta wiedza musi sama do niego przyjść. I przyjdzie. Zapłaci za nią utratą pogody ducha, jak każdy doświadczony milicjant. I wypaleniem.

– W przypadku Marianny Kozioł nie mamy pewności, czy znała swojego oprawcę, czy też nie – powiedziała Ada. – Na podstawie zeznań rodziny, koleżanek z pracy, sąsiadów, możemy założyć, że to nie był nikt znajomy, w każdym razie nikt, kogo by znała lepiej, dłużej, o kim by opowiadała. Co prawda, jeśli pojechała z nim do tych Aten w celu, jak się wydaje, jednoznacznym, to niespecjalnie mogła o kimś takim rozpowiadać. W końcu miała stałego chłopaka, narzeczonego prawie. Swoją drogą, jeśli to zrobiła, to uznała, że gra warta świeczki.

– W sensie, że to ktoś lepszy od tego jej chłopaka? – Tomczycki spojrzał na nią w taki sposób, jakby cierpiał za Krzysztofa

Majchrzaka. Byli w podobnym wieku. I w podobnej sytuacji – na początku drogi zawodowej. Tyle że Tomczycki mógł daleko zawędrować, a Majchrzak?... Pewnie do końca życia już by w lesie został. Dla dziewczyny z marzeniami to zdecydowanie za mało.

– Tak – potwierdziła Ada, nie odrywając wzroku od trzymanych dokumentów. – I to się może łączyć z teorią, że gwałciciel jest w jakiś sposób związany z medycyną, farmacją, chemią. To ktoś z wiedzą i dostępem do odpowiednich środków. W domyśle: wykształcony, czyli i z pozycją. – W końcu spojrzała pytająco na Tomczyckiego.

– W tych teczkach nikogo takiego nie ma. To znaczy, przepraszam, jeden przypadek. Ale też nie do końca się zgadza, bo to nauczyciel. Od historii. A gdyby szukać kogoś wyżej postawionego, to jeszcze jest dyrektor zakładów mlecznych. Choć to właściwie odrębna kupka. – Spojrzał na samotnie leżącą teczkę. – Bo najpierw sprawa była, to znaczy, było zgłoszenie na milicję. Pracownica zeznała, że ją przymusił do współżycia u siebie w gabinecie. Po imieninach, które hucznie się tam ponoć obchodzi. Rzeczywiście, świadkowie zeznali, że były ciasta i wino.

– To dlaczego odrębna? – zdziwiła się Ada.

– Bo ta dziewczyna ostatecznie odwołała zeznania. Doszła do wniosku, że... – Wziął teczkę do ręki, wyjął zapisaną na maszynie kartkę i przeczytał z niej: – „Pochopnie oskarżony mógł opacznie zrozumieć moje zachowanie jako takie, które dopuszcza, co więcej, nawet zachęca do odbycia stosunku seksualnego".

– Tak zeznała? Elokwentnie – zakpiła Ada.

– Pani porucznik myśli, że to dęta sprawa? – zapytał Tomczycki.

– Myślę, że faceci na wysokich stanowiskach mają dar przekonywania. Czy ją przekupił, czy zastraszył, tego nie wiem. Ale że któryś z tych wariantów – jestem prawie pewna... Czyli mamy czternastu z tamtej kupki i ten piętnasty. Jak na trzy lata, to niewiele.

Tomczycki znowu spojrzał na nią bezradnie. Często go peszyła. Przede wszystkim dlatego, że była ładna, mimo iż nie w stylu tutejszych dziewczyn. Niespecjalnie się chyba malowała, na ile umiał to ocenić, ani razu nie widział jej w spódnicy czy sukience. A i tak bardzo mu się podobała. Może właśnie dlatego, że była inna? Często mówiła takie rzeczy, które ktoś inny również by mógł pomyśleć, ale zatrzymałby je dla siebie. Bywała ironiczna. Jak chyba teraz.

– W Warszawie na pewno więcej. To znaczy, wiadomo, że to stolica, dużo większe miasto, środowisko też się różni, no i przyjezdni... – zaczął.

– Więcej – zgodziła się Ada. – Ale także nie tyle, ile naprawdę się tych gwałtów zdarza. Wiesz dlaczego?

Tomczycki się domyślał. Przyjść na milicję i opowiadać o takich okropnych sprawach musi być trudno. A potem jeszcze w sądzie. No i ludzie gadają. Pokiwał głową.

– Właśnie – stwierdziła. – Rzadko się myśli o tym, żeby takiej skrzywdzonej kobiecie zapewnić odpowiednie warunki, na przykład odrębny pokój do przesłuchań, milicjantkę zamiast milicjanta do sprawy przydzielić, w szpitalu do obdukcji lekarkę wyznaczyć. Więc to, co mamy w aktach, to tylko część prawdy. No nic, trzeba tych piętnastu przepytać i sprawdzić ich alibi na dwudziestego trzeciego września.

– To może lepiej, skoro to sami mężczyźni, i to o gwałt oskarżeni, żebym ja się tym zajął?

Ada spojrzała na niego wzrokiem, którego nie umiał określić, a potem się uśmiechnęła i odpowiedziała:

– Wręcz przeciwnie, sierżancie. Z chęcią ich przepytam. Zaczynamy od jutra.

Rozdział 9

– Cały dzień na dworcu, mam już dosyć autobusów i ludzi. Dosyć! – oznajmiła z właściwą sobie przesadą zamiast powitania. A może bardziej do siebie to powiedziała.

Zdecydowanie się różnił od innych mężczyzn. A codziennie widziała ich setki. Oni byli tu z musu, jechali do lub z pracy, niedospani, zmęczeni po całym dniu roboty. W ubraniach szarych jak ich twarze. Naprawdę czuła się już zmęczona tą beznadzieją. A on miał pogodne oblicze. I fajnie się ubierał – dobrze skrojona jesionka, modny wełniany szal, skórzana teczka, która leżała na siedzeniu z tyłu. Tak inny od tych znękanych robotników, od których zalatuje naczosnkowaną kiełbasą i piwem. Pod tym względem jest zdecydowanie lepszy od innych, od tych, co przychodzą do niej w umizgi, także. Jak z innego świata, do którego zawsze chciała się wyrwać. Za pierwszym razem się nie udało.

Byłaby głupia, gdyby zapomniała o jego historii i ciemnych stronach. Przecież je ma, tę jedną na pewno. Nie trzeba się jakoś specjalnie starać, żeby to wiedzieć. Ludzie mówią różne rzeczy. Ale czy ona ma w kim przebierać? Małe te Suwałki. A ten człowiek był kimś. Bez względu na przeszłość. I może tym razem coś z tego wyjdzie.

– Co robić, taka praca. Samotnej dziewczynie jest trudno – odparł. – Wiesz, o czym mówię?

Nie, nie wiedziała, co chce przez to powiedzieć, przecież można to na różne sposoby rozumieć. Dlatego na razie milczała. Usiadła wygodnie i przymknęła umalowane na perłowoniebiesko powieki. Zobaczy się, co będzie dalej.

Taki stary trik, ograny w każdej książce i filmie – że niby jest uległa, więc na chwilę przymyka oczka i w dół patrzy, ale to tylko preludium, wstęp. „Graj sobie, teraz ci wolno. Każda z was gra, suki głupie. Przez chwilę mogę nie widzieć twoich oczu, bo niedługo będę je miał na zawsze" – to w jego głowie. Na twarzy – uśmiech. A mówią, że co w środku, to na zewnątrz widać. Mylą się. Mylą się w przypadku kobiet, mylą się i co do niego.

Kiedy czekał na nią w aucie, patrzył w lusterko. Szła chodnikiem, zapinając kusy kożuszek. Zrobiło się chłodno, był brzydki, ponury dzień. Jeśli kto nie musiał do pracy, to raczej nie wybierał się na spacer. Skwer, przy którym zaparkował, był pusty. Zresztą co się dziwić, kamienica obok nie zachęcała do zapuszczania się w te okolice.

Żeby nie wypaść z roli, powinien był wysiąść i otworzyć jej drzwi. Ale wolał nie ryzykować, że ktoś akurat wyjrzy przez okno i go zobaczy. Im szybciej ona wsiądzie i odjadą, tym lepiej.

– Może samotną dziewczynę dałoby się zaprosić na kawę? A może i na obiad? W jakimś przyjemnym miejscu, gdzie łatwiej zapomnieć o codzienności? – odezwała się w końcu, kiedy dojechał do końca uliczki. Skoro zaoferował jej podwiezienie, zupełnie nieoczekiwanie, to może jednak o coś więcej chodzi?

– Dałoby się, oczywiście.

Uśmiechnęła się.

Zaaranżować tę sytuację nie było wcale łatwo. Przecież miała powód, by potraktować go podejrzliwie, odmówić. Więc to musiało być niby przypadkiem. Nabrała się. W rzeczywistości doskonale wiedział, o której kończy pracę. Znał cały rozkład jej tygodnia, kiedy jaka zmiana, o której przychodzi, o której kończy. Obserwował ją. Od razu rzucała się w oczy; za innymi szybkami siedziały zwyczajne dziewczyny, niczym się nie wyróżniały. Szare myszki. Ona była inna: bujne jasne włosy, mocny makijaż, ten cień, widoczny z daleka, opięty sweterek z trójkątnym dekoltem. Całą sobą dawała znać, że jest w gotowości, że czeka na mężczyznę. „No, to się doczekałaś, suko" – ciepło rozlało się po jego ciele. Dreszcz ekscytacji wobec tego, co niebawem nastąpi.

– Dałoby się, ale teraz to chyba mogę tylko odwiezienie zaproponować – powiedział ze smutkiem. – Albo zabrać na szybką kawę. Zupełnie zapomniałem, że mam jeszcze pilne papiery odwieźć do zakładu. Przepraszam.

– A ten zakład daleko? Dużo czasu to zajmie? – Było widać, że jest rozczarowana takim obrotem sprawy.

Suka, jednego tylko chce. I myśli, że zapłaci swoją zwykłą walutą – ciałem. Tak, tym razem też, choć w inny sposób.

– W Prudziszkach. Karty zostawię i jestem wolny.

Trochę się zdziwiła tym zakładem, ale widać znowu jakieś zmiany w przepisach, rejonizacji, organizacji. Poza jej okienkiem pekaesowym świat jest bardziej skomplikowany.

– No to się chętnie przejadę, dlaczego nie? W sumie nic nie mam do roboty, a tu mi tak dobrze. – Wyciągnęła nogi w kozakach i rozpięła kożuszek.

„Zimno, a ona w spódnicy. Wszystkie prawie w spódnicach, tylko ta jedna nie – przebiegło mu przez głowę. – Mógłby pomyśleć ktoś, że jest inna. Wcale nie jest inna, jest taka sama jak one". Ada Krzesicka, niebezpieczna pani porucznik. Ale przyjdzie czas, że to ona zajmie miejsce tej tutaj.

Dla zabicia czasu i odwrócenia uwagi zapytał o pracę. Zaczęła paplać o kierowniku, koleżankach z pracy, o tym, że ciężko, bo zmiany, no ale kierownik ją lubi, za co nie lubią jej koleżanki. Że zimno w zimie, a gorąco w lecie, często głowa boli, że tak się jej marzy, żeby to był tylko przystanek w życiu – taki żart, czy zrozumiał: przystanek, a ona przecież pracuje w kasie na dworcu, czyli na dużym przystanku. Że nic się tu nie dzieje, nuda i marazm, a ludzie to już całkiem do niczego i że taka młoda dziewczyna z ambicjami to tutaj usycha jak kwiat na pustyni.

Zaczynała go denerwować ta paplanina. „Ciekawe, czy o córeczce powie? – pomyślał. – Nie, pewnie nie. Suka, zdecydowanie suka. Lepiej, żeby jej nie było, jak ma wychować sobie podobną".

– No i jesteśmy – powiedział, zjeżdżając z asfaltu w boczną drogę.

– A główna brama to nie tam? – zdziwiła się, pokazując palcem przed siebie. Przed zakrętem, kilkadziesiąt metrów dalej, widać było potężną bramę z malutkim domkiem dozorcy.

Niby taka zajęta gadaniem, a jednak obserwowała, co się dzieje za oknem.

– Tam, ale wtedy trzeba przejechać przez cały teren zakładu, wyjechać bramą z tyłu i przejechać przez kolejną, na drugi obiekt, gdzie mam zostawić papiery. Tędy łatwiej, od razu do celu.

Kiwnęła głową. Co za różnica zresztą, im szybciej to załatwią, tym lepiej. Podpowie mu, żeby ją zabrał do Świtezianki, tej nowej restauracji za Sejnami. Podobno bardzo eleganckie miejsce, z klasą. Ceny wygórowane, ale co to dla takiego faceta. Jasne, że ma pieniądze, niech płaci.

Jechali boczną drogą dość długo. W końcu zatrzymał auto przy jakichś zabudowaniach.

– Mam nadzieję, że to szybko załatwię, ale wolałbym cię tu nie zostawiać samej. Przy wyłączonym silniku auto się szybko wychłodzi. Może poczekasz na mnie w cieplejszym miejscu? Tu – wskazał głową na halę obok nich – jest magazyn. Ja szybko przejdę do kadr, załatwię, co trzeba, i jedziemy dalej. Dobrze?

– Jasne. – Wysiadła z auta i, kołysząc biodrami, okrążyła samochód.

Zabrał teczkę z tylnego siedzenia, pozamykał drzwi na kluczyk.

– Poprowadzę – powiedział.

Zaraz za bramą, zdecydowanie mniejszą niż ta poprzednia, skręcili w prawo. Podszedł do metalowych drzwi, popchnął je i gestem zaprosił ją do środka. Gdy weszła, zamknął je.

– Ciepło ucieka. – Znowu się uśmiechnął.

Nigdy nie była w takim miejscu. Wszędzie leżały duże beżowe worki. Poukładane jedne na drugich w różnej wysokości stosy.

– Może tu sobie siądziesz? – Wskazał ręką na miejsce, gdzie trzy worki tworzyły coś w rodzaju tapczano-siedziska.

– Czemu nie? Dziwnie tu, ale nawet fajnie. Ciepło. I tak pachnie, jakby łąka po sianokosach.

– O, byłbym zapomniał. Taki prezent. Bez okazji. – Ze skórzanej teczki wyciągnął jakiś flakonik. Dziwny trochę, bo drewniany, kolorowy. – Będzie jeszcze ładniej pachniało. Oryginalne, ale mam nadzieję, że ci się spodobają. – Z kieszeni wyjął chustkę. Czysty, starannie odprasowany biały kwadrat materiału. – Zamknij oczy, wtedy zmysł zapachu lepiej działa – powiedział miękko.

„A może te papiery to pic na wodę, a jemu o co innego chodzi?" – pomyślała. No tak, to było do przewidzenia. Szybko zrobiła w myślach bilans zysków i strat. A niech tam, potem sobie to odbije. Jej nie ubędzie, a jego będzie łatwiej urobić. Poczuła lekki niepokój połączony z ekscytacją.

Przymknęła oczy. Poczuła całkiem miły zapach. Kwiatowy, choć czymś przełamany. Może trochę zbyt duszący, jak kadzidło. Co to jest?

– Nie otwieraj, bo z niespodzianki nici – usłyszała jego głos.

– Mam zamknięte.

Miała, w końcu jej też się przyda trochę rozrywki. Wcześniej scenariusze zawsze były takie same, więc kiedy się dzieje coś innego, to fajnie.

Róża, te dziwne perfumy pachniały różą. Pewnie były zagraniczne i drogie, ale takie jakby babcine, duszące. Nie powie mu, po prostu następnym razem, niby ot tak, wyzna, jakie lubi. Inteligentny jest, zorientuje się, że to wskazówka.

Poczuła, że staje przy niej. Jeszcze mocniej, jak dziecko, zacisnęła powieki. Chwilę wcześniej zdjęła szalik i odpięła górne guziki kożuszka. Teraz się wyprostowała, ściągnęła łopatki. Wiedziała, że w tym sweterku z trójkątnym dekoltem jej piersi wyglądają bardzo ponętnie. Jak się bawić, to się bawić.

Teraz poczuła ten zapach z bliska. To znaczy nie ten, bo ten był jakiś inny. Słodkość się zmieniła, dołączyła do niej ostra nuta. I podsunął jej tę chustkę za mocno, niedelikatnie.

– Trochę boli… – powiedziała.

– Miałaś nie patrzeć – odparł. Z uśmiechem, ale głos mu się zmienił. Już nie był taki miękki.

Popchnął ją. Butami wciąż dotykała podłogi, ale pozycja siedząca zmieniła się na półleżącą.

Mocno dociskał jej tę chustkę do nosa. Próbowała się wyszarpnąć, ale usiadł na niej okrakiem. Na ustach poczuła jego skórzaną rękawiczkę. Przed sobą miała kogoś innego – ze stalowym wzrokiem i z okropnym uśmiechem. Wciąż zasłaniając jej usta, sięgnął do kieszeni palta. Wyjął z niej jakąś buteleczkę, inną niż te dziwne perfumy. Na chwilę zdjął jej chustkę z twarzy i odłożył obok. Była zakleszczona pod jego ciężarem, ale przecież mogła próbować coś robić. Ugryźć go? Wierzgać? Mimo to, jakby ją ktoś zaczarował, nie była w stanie wykonać żadnego gestu. Zobaczyła, że otwiera tę buteleczkę i przykłada do niej chustkę. Znowu poczuła ten nieprzyjemny, żrący zapach. Zakręciło się jej w głowie, zrobiło się dziwnie, jakoś mdło. Odór wżerał się w nos, z trudem łapała oddech. Niby nie wyglądał atletycznie, ale swoje ważył – miała wrażenie, że miażdży jej żebra. Znowu na chwilę zabrał chustkę. Ponownie przyłożył ją do buteleczki i powtórzył manewr z nasączaniem. Czuła się coraz słabiej, jakby uciekały z niej siły. Świat kołował, w głowie się jej kręciło, coraz mocniej ją mdliło. Działo się z nią coś takiego, jak wtedy, gdy rodziła Anię. Bolało ją, położna na nią krzyczała, a ona nic nie mogła zrobić. I wtedy ten lekarz ją przygniótł, żeby wycisnąć dziecko, które wcale nie pchało się na świat, a położna położyła jej na twarzy maskę, która sprawiła, że szpitalna sala zwirowała i wszystko gdzieś odpłynęło. Kiedy potem się obudziła, wciąż ją wszystko bolało – i żebra, i tam na dole. Ale kiedy przynieśli jej ten becik, z którego patrzyły na nią niebieskie ślepka, i powiedzieli: „Macie córkę", to jakby ręką odjął te bóle. Poczuła się szczęśliwa, choć tego nie rozumiała i nie chciała. Spłynął na nią spokój.

A teraz się bała. Tak strasznie się bała. Że już nigdy się nie obudzi. Że nie zobaczy Ani, mamy, żadnego z tych swoich narzeczonych. W sumie całkiem dobre życie miała.

* * *

A jednak się obudziła. Z trudem próbowała podnieść powieki, ciężkie, jakby były z ołowiu. Drżącą ręką przesunęła po nagim brzuchu. Poruszyła nogą. Wciąż miała na sobie pończochy i kozaki, ale majtek i spódnicy nie. Leżała chyba na tym samym worku, ale przesunięta, jak na łóżku. Nogi miała rozłożone. Piekło ją, więc... Wciąż jakby jeszcze czuła go w środku, ale kiedy wreszcie spojrzała dokoła, nie zobaczyła go nad sobą. „Oby już go nie było, oby go nie było..." – błagała w myślach. Niestety, stał obok, nachylony nad teczką.

Chciała się podźwignąć, ale nie miała siły. Worek zaszeleścił. A on się odwrócił w jej stronę.

Bała się, że znowu jej coś zrobi, ponownie przytknie tę śmierdzącą chustkę do nosa, zgwałci jeszcze raz.

Ale nie. Patrzył na nią i się uśmiechał. Nie rozumiała, jak można robić takie okropne rzeczy i tak miło się uśmiechać.

– Ciii... cichutko, wszystko będzie jak należy – powiedział spokojnie.

W ręku trzymał jakieś ciemne etui. Położył je na worku obok. Zobaczyła, że rozwiązuje wstążkę i odchyla poły materiału. Dłoń w skórzanej rękawiczce powędrowała do góry. Trzymał w niej coś jakby łyżkę. Nic z tego nie rozumiała, ale wciąż miała nadzieję, że to jakaś absurdalna gra. Niech się zabawi, ona to przetrwa, a potem niech ją zostawi. Głupia jest, już zapłaciła za swoją naiwność, już wystarczy tej kary. Czy całe życie musi dostawać w dupę? I choć wciąż nie mogła się ruszyć, to każdy nerw w jej ciele drżał i dygotał. Adrenalina wyostrzała zmysły, burzliwie pompowała krew, jakby przygotowując organizm na wielki finał. Iwona myślała nadzwyczaj jasno i trzeźwo, ale jakaś część niej szeptała uspokajająco, że to nie ona, że to nie o nią chodzi, że to się dzieje komuś innemu, że nie ona to widzi i czuje. Nie ona. W małym pokoiku na końcu umysłu była bezpieczna.

Odłożył tę dziwną łyżkę i podniósł coś innego. Tym razem nie miała wątpliwości. Za niedomkniętymi drzwiami pokoiku kłębił się mrok, który zaczął wysysać nadzieję, pozostawiając lodowaty chłód.

W jego dłoni błyszczał skalpel. Cienkie, ostre zakończenie. Delikatnie, palcem wskazującym, wciąż w rękawiczce, dotknął czubka ostrza.

Odwrócił się w jej stronę. Uśmiech jakby przykleił mu się do twarzy.

W nią nagle wstąpiły siły, jak w skazańca, który za wszelką cenę pragnie odwrócić swój los. Pragnęła krzyczeć, walczyć, choć i tak przecież nie ma szans, by go siłą pokonać. Całą scenę zobaczyła nagle jakby z góry, jakby w ogóle w niej nie uczestniczyła. Rozszalałe emocje wepchnęły ją w pozycję obserwatora. To trwało tylko moment, a za chwilę rzeczywistość znów runęła na nią całym ciężarem. „Przerwać to, zakwestionować, zbuntować się, walczyć, błagać" – wszystko, każdy zakamarek świadomości krzyczał.

– Błagam cię! Przecież to się nie musi tak… Nic się nie stało, ja nikomu nie powiem, nic nie powiem, obiecuję. Przecież nie jesteś taki, tak ładnie dziś do mnie mówiłeś. Wrócę do domu i zapomnę. Błagam cię! Błagam…

– Niestety. – Ten przypominający uśmiech grymas, który przemknął przez jego twarz, miał chyba znaczyć, że jest mu smutno. Oczy miał już inne. Jakby obce, nie tyle agresywne, ile martwe, zimne – jak zwierzę. Może dlatego pomyślała o bestii.

– Przecież nie jesteś potworem, zlituj się, a Ania…? – wyszeptała przez ściśnięte gardło.

– Nie jestem potworem – odparł urażony. – Jestem człowiekiem.

Przez ułamek sekundy pod powiekami zamajaczył jej radosny portret córeczki. Żal…

A chwilę potem zrobiło się zupełnie ciemno.

Rozdział 10

Worki były wszędzie – od podłogi po sufit. Technicy, tym razem jak należy, przyjechali przed nimi. Jeszcze nie skończyli oględzin. Ada nie musiała jednak czekać na finał ich pracy, żeby wiedzieć, czego pod jutą, która skrywała twarz kobiety, nie będzie.

Oczu.

Spojrzała na Tomczyckiego. Pokiwał głową. Zrezygnowany i smutny.

Spojrzała na Szkudłę.

– Kurwa, noż kurwa! – syknął.

Tym razem ona pokiwała głową.

– To jak koncert życzeń dla pani porucznik, trup za trupem – sarknął. – Nie było, no to są. – Widać nie radził sobie z napięciem i szukał winnego.

– Pan komendant chce powiedzieć, że to moja wina, iż w Suwalskiem taka wyszukana przestępczość? – odbiła piłeczkę.

– Chcę powiedzieć, że z pierwszym morderstwem jesteśmy w lesie, a z drugim…

– …w wytwórni pasz – dokończyła Ada.

„Może by było inaczej, gdybym nie spędzała całych dni na czytaniu akt lokalnych gwałcicieli – pomyślała – a potem, sprawdzając ich alibi, wysłuchiwała, jak to zostali sprowokowani, nieumyślnie posunęli się o krok za daleko, za dużo wypili albo «ona sama chciała, a potem się rozmyśliła»". Mdliło ją od tych typów, a najgorszy był kierownik zakładów mleczarskich. Oślizgły, lepki, ciemny, konusowaty. Rzucił się do całowania rączek i nawet się nie speszył, kiedy wyjaśniła, po co przyszła z Tomczyckim. Roześmiał się niby to lekko i powiedział, że to było „nieporozumienie". Pytany o alibi na dwudziestego trzeciego września, odparł, że nie przebywał wtedy w domu, bo pojechał w delegację. Nie sam, tylko z sekretarką, ale prosił o dyskrecję, bo „w końcu jest żonaty". Gdy Ada zapytała, czy sekretarka potwierdzi wyjazd z nim, odparł, że od razu to zrobi. Zadzwonił i miła dziewczyna, która przyniosła im herbatę, zjawiła się ponownie. Przyznała, że była z „panem dyrektorem" w Olsztynie. A na koniec się okazało, że to właśnie ona złożyła doniesienie o gwałcie, a potem je wycofała. „I tak z dramatu zrobiła się całkiem szczęśliwa historia" – powiedział konus, żegnając ich. Z pozostałych czternastu jeden nie miał alibi, ale tylko przez dwa dni – do czasu, kiedy kumpel, z którym zrobili włam do Eldomu po miksery, go sypnął. Zostali więc z niczym. Nie licząc dwóch ciał.

Ada podeszła do worka wypchanego paszą, na którym leżała kobieta. Znowu młoda, znowu blondynka. Gdzieś już widziała tę twarz, ale nie mogła sobie przypomnieć, gdzie i kiedy. Przez chwilę próbowała się skoncentrować na tym wrażeniu, ale bez efektu. „Dobra, teraz odpuszczę, ale to wróci, bo to zawsze wraca". Skupiła się na ofierze. Podobna do Marianny, tej pierwszej. Trochę tylko starsza i w innym typie, powiedzmy, estetycznym. Odważniej ubrana, eksponująca biust. „Skoro w taką zimnicę nosiła dekolt do pępka, to chyba lubiła się podobać" – pomyślała Ada. Przezwyciężając odruchowe obrzydzenie, przyjrzała się okolicy oczu. „Oczy są zwierciadłem duszy" – ten banał znowu do niej wrócił. Człowiek bez oczu wygląda okropnie. Właśnie jakby został tej duszy pozbawiony. Niebieskoperłowy cień na powiekach, tandetny, lekko rozmazany, nie miał już czego podkreślać.

– Ten sam facet – powiedział technik. – Na bank. Oczy wyjęte z identyczną precyzją. Uduszona, wcześniej otumaniona chloroformem. Co do gwałtu, to Tadzio się wypowie, ale postawiłbym sporo kasy, że doszło do penetracji. Facet znowu w rękawiczkach, oczu nie ma, musiał zabrać. Inne ślady próbujemy zabezpieczyć, ale chyba wszystko, co mamy, jest od niej. To wyjątkowo uważny i schludny człowiek.

„Schludny". Po raz kolejny pojawiło się to określenie. Co to mówi o człowieku, jego osobowości, motywach? Rzeczywiście, miejsce zbrodni jest w idealnym stanie, nawet z trupem i wydłubanymi oczami. Ada czuła w tej schludności jakąś symetrię, dążenie do równowagi. Jakby przywracanie porządku w chaosie myśli, uczuć, przeszłości. Dziewczyna znowu starannie ułożona, ręce wzdłuż ciała. Sweterek nieposzarpany, spódnica łagodnie spływa z worka, kozaki na nogach, nawet kosmyki włosów, jakby pieszczotliwie, założone za uszy.

– Rajstopy też ma? – zapytała Ada.

Technik dłonią w gumowej rękawiczce uniósł spódnicę.

– Pończochy. Majtki również. Tak jak tamta.

– Spotkał się pan kiedyś z czymś takim?

– Po gwałcie? Nigdy. Pamiętam chyba tylko jeden taki przejaw troski o ofiarę, którą się pozbawiło życia. To były dzieci. Matka je udusiła poduszką, a potem się powiesiła. I one były tak właśnie ułożone, równiutko, uczesane, w ładnych ubrankach. No ale to miłość macierzyńska, specyficzna sytuacja. Życie ją przerosło. A tu? Pojęcia nie mam, po co on to robi.

Ada też nie miała pojęcia. Stawiałaby na poczucie winy, jakąś formę przeprosin. Albo przywracanie porządku, zemstę może.

Albo to zamiłowanie do teatralności, potrzeba widowni, urządzania sceny zbrodni dla nich, na pokaz. Albo... albo... Nie można wykluczyć niczego. No ale to mogłoby wskazać motyw. Trzeba będzie to uporządkować.

– Świadkowie są? Ktoś ich tu widział? Przecież to odludzie, na piechotę nie przyszli. No i jest brama ze strażnikiem. – Ada miała nadzieję, że tym razem okoliczności będą im bardziej sprzyjać. – Kto powiadomił milicję?

Technik wskazał głową w stronę dużych drzwi.

– Pracownik wytwórni. Po południu tutaj przyszedł, zdaje się, a później zawiadomił przełożonego, ten zaś zadzwonił na milicję, znaczy do was.

– Sierżancie, poproście tego człowieka. Zanim spiszemy oficjalne zeznania na komendzie, zapytajmy, co wie. – Ada spojrzała na Tomczyckiego.

Ten kiwnął głową i poszedł do wyjścia. Po chwili wrócił z przejętym czterdziestolatkiem w drelichu.

– Pan znalazł ciało? – zapytała go Ada.

– No, ja – odparł, niepewnie patrząc w kierunku zmarłej. Ręce mu latały, jakby pił trzy dni. Bez przerwy pocierał nieogolone policzki albo przeczesywał rzadkie włosy. – Przypadkiem zupełnie, bo przechodziłem i zobaczyłem, że drzwi uchylone...

– Jak bardzo były uchylone? – chciała wiedzieć Ada.

– No, nie tak, że na całą szerokość. Tak trochę, że było widać przesmyk, więc chciałem się upewnić, że wszystko gra.

Adzie nagle coś zaczęło świtać w głowie.

– A o której to było?

– No, gdzieś koło czwartej.

– A wy pracujecie do której?

Facet się zacukał.

– Do trzeciej tak zwykle – odparł, niepewnie rozglądając się na boki.

– To co się dziś niezwykłego stało, że był pan tu godzinę po zakończeniu pracy?

Facet spuścił wzrok i uparcie wpatrywał się w zdarte czubki swoich butów. Myślała, że będzie kluczył, walczył, próbował, ale on się prawie od razu poddał. Ręce w końcu opuścił bezradnie.

– No… Pani porucznik wie, jak jest. Ciężko, pracy dużo, tacy szeregowi jak ja to kiepsko zarabiają, a ci na górze to w mleku się mogą kąpać i marlboro palić. Dzieci w domu są, trochę gospodarki mamy. Zima idzie, zapasy paszy nieduże, to… – Urwał.

„Typowe – pomyślała. – Jak sobie to wcześniej tłumaczył, tak i teraz mnie. Pan, pańszczyzna i chłop. A gdy to potem mówi na głos, to widzi, że to tylko wymówki, bo powinien rzecz nazwać po imieniu".

– To chcieliście przywłaszczyć sobie mienie państwowe – dokończyła za niego. – Mnie takie machlojki nie obchodzą, kto inny się tym zajmie. Mnie interesuje wyłącznie ta kobieta. Zamordowana. A na razie z osób, które się tu kręciły i siłą rzeczy są podejrzane, mamy tylko pana. To co, przypomni pan sobie, czy coś jeszcze pan widział?

Widać było, że facet się przeraził.

– Pani porucznik, no jak ja bym mógł jej coś zrobić? Przecież ja jej całkiem nie znam, na oczy nie widziałem. Jak tylko tu weszłem…

„Wszedłem" – odruchowo poprawiła go w myślach Ada.

– …to od razu zrozumiałem, że jest źle. No bo ten worek taki dziwny. Podeszłem tylko, żeby tak bardziej mieć pewność. Dotknąłem ramienia, ale nawet się nie poruszyła. I taka była… jakby już zimna. A jeszcze miałem nadzieję, kiedy poczułem ten zapach.

– Jaki zapach? – zdziwiła się Ada.

– No teraz to słabiej czuć, ale wtedy to całkiem. Też się zdziwiłem, bo tu sama pasza, a pachnie kwiatkami czy coś w podobie.

Ada wciągnęła mocniej powietrze. Nic. Podeszła bliżej ciała. Dalej nic, choć, zaraz... Znowu mocniej pociągnęła nosem. Rzeczywiście, jakby róża, choć taka dusząca, pudrowa.

– Czuje pan? – zapytała technika. – Perfumy?

Technik nachylił się nad ciałem.

– Tak, czuję. Nie dam sobie głowy uciąć, ale wtedy, w tamtym domku nad jeziorem, także coś było podobnego. Bardziej zetlałego, ale byliśmy później, dobę po zabójstwie. Tu od śmierci minęło kilka godzin, między sześć a dwanaście. Jeśli to nie pani porucznik tak pachniała i nie ta młoda, co tam była z tym chłopakiem, to znaczy, że denatka.

– Używają tych samych perfum? – zdziwił się Tomczycki, który, jeśli się golił, a robił to chyba rzadko, to pachniał przemysławką.

„Chyba swoich babek" – pomyślała Ada. Z utęsknieniem przypomniała sobie swój ulubiony zapach Blase pachnący kwiatami, miękkim drewnem, ambrą. Zapach modnej kobiety. Zapach z peweksu. Ten był z jednej strony ciocino-babciny, ale z drugiej – jakiś taki... Nie potrafiła znaleźć odpowiedniego słowa. Wyuzdany? Nie, za mocno. Ale coś w tym klimacie. Między ogrodem a buduarem. „Czy sierżant zna słowo «buduar»?" – zastanowiła się. „Nie" – od razu sobie odpowiedziała.

– To byłoby dziwne, ale wykluczyć nie można. A czy ten zapach pasuje wam do młodych kobiet? – Pytanie nie zostało konkretnie zaadresowane, więc pierwszy odpowiedział technik:

– Do tamtej to nie. Ale do tej?... Już bardziej.

– A ty co myślisz? – Ada spojrzała na Tomczyckiego.

– Mnie się nie podoba. Za mocny. Da się ustalić, co to jest?

Technik pokręcił głową.

– Zbadamy ubranie i zobaczymy. Jakieś składniki chemiczne możemy chyba wyodrębnić, ale tu by się przydała raczej doświadczona kosmetyczka z drogerii.

– A ubranie tej pierwszej, Marianny, też możecie pod tym kątem sprawdzić? – zapytała Ada.

– Już ponad miesiąc leży... To by musiały być najlepsze francuskie perfumy. Ale obejrzymy.

– Dobra, to na razie wszystko, teraz pojedziecie z posterunkowym na komendę, żeby złożyć oficjalne zeznania. – Ada zwróciła się do faceta drelichu. – Zastanówcie się, czy o czymś jeszcze nie zapomnieliście.

Facet pokręcił głową i, jak zbity pies, poszedł w kierunku wyjścia.

– To chyba tylko drobny kombinator – westchnęła Ada. – No dobra. – Spojrzała na technika. – A co wiemy o dziewczynie?

– Iwona Kołecka, lat dwadzieścia osiem, panna, ma dziecko, czteroletnią córkę. – Technik przekartkował dowód i odłożył go z powrotem do torebki. – Poza tym, tak na oko, nic nie zginęło: jest portmonetka, jakieś klucze, pewnie do domu, szminka, mały grzebień, chusteczka. A, i legitymacja pracownika PKS. Jest, to znaczy, była zatrudniona na dworcu autobusowym u nas, w Suwałkach.

„U was, w Suwałkach" – poprawiła go Ada w myślach. Dziecko, córka. Cztery lata, o rok mniej, niż miała ona, gdy straciła matkę.

Robiło się coraz bardziej parszywie.

* * *

– Może teraz pan komendant spojrzy przychylniej na teorię, że mamy do czynienia z mordercą, który nie poprzestanie na jednym razie. Na razie są dwa trupy, a to pewnie dopiero początek serii. – Ada siedziała na twardym krześle przed biurkiem Szkudły. Obok – Tomczycki. „Chyba specjalnie takie niewygodne dał, żeby petenci długo tu tyłków nie trzymali" – pomyślała.

Atmosfera była gęsta, nie tylko od wypalonych papierosów. Szkudła wrócił przed nimi na komendę, a kiedy tylko się zjawili, kazał im przyjść do swojego gabinetu. Był jeszcze bardziej czerwony na twarzy niż zwykle. Bardziej niż tło dla państwowego orła, który wraz z portretami dostojników wisiał na ścianie za komendantem.

– Serii, serii – prychnął, przedrzeźniając Adę. – Seryjny to się od trzech zaczyna, a my mamy dwa ciała. Liczyć was nie nauczyli w Szczytnie?

– Nauczyli. Na razie doliczyłam się dwóch. Gdy przyjdzie czas, powiem: trzy. – Ada zachowywała spokój, choć sporo ją to kosztowało. Widać było, że Szkudła musi się na kimś wyżyć, i padło na nich. Fakt, pretekst był: od śmierci Marianny Kozioł upłynął już miesiąc, a morderca wciąż chodził na wolności. – Panie komendancie – zaczęła powoli – spójrzmy na fakty. Znowu zginęła kobieta. Zamordowana, pozbawiona oczu, czy zgwałcona, to się okaże po sekcji, ułożona w takim sam sposób jak ta pierwsza. I znowu blondynka, podobna.

– Pół światu tego kwiatu. Pani porucznik także jest blondynką, więc też by się pani porucznik nadała. – Szkudła poluzował kołnierzyk koszuli. Nie grzali zbyt mocno, a on i tak się spocił.

– Pan komendant myśli, że porucznik Krzesicka... – Tomczycki widać się przejął.

Ada zignorowała uwagę Szkudły. Na chwilę położyła dłoń na ramieniu sierżanta w uspokajającym geście.

– Chodzi mi o to, że *modus operandi* jest taki sam. Sposób działania – dodała, widząc zagubienie na twarzy sierżanta. – To, co już powiedziałam. Fakt, że morduje je na miejscu.

– Ale wybiera różne miejsca. Wpierw domek nad jeziorem, teraz przetwórnia pasz. Gdzie tu podobieństwo? – zapytał Szkudła.

– Jeszcze nie wiem – przyznała Ada. – Ale nie ukrywa ich, nie zakopuje, nie spuszcza w kanalizacji. Zostawia na widoku, jakby na pokaz...

– Zaraz, zaraz – zaperzył się Szkudła, wychylając się w stronę Ady, która aż cofnęła się przed tryskającymi kropelkami śliny. – Przecież, kurwa, ta pierwsza mogła tam, w tym ośrodku, leżeć i kwitnąć do nowego sezonu. Zrobił sobie prywatny pokaz?

– No właśnie – Ada weszła mu w słowo – teraz już się nie kryje. Spróbował, ośmielił się. Może zaczyna się z nami bawić?

– Może to ma związek nie z nim, a z tymi dziewczynami? W sensie, że to one mają jakieś powiązania z miejscami morderstwa – wtrącił nieśmiało Tomczycki, chcąc rozładować napięcie.

– Kozioł z ośrodkiem wczasowym, a Kołecka z przetwórnią pasz? – To by Adzie nie przyszło do głowy. Chyba mylny trop.

– No tak. Bo znowu to samo pytanie: jak jemu się udało namówić te kobiety, żeby z nim pojechały w takie dziwne miejsca? – zapytał sierżant.

– Pierwsze było oczywiste, do randki. Drugie może mniej, za to dziewczyna bardziej oczywista – powiedział Szkudła już bardziej pojednawczym tonem.

Tomczycki wyglądał, jakby nie rozumiał.

– Pan komendant ma na myśli to, że domek wczasowy po sezonie mieszana płciowo para wykorzystuje w oczywisty sposób. A choć zakład rolny nie kojarzy się jednoznacznie z seksem, to denatka swoim wyglądem manifestowała zainteresowanie tą sferą życia.

Teraz Tomczycki zrozumiał.

– W Atenach najprawdopodobniej przypłynęli łódką. Przepytaliśmy wędkarzy i nic. Tutaj sprawa trudniejsza. Dozorca na bramie głównej się zarzeka, że nie wpuszczał żadnej pary, bo po co i skąd. Na pewno by to pamiętał, poza tym trzeba się odmeldować, żeby dostać pozwolenie na wjazd – powiedziała Ada.

– Ale jakiś ruch przecież jest, ktoś na pewno wjeżdżał. Może dozorca nie zauważył tej dziewczyny? Może już była potraktowana chloroformem i leżała na pace czy gdzieś z tyłu – zastanowił się Szkudła.

Ada sięgnęła po kartki, które położyła na biurku komendanta.

– Technik określił godzinę śmierci między piątą rano a pierwszą po południu – powiedziała, patrząc na jedną z nich. – Pierwsze auto wjechało na teren zakładu o siódmej. To dyrektor. Ma osobówkę, syrenkę. Jego cieć, oczywiście, nie sprawdzał, bo zna samochód. Potem była ciężarówka z zakładów drobiarskich i dwie nyski z pegeerów. Właściwie to nikogo nie sprawdzał, bo oni tu stale przyjeżdżają. No i pracownicy: jedni dojeżdżają pekaesem, dużą grupę dowozi autokar zakładowy.

– To trzeba sprawdzić alibi na dwudziestego trzeciego września tych z aut i przepytać tych z zakładowego, czy nie jechał z nimi nadprogramowy pasażer – powiedział Szkudła.

Ada pokiwała głową i mówiła dalej:

– Jest jeszcze druga brama, boczna. W sumie to na ten duży teren można wjechać z dwóch stron: od szosy i z boku. Z boku to rzadko ktoś jeździ, bo to gruntówka, w słabym stanie. Gdy jest sucho, to przejezdna, gdy mokro, to tylko ciężkie auto da radę.

– Wczoraj do wczesnego południa było sucho – zauważył Tomczycki. – Dopiero potem zaczęło padać.

– Właśnie. Ten nasz amator państwowej paszy zeznał, że przyjechał traktorem przed czwartą. Już padało. Jechał tą boczną drogą, tyle że nie od szosy, a od pola, ze wsi. Stanął przy bramie bocznej, na wysokości magazynu. Technicy zabezpieczyli tylko ślady jego traktora, bo porobił koleiny. Morderca i ta dziewczyna też musieli tą drogą jechać, ale nawet jeśli były jakieś ślady opon, to deszcz i ten traktor je zniszczyły.

– A brama boczna dlaczego była otwarta? – zapytał Szkudła.

– Strażnik się zarzeka, że powinna być zamknięta na kłódkę. Ten, co przyjechał kraść, podwędził, to znaczy, jak zeznał, „pożyczył" z budynku głównego klucz do kłódki, który miał jutro odwiesić, ale nie było potrzeby, żeby go użyć, bo kłódki nie było wcale. Rzeczywiście, miał przy sobie klucz. Jeśli on mógł ukraść klucz, to każdy mógł – odpowiedziała Ada.

– Jego też sprawdźcie pod kątem tego pierwszego zabójstwa, czy ma alibi. – Szkudła zanotował coś w swoim notesie.

– Kolejna sprawa to motyw. Znowu nic nie zginęło. Torebki tych dziewczyn zostały na miejscu zbrodni, zawartość nietknięta. Na pewno nie kieruje się pobudkami finansowymi.

– Bogatych nie wybiera. – Pokiwał głową Szkudła. – Przeciętne raczej pod tym względem. Może on sam ma zasobniejszy portfel lub przynajmniej umie zrobić takie wrażenie?

– Seks? – ciągnęła wątek motywu Ada. – Jeśli tak, to dlaczego morduje, i to w taki sposób? A może samo zabijanie go kręci, a gwałci – przy okazji. – „Boże, jak to brzmi".

– To są spekulacje. Psychologiczne, za przeproszeniem. Potrzebna nam normalna milicyjna robota. Dlaczego z nim idą? Oto jest pytanie, pani porucznik.

– Czymś je musi zachęcać – przyznała Ada. – Pierwsza niby miała chłopaka, ale widać nie był to wybór ostateczny. Ta Kołecka też panna, choć z dzieckiem. Znowu wraca wątek jego profesji i statusu społecznego. Czy ma coś wspólnego z zawodami medycznymi, chemicznymi, weterynaryjnymi? Za tym przemawiają chloroform i wyjmowanie oczu.

Szkudła się wzdrygnął, jakby go coś ugryzło.

– Tym razem także obowiązuje was tajemnica. Żeby mi nikt pary z ust nie puścił, że takiego wariata mamy na terenie. Zrozumiano? – Spojrzał na swoich podwładnych.

Ada i Tomczycki pokiwali głowami.

– W tych sprawach o gwałt nie było nikogo, kto by pasował do takiej charakterystyki – przypomniał Tomczycki.

– Może to był debiutant? Przejrzymy teraz kartoteki, czy ktoś z tej grupy zawodowej ma coś za uszami – powiedziała Ada.

– Ale najpierw po bożemu: sprawdzicie, czy miała chłopaka, kochanka, kolegę. Znajomych bliższych, dalszych. Potem te wasze teorie. Ech, wciąż nie mogę uwierzyć, że to u nas i ktoś z naszego terenu. – Szkudła sięgnął po ostatniego papierosa. Patrzył na Adę w taki sposób, jakby to ona przywlekła ze sobą zarazę i wyuzdanie. Już miała coś powiedzieć, gdy na biurku komendanta rozdzwonił się telefon.

– Szkudła, słucham – powiedział do słuchawki.

Po drugiej stronie nastąpił odzew. „Ktoś wyżej" – pomyślała Ada, bo komendant lekko się podniósł na krześle.

– Tak jest, mogę potwierdzić, niestety... Oczywiście, moi najlepsi ludzie już działają.

„Jedyni ludzie" – doprecyzowała Ada w myślach.

– No, w toku... – Tym razem Szkudła się nie uniósł z krzesła, ale lekuchno odsunął słuchawkę od ucha. – Ja... – I tyle, bo szum po drugiej stronie kabla się wzmógł. Ada nie mogła odróżnić żadnego konkretnego słowa, ale że były niecenzuralne, tego była pewna. – Tak jest. Będziemy w kontakcie. Do widzenia.

Szkudła odłożył słuchawkę na aparat. Znowu wytarł czoło chusteczką. Wziął łyk kawy ze szklanki. Ada zauważyła, że lekko mu się trzęsie ręka.

– Dzwonili z wojewódzkiej – powiedział powoli. – Wiedzą o drugim morderstwie. Pytali, jak postępy w sprawie pierwszego...

– Pan komendant powiedział, że w toku. – Tomczycki chciał chyba pokazać, że pilnie słuchał.

– Tak. – Kiwnął głową Szkudła. – A wiecie, co odpowiedzieli?

Ada nie chciała strzelać, choć znała sporo przekleństw. Tomczycki na pewno mniej, poza tym chyba by się wstydził.

– Powiedzieli, cytuję: „Tok ma się nie rozciągać, kurwa. Zrozumieliście, kurwa?". Koniec cytatu.

Tomczycki pokiwał głową.

– Złapcie tego świra jak najszybciej. – Szkudła ze złością rozgniótł niewypalonego papierosa i sięgnął po kolejnego. Ostatniego, jak się okazało. – Kurwa! – Zgniótł papierowe opakowanie i cisnął nim w ścianę.

Tomczycki lekko się skulił. Nigdy nie widział szefa w takim stanie.

– To nie świr. To raczej bestia – sprostowała Ada.

– Tak? – Szkudła uśmiechnął się uśmiechem, który nie wróżył nic dobrego. – A skoro on taki poukładany i schludny, jak to podkreślacie, do tego planujący i jeszcze może wykształcony, to jaka z niego bestia, co?

– Ma bestię w głowie – odpowiedziała spokojnie Ada.

***

„Jest wczesny wieczór. Skończyła się *Wieczorynka*, to chyba robi im kolację, a potem pójdzie je myć. Czyta on, ale dopiero gdy są w łóżkach. Zresztą jeśli ona podejdzie do aparatu, po prostu odłożę słuchawkę".

Tym razem Ada dzwoniła z komendy. Poczta już zamknięta, a do rana nie chciała czekać. Szkudła pojechał do domu, pewnie odreagować. Jutro się spóźni i będzie bardziej czerwony i rozdrażniony niż zwykle. A potem zacznie ich cisnąć, tak jak jego ciśnie „góra". Co się dziwić zresztą, statystyki mu poleciały. I te oczy... Na mieście się nie mówi, ale przecież oni wiedzą. Poza tym jak długo da się to utrzymać w tajemnicy? Na razie mieli trochę szczęścia, bo ci, co znaleźli dziewczyny, nie ruszali worków, ale sam worek i tak budził zdziwienie. Na szczęście w obu przypadkach przykazanie Szkudły, że mają nie rozpowiadać o tym, co zobaczyli na miejscu zbrodni, było wzmocnione hakiem. Młodzi nie chcieli, by milicja informowała ich rodziców o tym, jak spędzali niedzielne popołudnie. Facet z przetwórni, co prawda, przyznał się tylko do chęci popełnienia przestępstwa, ale na pewno gdyby mu pogrzebać w życiorysie albo w gospodarstwie, toby się coś znalazło.

„Obywatele dzielą się na tych, co siedzą, siedzieli lub będą siedzieć" – mówił stary pułkownik Karaś w Szczytnie. Wtedy się z tego śmiała, że taki zgrabny żart. Teraz wie, że to głęboka znajomość ludzkiej natury i doświadczenia stalinowskich czasów przemawiały przez wykładowcę.

Klik. Ktoś podniósł słuchawkę.

– Halo? – Usłyszała niski głos Andrzeja.

– Cześć, to ja – powiedziała. – Dzwonię z komendy. – Ada czuła, jak pocą jej się ręce.

– A, cześć. To co się stało na komendzie?

Kulawo mu to zdanie wyszło, takie kanciaste. Przecież wiadomo, że nie na komendzie się stało, ale to najwyraźniej ma być podkreślenie, że sprawa jest zawodowa, czyli żona gdzieś w pobliżu.

– Kolejna sprawa. Taka sama.

– Wszystko powtórzone?

– Tak, toczka w toczkę. Tym razem znaleziono ciało w przetwórni pasz. Dziewczyna ułożona na workach, z przykrytą głową. Oczy wyjęte, znowu elegancko. Uduszona, wcześniej chloroform. Gwałt potwierdzi dopiero sekcja, ale zakładam, że był. I znowu – ślady powycierane, nikt nic nie widział. Zbrodnia dokonana na miejscu.

– A co mówi komendant?

– Że ma mieć wyniki. Gdy byłam u niego w gabinecie, to dzwonił ktoś z wojewódzkiej. To nie była miła rozmowa.

– Domyślam się. Cisną go.

– A on ciśnie nas. Opornie przyjmuje teorię, że mamy do czynienia z seryjnym...

– Do seryjnego brakuje ci jeszcze jednej dziewczyny – wszedł jej w słowo Rolski.

– Wiem – żachnęła się – ale nie o arytmetykę tu chodzi. Jestem przekonana, że to nie jest morderca wielokrotny, tylko właśnie seryjny. A Szkudła by wolał, żeby nie był.

– Szkudła nie jest głupi, tylko wytworzył sobie odpowiedni system przyjmowania informacji: przyswaja te, które są zgodne z jego oczekiwaniami. Na inne ma blokadę. Masz mu dostarczyć to, na co czeka, czyli winnego, zwykłego mordercę.

– No właśnie dlatego jest głupi. A sprawdzałeś te oczy? Były jakieś podobne sprawy?

– Jakieś były, ale wykonanie i okoliczności zupełnie inne. Jedna to facet facetowi, wyjątkowo ponure rozrachunki bandyckie. Druga to, co prawda, kobieta, ale oprawca zdecydowanie niepoczytalny, całe ciało zostało zbezczeszczone. Ten wasz to przy nich wirtuoz... No i przejrzałem dwie seryjne, w tym tego Wampira z Zagłębia. Ciekawe wnioski można wysnuć.

– A słuchaj, Andrzej, może ty byś mógł, jako ramię stołecznej, tu przyjechać i…

To było podwójnie śliskie: nikt nie lubi, gdy mu się obcy kręcą po podwórku, a bez względu na oficjalną wersję Szkudła i tak będzie wiedział, jaka sprężyna zadziałała w przypadku wizyty podpułkownika Rolskiego. A dwa, że już się trochę nauczyła żyć bez Andrzeja, rana lekko przyschła. W zrywaniu strupa jest coś pociągającego, ale potem boli jeszcze bardziej.

– Da się zrobić. Zresztą sprawa była w okólniku.

– To świetnie. Dzięki.

– Przyjąłem, dyspozycje zostaną wydane.

„Czyli znowu pani Rolska w pobliżu. Pewnie już czas na te bajki – pomyślała Ada. – Ale przyjedzie" – dodała, gładząc się po policzku.

Rozdział 11

– Czasem szła w tango, co mam pani porucznik powiedzieć? Przed milicją to jak w konfesjonale, sama prawda.

Ada przyglądała się Krystynie Kołeckiej, matce zamordowanej Iwony. Były do siebie podobne, nosiły nawet ten sam niebieski cień na powiekach. Starsza Kołecka miała koło pięćdziesiątki. W Warszawie koledzy na taki typ mówili „konserwa", w sensie, że nieźle zakonserwowana. Niby w wieku trolejbusowym, a nieźle się trzyma. Ten wiek trolejbusowy to od numerów linii: od pięćdziesiąt jeden do pięćdziesiąt sześć. W sumie szkoda, że je zlikwidowali, ale ponoć znowu mają ruszyć, tylko już nie po centrum, żeby się z liniami tramwajowymi nie przecinały, a do Piaseczna, bo tam fabryka kineskopów.

– W tango? – Ada wolała doprecyzować to określenie. Że młoda Kołecka pragnęła wycisnąć życie jak cytrynę, to się domyśliła już z jej wyglądu. Ale dokładnie?...

– To znaczy nie że coś nielegalnego albo jakieś ordynarne popijawy. Po prostu czasem nie nocowała w domu. – Kołecka wygładziła dłonią kremowy bieżnik na ławie, przy której siedziały.

– A u kogo wtedy nocowała?

– Różnie bywało. – Kobieta wyciągnęła carmena, a w stronę Ady czerwone opakowanie. – Poczęstuje się pani porucznik?

– Dziękuję, nie palę.

– Zdrowo – zgodziła się Kołecka.

– To poproszę o nazwiska tych „różnie bywało".

Kołecka zaciągnęła się papierosem, wydmuchała duży obłok dymu i w zamyśleniu spojrzała przez okno. Potem wstała, podeszła do bawiącej się lalkami na tapczanie dziewczynki i powiedziała do niej:

– Zosiu, pójdziemy teraz do cioci Marysi, dobrze?

Mała, kopia dwóch starszych Kołeckich, blond aniołek z kręconym włosami splecionymi w gęsty warkocz, pokiwała głową i dała babci rękę.

– Zaraz wracam, tylko odprowadzę małą do sąsiadki. – Kołecka uśmiechnęła się do wnuczki i poszły.

Rzeczywiście, po kilku minutach była z powrotem.

– No, teraz możemy swobodniej. Zosia jeszcze nieduża, cztery latka dopiero skończyła, ale to rezolutna dziewczynka, choć małomówna. Lepiej jednak, żeby nie słuchała, nie wiadomo, co zrozumie i co zapamięta.

– A ona w ogóle wie, że mama nie żyje? – zapytała Ada. Skurcz w sercu.

– Trochę wie. Wczoraj wieczorem, jak ten sierżant przyszedł, żeby poinformować, to się popłakałam. I ona, już w piżamce, wyszła z łóżeczka zobaczyć, co się dzieje. To jej powiedziałam, że mamusi już z nami nie będzie. Ona tak popatrzyła na mnie i zapytała, kiedy wróci. Mówię, że już nigdy. A dlaczego? Bo jest daleko, w niebie. Pokiwała tylko głową. Więc niby wie, ale co z tego rozumie?...

Znowu skurcz. Już chyba zawsze będzie współodczuwać z małymi dziewczynkami, które zostają osierocone przez matki. Może dlatego nie chciała mieć dzieci?

– No dobrze, to co z tymi nocami poza domem? Z kim się córka spotykała?

Krystyna Kołecka wyciągnęła kolejnego carmena. Mocno przejechała zapałką po drasce, aż iskry poszły. Zaciągnęła się.

– Życie nie zawsze się układa w prosty sposób.

„I komu ty to będziesz tłumaczyć?" – pomyślała Ada.

– Iwonka nie miała szczęścia do mężczyzn. To znaczy, z zewnątrz by można pomyśleć, że i owszem, miała, bo absztyfikantów nie brakowało, ale... – Machnęła ręką. – Zosia to panieńskie dziecko. Nawet mnie nie chciała powiedzieć, kto jest ojcem. NN, upierała się, i tak wpisane w metryce.

– I nigdy na ten temat nie było potem rozmowy? Mała nie pyta? A pieniądze na życie?

– Zosia to się wśród kobiet chowa. Ojciec to dla niej tak niecodzienna sprawa jak czekolada. Nie, rozmowy nie było. A pieniądze... No, wy i tak byście się wszystkiego dowiedzieli. Co miesiąc dostawała czterysta złotych.

– W jaki sposób?

– Wyciągała z koperty, ale takiej pustej, to znaczy bez adresu, czyli niewysyłanej. Jak odbierała – nie wiem.

– A z tym, co płacił, czyli ojcem Zosi, to się widywała?

– Widywała się z trzema różnymi.

„Trzema? Jak na nieduże miasto to niezły urobek".

– To znaczy, tak mi się wydaje – zastrzegła Kołecka, nie wiedząc zapewne, jak zinterpretować spojrzenie porucznik Krzesickiej: czy to zdziwienie, czy przygana, czy może coś jeszcze innego.

– A konkretniej? Kto to jest? – Ada wyciągnęła notes z torebki.

– No, konkretnie to tak: pierwszy to Zdzisiek, znaczy Zdzisław Matczak. Z kamienicy obok. Jeszcze ze szkoły się znają. W zakładach maszynowych zatrudniony, w Kukowie. Fajny chłopak, ale nieprzyszłościowy, to znaczy Iwona tak mówiła.

„Marianna również wolała kogoś bardziej przyszłościowego" – pomyślała Ada. No i obie się tej przyszłości nie doczekały.

– Drugi to jakiś Marek, tylko imię znam. Też pekaesowy.

– Na dworcu pracuje?

– Kierowcą jest. – Pokręciła głową Kołecka. – Nie z Suwałk, tylko gdzieś spod. Z Huty chyba.

– A on także kawaler?

– Nie pytałam, ona nie mówiła. Może tak, może nie.

– No dobrze, a ten trzeci?

Kołecka zdjęła szklankę ze spodka i zdusiła w nim wypalonego papierosa. Znowu sięgnęła po czerwoną paczkę.

„Ciekawe, czy zawsze tyle kopci?" Tomczycki powiedział, że wczoraj się rozpłakała na wieść o śmierci córki. „Była szczerze zdziwiona i smutna". Dziś trzymała się całkiem nieźle, ale Ada wiedziała, że czasem tak bywa, że po pierwszym szoku bliscy się zbierają, bo przesłuchanie, wizyty milicji, przygotowania do pogrzebu, stypa, a potem, kiedy to wszystko mija i przychodzi codzienność, to znowu się rozsypują. W tym przypadku pewnie też tak będzie.

– Ten trzeci... A pani porucznik to przyjezdna jest, prawda?

– Z Warszawy. A jaki to ma związek z tą sprawą i z moim pytaniem?

– Ma, nie ma... – Kołecka wypuściła zgrabne kółko, po chwili kolejne. – Ten trzeci to Szkudła.

– Szkudła? – powtórzyła machinalnie Ada. Jak idiotka; zawsze ją wkurzało, gdy ktoś z przesłuchiwanych powtarzał zadane mu pytanie, bo to znaczyło, że albo gra na zwłokę, albo jest przygłupi. Ale to nazwisko w pewien sposób ją usprawiedliwiało.

– Szkudła. Ale nie ten stary, znaczy nie Janusz Szkudła. On by mógł być ojcem Iwony. Tomasz Szkudła. Jego bratanek.

– A on jest...

– Żonaty – dokończyła Kołecka. – Wykształcony, pracuje jako kierownik w zakładach mięsnych. Dziecko ma. Synka. Komendant nie będzie zadowolony.

***

Komendant nie był zadowolony. Właściwie – był wściekły.

– Chuja nie umie upilnować. Szlag by go!

Ada siedziała na petenckim krześle, naprzeciwko czerwonego Szkudły. Była spokojna. W jakiś sposób wyrównywali rachunki. Co prawda, przełożony nigdy wprost nie powiedział, że zna jej historię, ale od czasu do czasu zdarzało mu się wypuszczać takie balony insynuacji. W tonie „rozpustna, źle prowadząca się stolica". A tu, proszę, nawet na prowincji, o pardon, w mieście wojewódzkim, też się takie brudy zdarzają – i to w porządnej milicyjnej rodzinie.

– Pan komendant wiedział? – zapytała po prostu.

– Gdybym wiedział, tobym mu powiedział. Gówniarzeria! – Ostatnie słowo prawie wykrzyczał.

– Ile on ma lat?

– Trzydzieści w ubiegłym roku skończył.

– To nie taki gówniarz już...

– Ech, w cholerę! – Szkudła grzmotnął ręką w stół. – Posłuchajcie, pani porucznik, sprawa jest delikatna.

– Wiem, oczy.

– To też, to też. Matka zidentyfikowała ciało?

– Dziś po południu. Będę tam.

– Zadzwońcie wcześniej do Tadzia, niech coś zrobi, żeby tak wyglądało, jakby miała zamknięte. Wyniki sekcji już są?

– Będą gotowe na jutro rano. Gwałt był. Wracając do tych trzech podejrzanych...

Szkudła poprawił się na krześle.

„No proszę, a tak się upierał, że najbliższe otoczenie zawsze ma najwięcej za uszami – pomyślała Ada ze złośliwą satysfakcją. – Jak to się optyka zmienia".

– To zaraz po rozmowie z panem komendantem pójdziemy z sierżantem Tomczyckim wziąć od nich zeznania. Przede wszystkim musimy sprawdzić ich alibi na wczoraj między piątą rano a pierwszą po południu. Dokładny adres kolegi z sąsiedztwa mamy, ten kierowca kończy dziś zmianę o czternastej, pojedziemy do zajezdni, no a inżynier Szkudła…

– Tomuś na pewno wczoraj był w robocie. Jak wróciłem z komendy, zanim się jeszcze okazało, że jest ta sprawa i muszę jechać, to żona mi zrobiła kanapki z salcesonem. Jeszcze ciepłym.

„Odbiło mu? – pomyślała Ada. – Co ma do tego salceson?".

– Tomuś wpadł po pracy i przyniósł.

No tak, zakłady mięsne. W tej rodzinie każdy ustawiony. Nagle ją olśniło. Zakłady mięsne, on inżynier. Nie dopytała, zresztą Kołecka by pewnie nie wiedziała, ale skoro w zakładach spożywczych pracuje, to pewnie wykształcenie ma w tym kierunku. Wcześniej ten inżynier się jej skojarzył tak typowo technicznie – maszyny, urządzenia, śruby, narzędzia. A on się pewnie zna na mięsie. Technologia, obróbka, skórowanie, zabijanie, ozory, nóżki, łby, oczy… Na pewno bywał w rzeźni.

– Więc był w zakładzie. Gdyby się w domu nie pojawił wcześniejszej nocy albo co innego się wydarzyło, wiedziałbym.

„Czyli zdarzało się, że czasem znikał i żona się skarżyła wujkowi komendantowi – pomyślała Ada. – Może chodził na boki, a może…".

– Oczywiście sprawdzimy też ich alibi na dwudziestego trzeciego września.

– Wy chyba nie myślicie serio, że on by mógł… – Szkudła aż się zatrząsł.

– Na razie to rutynowe czynności, panie komendancie. Na wyciągnięcie wniosków przyjdzie czas potem. Jeśli to wszystko, to się odmeldowuję. – Wstała z niewygodnego krzesła i odwróciła się w stronę drzwi. Gdy położyła rękę na klamce, usłyszała:

– Tomka to wezwijcie na przesłuchanie na komendę. Po co ludzie mają w zakładzie gadać, głowy domysłami zapychać. Tu też bez rozgłosu.

Pokiwała głową. Może za mało energicznie lub entuzjastycznie, bo Szkudła dodał:

– To polecenie. Rozumiecie, rodzina jest najważniejsza.

To nie jej wina, że akurat dziś z elektrociepłowni popłynął gorąc i zwykle letnie kaloryfery na komendzie grzały jak szalone, dlatego w pokojach były pootwierane okna. Przeciąg musiał się zrobić. Drzwi grzmotnęły, aż huknęło.

– Przepraszam – mruknęła pod nosem.

Szkudła w Szkudłę tacy sami. Ciekawe, czy chodzi tylko o pozory, czy sprawa bardziej śmierdzi.

Rozdział 12

– Pierwsza ofiara, Anna Mycek, zginęła w listopadzie tysiąc dziewięćset sześćdziesiątego czwartego roku w Katowicach. Zwyczajna sprawa, w aglomeracji śląskiej morderstwa były na porządku dziennym. Trochę brutalnie pozbawiono ją życia, bo miała zmasakrowaną głowę i była obnażona, ale to nie powód do niepokoju, w końcu milicja nie takimi sprawami się zajmowała. Z jedną różnicą: takie sprawy zawsze były pojedyncze, a tu zaczęło ich przybywać. Po trzeciej zamordowanej – a każdy przypadek wyglądał podobnie: potężne obrażenia głowy, urazy narządów płciowych – uznano, że morderstwa będą się powtarzać.

Szkudła spojrzał na Adę. Domyślała się, że nie jest zadowolony z wizyty podpułkownika Rolskiego z komendy stołecznej i że przypuszcza, że to ona za nią stoi. Formalnie była czysta jak łza. Nietypowe morderstwa lądowały w okólniku; wyłupywanie ofiarom oczu jeszcze nie spowszedniało, więc nie tylko komenda miejska w Suwałkach przyglądała się tej sprawie. Rolski przyjechał „zobaczyć postępy w śledztwie", jak Szkudła usłyszał przez telefon od jego przełożonego, komendanta stołecznego, oraz omówić podobne przypadki.

– Po trzeciej, obywatelu pułkowniku – podkreślił Szkudła, wciąż patrząc na Adę.

– Pragnę uspokoić obywatela komendanta – znam szczegóły sprawy. I umiem odliczyć do dwóch. Do trzech i dalej też dam radę. Choć wszyscy byśmy woleli, żeby nie było dalej, prawda?

Szkudła spąsowiał. Ada pomyślała, że nawet by się ucieszył z trzeciego morderstwa, gdyby tylko to na jej głowie wylądował worek.

– Zatem, kontynuując. – Rolski znowu sięgnął po papiery. – Sprawa dostała kryptonim „Anna", od imienia pierwszej zabitej. Wszystkie kolejne ofiary zostały potraktowane w taki sam sposób: silny cios w głowę, następnie kilka mniejszych. Potem morderca zdejmował bieliznę i okaleczał narządy rodne. I tu się kończyły podobieństwa. Najmłodsza ofiara miała siedemnaście lat, najstarsza pięćdziesiąt. Ginęły blondynki, brunetki, niskie, wysokie, smukłe, korpulentne. Sprawca szybko się przemieszczał. Zaczęła się panika. Kobiety bały się wychodzić z domu, do pracy odprowadzali je mężowie, ojcowie, sąsiedzi. Wieczorami ulice miast się wyludniały. Odbywały się kolejne pogrzeby, a winnego nie złapano. Major Gruba, któremu ponoć obiecano generalskie szlify w zamian za skuteczne działania operacyjne, nie miał nic, co mogłoby uspokoić nastroje. W tysiąc dziewięćset sześćdziesiątym szóstym do sprawy wkroczył komendant główny, powołując zespół koordynacyjny do sprawy „Zagłębie". W tysiąc dziewięćset sześćdziesiątym ósmym milicja wyznaczyła milion złotych nagrody za ujęcie mordercy.

– Nie do pomyślenia, skąd ja bym, kurwa, miał milion wziąć? – wyrwało się Szkudle. – Przepraszam obywatelu pułkowniku, ale to z emocji. Ja przecież pamiętam tamtą sprawę, cała Polska nią żyła. Ale czy to uprawnione tak porównywać? U nas wszystko skromniejsze: i zgony, i środki.

– Na razie skupcie się na działaniach operacyjnych i hipotezach. – Rolski znowu wrócił do maszynopisu. – Telefony się, oczywiście, urywały, dzwoniły przede wszystkim żony oskarżające mężów. Siedemnasta zabita to był szczególnie dotkliwy przypadek. – Rolski spojrzał na nich znacząco. – Rodzina pierwszego sekretarza.

– Bilety towarowe – mruknął Szkudła.

„Gdy ktoś tyle słodzi, to go reglamentowanie musi boleć" – pomyślała Ada. Od sierpnia cukier kupowało się na kartki. Chyba nie o takim dobrobycie mówił Gierek, którego bratanicę zamordował seryjny morderca z Zagłębia.

– Kierujący śledztwem major Gruba – ciągnął Rolski – napisał w analizie: „Co sprawca przez swe zbrodnie chciał osiągnąć i rzeczywiście osiągnął? Odpowiedź wydaje się stosunkowo prosta – sterroryzowanie społeczeństwa i rozgłos. Komunikaty w prasie, oficjalne apele, panika wśród kobiet i absencja w zakładach pracy wykazują bezsilność władz".

– Niedoczekanie – mruknął Szkudła.

– W komendzie wojewódzkiej w Katowicach zorganizowano naradę, na którą zaproszono naukowców. Dyskutowano o wyglądzie sprawcy, środowisku, z jakiego pochodzi, hipotetycznych preferencjach i zachowaniach. Jedni twierdzili, że morderca jest karanym sadystą, a inni, że nigdy nie miał konfliktu z prawem. Miał być homoseksualistą, to znów przykładnym mężem i ojcem albo samotnikiem stroniącym od ludzi. Górnik, cyrkowiec, impotent, mężczyzna z wadą anatomiczną prącia – koncepcji było wiele. Jeden z naukowców powiedział... – Rolski przerzucił kilka kartek i znalazł odpowiedni fragment: – „Występuje tu jak gdyby przymus w działaniu. Nie potrafię wyjaśnić i nie chcę się bawić w chiromantę i wskazywać kogokolwiek, najlepiej powiedziałbym: każdy może być. Teraz jest trudno coś powiedzieć, to bardzo ryzykowne, może być wśród nas".

Ada pomyślała, że to trafne i uniwersalne spostrzeżenie. Za kogo by sobie dała rękę uciąć z tych, których tu poznała? Za wszechwładnego lokalnego kacyka Szkudłę? Za jego bratanka, którego najdelikatniejsze rozminięcie się z zasadami i prawem to wynoszenie produktów z zakładu i pozamałżeńskie kontakty seksualne z dziewczyną, która właśnie została zamordowana? Ciekawe, co dziś zezna, gdy Ada go zapyta, co robił dwudziestego trzeciego września... Za doktora Fornala, który tutaj przesiaduje, jakby był u siebie, i każdą ładną kobietę rozbiera wzrokiem? Za Sochę, odkażającego spirytusem nie tylko narzędzia, lecz przede wszystkim swoją głowę? No, może w przypadku Tomczyckiego by zaryzykowała.

– Ostatecznie w tysiąc dziewięćset siedemdziesiątym drugim roku, po donosie żony, aresztowano Zdzisława Marchwickiego, niewykształconego konwojenta pracującego w kopalni.

– Czeka w więzieniu na stryczek – stwierdził z satysfakcją Szkudła.

– Pytanie, czy zasadnie. Według mnie on zupełnie nie pasuje. – Ada też śledziła tę sprawę, ale widać na co innego niż komendant zwracała uwagę.

– Pani porucznik podważa wyrok sądu? – Szkudła nie zamierzał odpuszczać.

– Podsumujmy. – Na ring wszedł Rolski. – Marchwickiego łączyły ze zbrodniami jedynie przypadkowe więzy, na przykład portmonetka jednej z ofiar została znaleziona niedaleko domu Marchwickich, ale nie było na niej odcisków palców oskarżonego. Mimo to sąd uznał, że jako konwojent mógł ją tam wyrzucić. Przyjęto, że narzędzie zbrodni to miękki pejcz, który leżał w domu dziadka Marchwickiego. Sekcje wykazywały jednak, że kobiety zamordowano twardym, tępym narzędziem. Śmiertelne ciosy zadawano lewą ręką, a Marchwicki jest praworęczny.

I wreszcie, bo to niezwykle istotne: mimo że Marchwicki czeka na wykonanie wyroku w celi, tego typu zbrodnie nie ustały.

Szkudła nerwowo się poruszył. Ada wiedziała, co powie Rolski, bo o tym się mówiło u nich na korytarzu.

– Ktoś zamordował Mirosławę Sarnowską, świadka w sprawie ostatniej ofiary Wampira z Zagłębia. To było w maju tego roku.

„Maj nie dla wszystkich był pechowy" – pomyślała Ada. Wtedy jeszcze chodzili z Rolskim po tych samych korytarzach, rozmawiali o tych samych sprawach, jeździli nad Zegrze. Aż do czerwca.

– A w październiku tego roku, przed kilkoma zaledwie dniami, zginęła kolejna kobieta. – Rolski podniósł wzrok znad kartek.

Tym razem Ada też się spięła. O kolejnym zabójstwie powiązanym z Wampirem nie wiedziała nic.

– Zamordowana to Teresa Ryms. Jej zabójstwo również miało podtekst seksualny. Ciało znaleziono w piwnicy jednego z bytomskich bloków. Wypisz, wymaluj Wampir: roztrzaskana głowa, obnażona, wykorzystana, by morderca dał upust swoim erotycznym upodobaniom.

– To może te zabójstwa u nas to sprawka przyjezdnych? – Szkudła nagle poczuł wiatr w żaglach. – Ja od początku twierdzę, że to bardzo podejrzane, bo w Suwałkach nigdy takie dewiacje nie miały miejsca.

– Ta Ryms została zamordowana dzień po waszej ofierze. Zresztą teoria o „przyjezdnych" ma pewną istotną lukę. Na Śląsk przyjeżdżają do pracy ludzie z całej Polski. I choć w *Kronice filmowej* to wygląda tak, że po pracy czytają gazety i spotykają się z literatami, w rzeczywistości kończą szychtę i idą pić, zalewając wyobcowanie i brak bliskich. – Rolski ironicznie uciął te spekulacje.

„Wyobcowanie i brak bliskich" – powtórzyła w myślach Ada. Nie piła już ponad trzy tygodnie, mimo że wciąż była i wyobcowana, i bez bliskich.

– To, oczywiście, najbardziej spektakularna sprawa, jeśli idzie o seryjnych morderców. Były też inne, w których serie były krótsze, a morderców szybciej łapano.

Spojrzenia Ady i Rolskiego się spotkały. Wiedziała, że oboje mają wątpliwości, czy w więzieniu siedzi prawdziwy Wampir.

– Z jednym zgodzimy się chyba wszyscy: tu też mamy do czynienia z seryjną zbrodnią – powiedziała Ada. – Od razu uprzedzę słuszną w teorii uwagę pana komendanta: mamy dwie zamordowane, ale *modus operandi* i wszystkie okoliczności nie pozostawiają miejsca na nadzieję: będzie kolejny przypadek. A za nim następne. Pytanie, jak szybko uda nam się przerwać ten ciąg.

– Niech pani porucznik podsumuje dotychczasowe ustalenia – zwrócił się do niej Rolski.

„Oficjalnie musi być oficjalny" – pomyślała Ada. W Warszawie też tak było, w godzinach „urzędowania". Później jednak ogrzewali tę chłodną obojętność. „Czy musimy być na ty? Nie najlepszy był to plan. Proponuję, by przez łzy znów powtórzyć: pani, pan". Jak się nazywała ta sztuka? *Apetyt na czereśnie.* Pod koniec burego października był ogromny. Wiedziała, że dziś wieczorem znów ją najdzie. A potem – potem zostanie bez czereśni.

– Obie zamordowane to młode kobiety o podobnej urodzie: atrakcyjne blondynki. W obu przypadkach zostały potraktowane tak samo: otumanione chloroformem, zgwałcone, choć bez dewiacji i brutalności, uduszone, a potem sprawca precyzyjnie i z wprawą wyjął im oczy, które najprawdopodobniej zabrał ze sobą. Wszystko to odbyło się na miejscu zbrodni. Sprawca jest uważny i przygotowany; przypuszczamy, że miał zarówno klucz do domku, jak i do kłódki w drzwiach hali. Jak je zdobył? Jeszcze nie wiemy. Nie zostawia śladów, używa prezerwatywy i rękawiczek. Ofiary pośmiertnie traktuje z szacunkiem: wkłada bieliznę, poprawia sukienki lub spódnice. Głowy zakrywa workiem. A – przypomniało się jej – jeszcze jedna sprawa. W drugim przypadku na miejsca morderstwa był wyczuwalny delikatny zapach, jakby perfumy, kwiatowe, różane, trochę mydlane. Tu jest potwierdzenie obecności składników typowych dla takich produktów perfumeryjnych na swetrze zamordowanej. W pierwszym przypadku nie udało się tego ustalić, ale minął miesiąc, a my dopiero podczas drugiego zabójstwa wystąpiliśmy o takie badanie.

– A psa nie sprowadziliście do tej przetwórni? – zdziwił się Rolski – Mógłby podjąć ślad, skoro był świeży.

– Był pies. – Tomczycki odezwał się po raz pierwszy podczas tego spotkania. Nie do końca wiedział, co się między tą trójką dzieje, ale wyczuwał silne emocje. Że porucznik Krzesicka nie lubi komendanta i z wzajemnością, to chyba cała komenda wiedziała. Co ją łączyło z tym podpułkownikiem Rolskim? Podobno romans, szeptano po kątach. Ale ona taka ładna i bystra, a on – nic szczególnego, nawet nie był wysoki. Tyle że ze stołecznej. Może kobiety naprawdę najbardziej patrzą na stanowiska? To by nie było za dobrze dla Tomczyckiego. – Ale tak padało, że wszystkie ślady pozacierało. Doszedł do bocznej bramy i tam usiadł. W sumie logiczne, że morderca autem podjechał. W pierwszym przypadku trop się urywał przy pomoście – musiał użyć łódki.

– To też ciekawe. To znaczy miejsce zbrodni. Za pierwszym razem wybrał ośrodek w głuszy, po sezonie. Prawdopodobieństwo, że ktoś szybko odnajdzie ciało, nie było duże. Może sprzątaczka, może cieć, może ktoś przypadkowy – powiedziała Ada.

– Tam się wcale nierzadko spotykają takie bezdomne pary – wtrącił Szkudła. – Podobno – dodał szybko.

– W każdym razie nie było oczywiste, że milicja szybko się dowie. Przypadek sprawił, że sprawa się potoczyła inaczej i kilkanaście godzin później byliśmy na miejscu. Za drugim razem wybrał halę w zakładach paszowych. Tu już było jasne, że to kwestia dnia lub dwóch.

– Czyli chyba mu zależy, żeby milicja szybko się dowiadywała – stwierdził Rolski. – W każdym razie zaczęło mu zależeć.

– Tak – potwierdziła Ada. – Komendant Szkudła już wcześniej podniósł tę kwestię.

– Prawda – mruknął Szkudła. Musiał pamiętać swój wybuch. – To gdzie nam teraz ciało zostawi, jak pani porucznik myśli? Na głównym skrzyżowaniu w mieście? W szkole? Na dworcu?

– Na komendzie? – zaproponowała Ada.

Na biurku komendanta zadzwonił telefon. Szkudła podniósł słuchawkę.

– Tak? – burknął. – A, dobrze. Nie, nie do mnie, do trójki. – Spojrzał na Adę. – Obywatel się zgłosił na przesłuchanie.

Rolski spojrzał pytająco.

– Tomasz – powiedział komendant. – Tomasz Szkudła.

Rozdział 13

Teraz to ona przejęła kontrolę; fizycznie i psychicznie. Usiadła na nim okrakiem, kolanami ściskając jego żebra. Dłońmi unieruchomiła jego nadgarstki. Wpatrywali się w siebie bez słowa; oboje lepcy, zdyszani, ona z rozpuszczonymi, potarganymi włosami.

– I co pani porucznik teraz zrobi? – zapytał.

– To zależy od tego, czy będziesz współpracował – odpowiedziała, delikatnie poruszając biodrami.

– Będę. – Kiwnął głową. – Zrobię, co pani porucznik każe.

– Kochaj się ze mną – wyszeptała mu do ucha, pochylając się nad nim.

Trzeci raz tej nocy, oboje nie mieli dość. Patrzył na jej jędrne, kołyszące się piersi, napiętą skórę na lekko wypukłym brzuchu, umięśnione, gładkie uda. Powoli podnosiła się i opadała na pięty, wciąż nad nim nachylona. Całowali się; ona kąsała jego wargi, jego język szukał jej języka; pasma długich, gęstych włosów nadal zakrywały jej twarz. On kolistymi ruchami otwartych dłoni drażnił jej sutki, a potem położył ręce na jej talii, nadając rytm ich ruchom. Przyspieszyła, jego place mocniej się zacisnęły na jej skórze. Zauważyła, że już na nią nie patrzy. Przymknął oczy, odchylił głowę do tyłu. Półotwartymi ustami uwalniał coraz szybsze, coraz mocniej rwane oddechy. Jej przyjemność nadchodziła wolniej, dopiero zaczynała odczuwać lekkie, wypełniające ją ciepło.

– Poczekaj – powiedziała łapczywie, we własnym pościgu za spełnieniem wytrącając go z jego orbity.

Opadała i podnosiła się coraz szybciej. Czuła drżenie mięśni, odwykłych od intensywnego wysiłku. Pośladkami coraz mocniej uderzała o jego uda; ciepłe, lepkie ciała z coraz głośniejszymi plaśnięciami stykały się i odrywały od siebie.

Spojrzała na niego. Zagryzł dolną wargę, jeszcze mocniej odchylił brodę. Przestał kontrolować swoje dłonie, które teraz gorączkowo ściskały jej pośladki.

Wreszcie i ona poczuła, że finał zaraz nastąpi.

To było jak mikrowybuch elektrowni jądrowej – od epicentrum koliście rozchodziła się fala uderzeniowa, docierając do każdej komórki w najdalszym zakątku jej ciała.

Cała drżała. Zsunęła się z niego i położyła na zimnym prześcieradle.

Leżeli obok siebie, już się nie dotykając.

Samotnie wracali do rzeczywistości.

„Smutek spełnionej baśni" – pomyślała. Przed chwilą była pulsującym ekstazą ogniem, a teraz jakby zeszło z niej całe powietrze. Seks, choć bardziej euforyczny niż alkohol, nie potrafił ukoić na długo. Sekundy orgazmu miały siłę nieporównywalną z niczym innym, ale powrót do rzeczywistości był błyskawiczny. I tym razem – bardzo bolesny.

Kiedy kochali się nad Zegrzem, też nie potrafiła rozpleść podniecenia, spełnienia i nostalgii. No, może na samym początku, kiedy była jak upalona od hormonów, a jego dotyk ją elektryzował. Wykorzystywali każdą okazję, by się kochać, i liczyły się tylko te chwile. Przyszłość jej nie martwiła, zresztą wtedy myślała, a raczej wydawało się jej, bo myślenie wyłączała, że będzie jakaś przyszłość, wspólna przyszłość. Potem, kiedy stawało się jasne, że te pokątne spotkania to jedyna część wspólna ich życia, zawsze było tak samo – po namiętnym seksie prawie od razu zalewała ją fala smutku, bo przecież zaraz się rozejdą: on na małżeńską wersalkę, ona – do pustego wyrka. Od czerwca się nie widzieli i nie kochali, dlatego dziś byli tak łapczywi i nienasyceni. Tylko że te dwie godziny i trzy orgazmy muszą im wystarczyć na nie wiadomo jak długo. A ona nie wiedziała, jaką cenę zapłaci za wymazywanie tej nocy z pamięci. Przez kilka miesięcy trochę się z Andrzeja wyleczyła; terapia polegała na braku kontaktu ze „szkodliwym czynnikiem". Po dzisiejszym długim i intensywnym kontakcie leczenie musi się rozpocząć na nowo.

* * *

Wyciągnęła przed siebie dłoń i przesunęła palce po prześcieradle, sprawdzając, czy on wciąż jest gdzieś obok. „Durna jesteś – westchnęła do siebie w myślach. – Obudź się, teraz i w ogóle". Jasne, że go nie było. Jak zawsze, wziął szybki prysznic, żeby zmyć z siebie jej zapach, pozbierał porozrzucaną wokół tapczanu bieliznę, wciągnął spodnie i włożył odprasowaną przez żonę koszulę. Potem pocałował ją w usta, przez chwilę w milczeniu na nią popatrzył i cicho zamknął za sobą drzwi. Zgasiła światło, odchyliła zasłonę i wpatrywała się w ciemną sylwetkę znikającą między drzewami.

Nie wiedziała, ile czasu upłynęło, nim zasnęła. Niemyślenie było trudne i męczące, ale nie na tyle, by szybko sprowadzić na nią sen.

Teraz bolała ją głowa. Napiłaby się wódki. Chętnie też by została w łóżku, ale musiała iść do pracy. No i chciała się pożegnać z Andrzejem, który o wpół do ósmej miał wyjechać do Warszawy. Nocował w nowo wybudowanym ośrodku OSiR, bo komenda miejska dysponowała tylko jednym mieszkaniem gościnnym, zajętym właśnie przez Adę. Nie chciał wzbudzać najmniejszych podejrzeń, dlatego po kolacji ze Szkudłą i z kimś z wojewódzkiej poszedł z restauracji na dole wprost na pierwsze piętro, do swojego pokoju. Długo trzymał zapalone światło. Dopiero po pierwszej w nocy wymknął się do niej, a później wrócił do swojego pokoju, skąd miał zejść na śniadanie i odjechać do stolicy.

Przejechała dłonią od piersi do ud. Musnęła poskręcane włosy łonowe. Powąchała palce – wciąż nim pachniała. „Jesteś, kurwa, durna" – teraz powiedziała to na głos. Dobrze wiedziała, że użalanie się nad sobą zaprowadzi ją prosto do kieliszka. Odczeka do trzynastej i kupi sobie winiak. A potem to już poleci.

Wstała, szybko zwinęła pościel i schowała ją do tapczanu. Później poszła do łazienki i długo się polewała letnią wodą (szczyt możliwości suwalskiej elektrociepłowni).

Włożyła dżinsy, golf i zapinaną na napy sztruksową koszulę z rękawem do łokcia oraz skórzane kozaki. Zrobiła sobie grubo krojone kanapki z dżemem truskawkowym oraz herbatę z mlekiem.

Dwadzieścia minut później szła chodnikiem w kierunku komendy. Rolski miał tu przyjść, żeby się oficjalnie pożegnać.

„Teatr" – pomyślała. Nie wiedziała, czy więcej w niej smutku, czy złości. Tylko na kogo ma się złościć? Na niego, na siebie, na nią, na starego? Gromada dorosłych ludzi, którzy odstawiają szopkę.

„Teatr i chujnia". Czyli jednak złość wzięła górę.

Zobaczyła auto na warszawskich numerach. Andrzej stał oparty o maskę i palił papierosa. Coś ją ścisnęło w żołądku, a kroki nagle stały się wolniejsze. Znaczy wygrał smutek. Od ściany do ściany.

– Przyszedłem powiedzieć do widzenia – powiedział, odchrząknąwszy. Wyprostował się, raz jeszcze zaciągnął i rozgniótł niedopałka obcasem.

– A może: żegnaj? – zapytała i zamilkła. Nie przećwiczyli swoich ról. Dwa naturszczyki.

– Ja... Uważaj na siebie, Ada.

– Już mnie o to prosiłeś. Jestem uważna. Szkoda tylko, że wcześniej nie byłam. Nie byliśmy uważni...

– Ada... – Pokręcił głową, westchnął.

„Ile razy można się rozstawać na zawsze?" – pomyślała. W sumie dobrze, że ma tę sprawę, to zajmie czymś głowę. Niech on jedzie, bo Ada się rozklei. Już tęskniła.

– Wiem, wiem. Idę do pracy. Jakby co, będę dzwonić.

– Dzwoń. Ja...

„Jako szef był bardziej elokwentny". Siły między złością a smutkiem nie mogły się ustalić; raz jedna, raz druga strona zyskiwała przewagę.

Wyciągnęła do niego rękę. On uniósł jej dłoń i pocałował. Bon ton przed komendą miejską w Suwałkach.

***

Pod gabinetem Szkudły zobaczyła doktora Fornala.

– O, pani porucznik już na służbie – przywitał ją entuzjastycznie. Gdy podeszła bliżej, poczuła, że ten animusz jest napędzany procentami. Woda kolońska nie przykryła całkowicie zapachu wódki.

– Mam dużo pracy, chcę dziś zacząć wcześniej. – Próbowała go wyminąć, ale on nagle odkleił się od ściany i jednym dużym krokiem stanął na jej drodze.

– Ale przywitać się pani porucznik chyba może? – Wyciągnął do niej rękę.

– Mogę – kiwnęła głową. – Dzień dobry, panie doktorze. – Uśmiechnęła się sztucznie.

Nawet zrobiło się jej go żal. Przydupas Szkudły, śliski amator kobiecych wdzięków, ale i biedny w gruncie rzeczy facet ze skłonnością do brylantyny i alkoholu. „Nie, zdecydowanie nie będę pić, nie pójdę tą drogą – pomyślała, patrząc w opuchnięte oczy mężczyzny. – Robotą się będę leczyć z Andrzeja".

Gdy go wymijała, Fornal położył jej na ramieniu dłoń, która szybko zjechała po plecach, zatrzymując się tuż nad pośladkami.

W pierwszej chwili zamarła, ale szybko się z tego otrząsnęła. „Co za dupek. Ja go żałuję, a on żadnej okazji nie przepuści" – pomyślała.

– Badanie palpacyjne to chyba w gabinecie, panie doktorze – wycedziła, stanowczym ruchem zrzucając jego rękę ze swojej talii. Chciała mu ją złamać.

– Mnie się pani porucznik wydaje całkowicie zdrowa. – Uśmiechnął się i mlasnął. – Tylko może za mało zaopiekowana?... A takiej ładnej kobiecie należy się trochę troski i przyjemności w życiu. – Patrzył na nią nieustępliwie. – Nie tylko kilka razy w roku, przepraszam za określenie – widać było, że wcale mu nie jest przykro – z doskoku.

„A więc nas widział, chujek jeden". Choć się w niej zagotowało, nie dała tego po sobie poznać.

– Niech się pan zatroszczy o swoje przyjemności, doktorze – powiedziała zimno.

– Zawsze to robię, pani porucznik – odparł z tym swoim obleśnym uśmiechem.

W tym momencie otworzyły się drzwi wejściowe i pojawił się w nich Szkudła. Przez moment patrzył na nich, nie potrafiąc ocenić sytuacji. Wystarczyło jednak, że podszedł. Ada zauważyła, jak rozszerzają mu się nozdrza i uderza w nie fala dobrze znanego mu zapachu. „Drugi opijus, ale przynajmniej ręce trzyma przy sobie" – pomyślała.

– Zygmunt, chyba jesteś zmęczony po dyżurze – stwierdził Szkudła.

– Skąd, do pracy idę. – Fornal uśmiechnął się konfrontacyjnie. Widać było, że specjalnie się droczył.

– Do żadnej pracy nie idziesz, mówię ci – syknął Szkudła i złapał go za ramię.

– O, pan komendant twardy – zakpił Fornal.

– Przestań, kurwa – sapnął Szkudła.

– Zawsze prawy i uczciwy, co? – Fornal szarżował.

Ada pomyślała, że za chwilę przeszarżuje. I rzeczywiście – Szkudła szarpnął go jedną ręką, drugą jednocześnie otwierając drzwi do swojego gabinetu.

– Zostaw – warknął Fornal.

Tym razem Szkudła złapał go za wiatrówkę, aż ortalion zaszeleścił. Próbował go wepchnąć w otwarte drzwi, ale Fornal się odchylił i ramieniem uderzył w metalową framugę.

Ada usłyszała plaśnięcie, a potem jakieś głuche, dość ciche uderzenie. Po podłodze coś się potoczyło.

– Nie szarp, już idę – mruknął Fornal, schylając się w kierunku linoleum.

– Ja to wezmę – sapnął Szkudła, podnosząc z ziemi brelok z kluczykami do malucha. Schował do kieszeni stalowy łańcuszek, na którym kołysała się błyszcząca kulka z żywicznej pomarańczowej masy. – Dość już nawywijałeś.

***

Ada siedziała przy biurku i patrzyła w okno. Przed sobą miała gęsto zapisane kartki z wczorajszej narady.

Rozstali się właściwie bez konkluzji, to znaczy każde z nich zostało przy swoim.

Szkudle grunt się palił pod nogami; nie interesowały go pobudki, psychologiczne niuanse, portrety osobowościowe. Wiedział, że jeśli sami się szybko nie uporają ze sprawą, wejdzie wojewódzka, albo i główna, i im ją odbierze. A on będzie w czarnej dupie. „I nie trafię tam sam". Rozciągniecie tej metafory na zespół wydawało się Adzie dość osobliwe, ale lęki Szkudły rozumiała, zwłaszcza że komendant z jednym się już nie spierał: pogodził się z faktem seryjności i tylko zaklinał los, by przypadek numer trzy nie wydarzył się szybko lub – w wariancie najbardziej pożądanym – by mu zapobiegli.

Rolski podchodził do sprawy pragmatycznie. Uważał, że mają do czynienia z mordercą zafiksowanym, dla którego nieistotne są same kobiety, ale to, co od nich pozyskuje – oczy. Powodów kolekcjonowania nie potrafił wskazać. Co do gwałtów, to sądził, że są „efektem ubocznym". „Jakąś formą dominacji – stwierdził – ale nie z powodu napięcia seksualnego napada". Również nie kwestionował seryjności.

Adzie intuicja podpowiadała jakąś patologiczną formę zemsty, wyrównywania rachunków. Jeszcze nie potrafiła tego uchwycić, ale to zamiłowanie do harmonii, porządku, owa subtelność i precyzja wskazywałyby na kogoś, kto próbuje po swojemu ogarnąć chaos w głowie. Kiedy opowiadała na spotkaniu o swoich przeczuciach, Rolski życzliwie kiwał głową, Szkudła natomiast pokazał żółtym od nikotyny paluchem na szklankę z kawowymi fusami.

Tomczycki mówił najmniej. Popierał koncepcję Ady, co było właściwie oczywiste, tak jak fakt, że morderca jest tutejszy. „Bo raz, że widać, że zna teren, a dwa – musiał obserwować te dziewczyny, a nikomu nie rzucił się w oczy".

Ada zgadzała się z tym, zastanawiało ją jednak, jak zabójca łączy swoją „przezroczystość" z byciem „przyszłościowym" – bo najwyraźniej właśnie tak oceniły go obie, martwe już, dziewczyny. Czy facet, który rokuje jako chłopak, narzeczony i wreszcie – mąż – może się tak łatwo wtapiać w tłum? Czym by je wtedy do siebie przekonywał? „Dobrocią?" – zaproponował Tomczycki. „Uh, ty, chłopaku" – zaśmiał się Szkudła. „Nie ten trop" – uciął Rolski, a Adzie zrobiło się głupio, choć myślała tak samo. Próbowała się postawić na miejscu tych kobiet, ale kulawo jej szło. Ada Krzesicka nie oczekiwała od faceta, że będzie ją holował przez życie, że dla niego włoży suknię z welonem, urodzi mu parkę dzieci w odstępie dwóch lat, a ludzie będą o niej mówić „pani dyrektorowa" lub „doktorowa". Była samodzielna i nie potrzebowała na nikim wisieć. Nie znała tych wszystkich kobiecych sztuczek i gierek i nie potrafiłaby ich zastosować. Może właśnie dlatego ostatecznie wylądowała w Suwałkach?... Może wcale aż tak bardzo się nie różniła od lekuchno naiwnego i prostolinijnego Tomczyckiego – wbrew wszystkim pozorom.

Sprawa Marchwickiego, rozłożona na czynniki pierwsze przez Andrzeja, nie dawała jej spokoju. Nie wierzyła w winę domniemanego Wampira – jak można było, bez twardych dowodów, z tak marnymi poszlakami, wydać taki wyrok? „A przyznał się?" – zapytał Szkudła. No przyznał się, o ile „widać to ja zabiłem" uznać za wiarygodne. Ada czuła, że w imię spokoju społecznego, milicyjnych ambicji, parcia z każdej ze stron – skazano niewinnego człowieka. W całej tej sprawie dręczyło ją jeszcze jedno – pewien, powiedzmy, pragmatyzm Andrzeja. Nie wydawał się specjalnie poruszony lipnym śledztwem. To znaczy owszem, jako bystry śledczy wskazywał na luki i mielizny, ale w tym wszystkim niewiele go obchodził los Marchwickiego.

Ada wstała i podeszła do okna. Znowu grzali jak szaleni. Ze skrajności w skrajność – albo kostniały jej palce, albo kaloryfer parzył.

Odsunęła firankę i otworzyła okno. Chciała się zaciągnąć świeżym powietrzem, ale z zewnątrz doleciał zapach z komina. Ktoś palił mokrym drewnem, bo śmierdziało i gryzło w oczy.

Westchnęła i zamknęła okno. Podeszła do biurka, zebrała w jedną kupkę kartki, kilka razy stuknęła nimi o blat, żeby je wyrównać, i poszła z nimi do Szkudły. „Od teraz macie mnie informować o każdym kroku". Będą, co robić.

***

– O, jest pani porucznik. Podpułkownik Rolski już pojechał? – Komendant siedział przy biurku i palił. Chyba też mu było gorąco, bo zdjął marynarkę i był w samej koszuli. Okno miał uchylone, ale jemu może było wszystko jedno, czy dym z komina, czy z papierosów. Ilekroć Ada wchodziła do jego gabinetu, odruchowo mrużyła oczy – powietrze było ciężkie, widoczność jak w listopadowy dzień o poranku. „Testów sprawnościowych już by raczej nie przeszedł" – pomyślała, patrząc na jego wystający brzuch.

– A nie żegnał się z panem komendantem?

– Można się żegnać, a i tak planować powrót.

– Nie wiem, co planuje podpułkownik Rolski – odpowiedziała spokojnie.

– Ano pewnie, że nie. Na razie wraca do Warszawy. Na komendę. Do domu – wypowiadał te kolejne, bardzo proste zdania, patrząc na Adę. Nie reagowała, bo niby jak? W końcu nie powiedział nic nieprawdziwego lub obiektywnie niemiłego. – Zawsze się cieszymy z fachowego wsparcia, ale tym razem wizyta trochę inaczej przebiegała. Niby jeden gość, a więcej ich było.

W pierwszej chwili Ada nie zrozumiała, ale szybko do niej dotarło – a więc jednak macki starego. Jeśli nie spieprzyli roboty, to widzieli, że Andrzej poszedł do niej w nocy. Tylko w sumie co z tego właściwie wynika? Dokąd dalej mogliby ją wysłać? Przecież tu zaraz granica, Polski nie starczy na kolejną karę.

– Więc dobrze, znajomy wyjechał, wraca rzeczywistość. Jaki pani porucznik ma plan działań na dziś i najbliższe dni? – Szkudła siorbnął łyk kawy ze szklanki. Skrzywił się. Podniósł słuchawkę telefonu. – Pani Basiu, kawę poproszę. Mocną, gorącą. Co? A, tak, zaraz. – Odsunął słuchawkę od ucha, spojrzał na Adę i zapytał: – Pani porucznik czego się napije? Kawy czy herbaty?

„Gdyby go Beata nie zapytała, sam by na to nie wpadł" – pomyślała Ada.

– Herbatę poproszę. Też mocną.

Szkudła powtórzył dyspozycję przez telefon.

– W obu przypadkach wykluczyliśmy osoby z bliskiego otoczenia zamordowanych. – Ada rozłożyła kartki na stole. – Typowi podejrzani w takich przypadkach, to znaczy narzeczeni czy mężczyźni, z którymi obie utrzymywały bliskie stosunki, mają alibi na czas morderstwa. Wyjątkiem jest Tomasz Szkudła. – Podniosła głowę znad biurka.

– Był w pracy, chyba go wszyscy widzieli? – Szkudła się wyprostował i spojrzał na nią z nieskrywaną niechęcią.

– Był – zgodziła się Ada. – To znaczy strażnik odnotował, że wjechał o siódmej dwanaście, a potem wyjechał o drugiej czterdzieści. Główną bramą. Przy bocznej nie ma nikogo. Hipotetycznie mógł z niej skorzystać, wjeżdżając i wracając niezauważony. Sekretarka zeznała, że tylko dwa razy do niego wchodziła, zaraz rano, a potem tuż przed jego wyjściem, natomiast sama dużo czasu spędziła poza biurkiem, krążąc po terenie zakładu. Sprawa się jeszcze bardziej komplikuje, gdy mowa o pierwszej zamordowanej, Mariannie Kozioł.

– A co on miał z nią niby wspólnego? – Szkudła był szczerze zdumiony.

W tym momencie drzwi się otworzyły i weszła sekretarka z tacą i parującymi szklankami. Firanka się nadęła, kilka kartek sfrunęło na podłogę, drzwi huknęły.

– Kur... Pani Beato, nie można tych drzwi zamykać?

– Nie zdążyłam, panie komendancie. U mnie też otwarte, bo dziś to już naprawdę przesadzili z tym grzaniem. Zaraz to sprzątnę.

– Nie trzeba, już podnoszę. – Ada wstała z krzesła i schyliła się pod biurko, żeby pozbierać kartki. Przy nogach Szkudły zauważyła skórzaną teczkę, coś w rodzaju neseseru. Nie była komendanta, bo on nosił sztywną aktówkę. „Może w tej tylko flaszki trzyma?" – pomyślała.

Kiedy się podniosła, Beaty już nie było.

– Więc wracając do sprawy... Wszyscy się zgodziliśmy, że to zabójstwa seryjne. Formalnie *in spe*, bo na razie dwa, ale to kwestia... – chciała powiedzieć „czasu", ale postanowiła inaczej zakończyć to zdanie – ...*modus operandi*. Fakty wskazują na cykliczność. Wobec tego sprawdzamy, czy w obu przypadkach są ci sami podejrzani.

– Ale zapytam jeszcze raz: co on miał z tą Kozioł wspólnego? – Szkudła majstrował przy węźle krawata, na czole perlił mu się pot.

– Nie wiemy i już się nie dowiemy. Według niego nic.

– A są dowody, że było inaczej?

– Twardych dowodów brak, ale jest taka zbieżność, że na dwudziestego trzeciego września Tomasz Szkudła nie ma alibi.

– A gdzie wtedy był? – Szkudła oparł ramiona na biurku i nachylił się w jej stronę. Czuła bijące od niego ciepło, jak od byka przed szarżą.

– Zeznał, że z Iwoną Kołecką. Na parkingu leśnym, siedem kilometrów za Suwałkami, w kierunku Wigier. Niestety, Iwona Kołecka już nie potwierdzi tego alibi.

Szkudła milczał. Była przekonana, że od razu wybuchnie, wkurzy się, stanie w jego obronie. A tu nic z tego. Odchylił się z powrotem na oparcie krzesła. Po chwili się odezwał:

– Pani porucznik, on święty nie jest, ja nie będę twierdził, że czarne jest białe. Ale od ksiutania do mordowania to kawałek jeszcze. On by mi powiedział, ja go od dziecka znam. Przysiągł na Pismo, że jemu tylko o tę przyjemność chodziło, nic więcej na sumieniu nie ma. A zresztą w obu tych morderstwach, jak czytałem raporty Tadzia, jest informacja, że te stosunki to takie jakby bez znamion podniecenia. To się chyba gryzie, nie?

Ada milczała. Fakty to jedno, możliwa prawda – drugie. Tomasz Szkudła wydał jej się antypatycznym dupkiem, który bez mrugnięcia okiem zdradza żonę, a do kochanki czuje jeszcze mniej. Jemu rzeczywiście chodziło tylko o seks. Wkurzające, ale niekaralne. Nie pasował do profilu, czuła to.

– Mnie się wydaje, że my szukamy za blisko. Wiadomo, że każdy ma coś za uszami, jak się pogrzebie, to się znajdzie. Ja już trochę jestem w milicji i stawiałbym na kogoś, kto nie jest tak oczywisty – ciągnął Szkudła.

„Wciąż broni bratanka czy ma jakiś przebłysk intuicji?" – zastanowiła się Ada.

– A co z tą tak zwaną wykwalifikowaną grupą? To znaczy z lekarzami, aptekarzami, weterynarzami? Socha zaznacza w raporcie, że oczy są wyjmowanie sprawnie.

Szkudła westchnął.

– Zróbcie listę i sprawdźcie alibi, jeśli to jest, według was, słuszny trop. I jeżeli starczy wam czasu, bo w pierwszej kolejności chcę, żebyście przejrzeli akta osób leczących się psychiatrycznie.

Może i ta nasza Bestia jest zorganizowana i ma wszystko obmyślone, ale to nie wyklucza jakiegoś wariata. Oni w niektórych dziedzinach życia sobie nie radzą, a w innych potrafią być mistrzami. Mieliśmy tu kiedyś taki przypadek: facet niby niedorozwinięty, ulice zamiatał, bo to jedyna praca, jaką mógł wykonywać, a pamięć miał absolutną. Kiedy mu się rozłożyło talię kart i potem zebrało, to potrafił wymienić wszystkie karty po kolei, od początku do końca.

– Ale z głupim to żadna z nich by nie poszła. On je musiał czymś uwieść, przekonać do siebie.

– No to może zły przykład dałem. Chodzi mi o kogoś, kto się leczył psychiatrycznie, bo ma zaburzoną ocenę moralną, dobra i zła nie odróżnia.

„Pół miasta pasuje" – pomyślała.

– Są i przecież całkiem rozumni wariaci. Z pozoru normalni, nawet mili, a mają swoje dziwactwa – ciągnął Szkudła.

– Elegancki morderca – powiedziała.

– Kto? – nie zrozumiał.

– Karol Kot, ten morderca z Krakowa.

– Właśnie! – ożywił się Szkudła. – Oczywiście, że znam tę sprawę. Pani porucznik to pewnie wtedy była w szkole jeszcze, a tymi morderstwami żyła cała Polska! Oni, zdaje się, po egzekucji sekcję zrobili i jakiś guz wykryli, co to niby miał wpływać na jego zachowanie.

– Byłam w szkole, ale milicyjnej. Omawialiśmy na zajęciach tę sprawę, już po wykonaniu wyroku. Fakt, sąsiedzi zeznawali, że to był miły chłopiec. A na zdjęciach z wizji lokalnych widać, że się uśmiecha. Wcale nie czuł skruchy, nigdy nie przeprosił, nie prosił o wybaczenie. Zeznał, że lubił krew. Spróbował kiedyś w rzeźni, jak był na wakacjach. Nudził się, to poszedł oglądać zabijanie cielaków. On mi przyszedł w pewnym momencie do głowy, ze względu na tę schludność obu zabójstw. To znaczy nie on, a ktoś w tym typie.

– I bardzo słusznie. Tą drogą idźcie. Może on już wcześniej przejawiał takie sadystyczne zapędy? Może za coś podobnego był sądzony? Może się leczył na głowę? Sprawdźcie te kartoteki. I jeszcze rozszerzcie poszukiwania tych, co mieli wyroki za gwałty, przemoc wobec kobiet, o kolejne trzy lata, to znaczy od siedemdziesiątego do siedemdziesiątego trzeciego. A, jeszcze jedno – usłyszała, gdy już się podniosła z krzesła. – Pierwsze morderstwo mieliśmy dwudziestego trzeciego września, drugie dwudziestego dziewiątego października. Miesiąc odstępu, ale widać, że się rozzuchwala, skoro zostawia ciało w zakładzie rolnym, gdzie na pewno ktoś szybko je znajdzie. Jeśli słusznie podejrzewamy, że tym razem będzie jeszcze odważniejszy, to może i szybciej zaatakuje. Spieszcie się, pani porucznik.

Rozdział 14

„Wygląda jak dziecko, które zupełnie nie pasuje do swoich rodziców" – pomyślała Ada, patrząc na inspektora sanepidu rozmawiającego z sekretarką Szkudły. Beata siedziała, on stał, lekko nad nią nachylony, słuchał, od czasu do czasu coś odpowiadając. Szczupły, w garniturze, ze starannie obciętymi włosami. Wśród mężczyzn na komendzie wyglądał jak coca-cola między oranżadami. Jak mu było?... Kunda chyba. Imienia nie zapamiętała, spaczenie zawodowe, że o ludziach myśli ich nazwiskami.

Facet ładnie się ukłonił, zabrał z krzesła płaszcz i teczkę i poszedł w kierunku drzwi, za którymi były schody prowadzące do kantyny. Od czasu, gdy salmonella położyła pokotem pół zespołu, Ada z nieufnością się stołowała w pracy. Co prawda, jako winowajcę wskazywano zakłady drobiarskie, które dostarczyły felerną porcję jaj, ale jeśli milicyjna stołówka była tak samo zorganizowana jak komenda, to trzeba się było mieć na baczności.

Podeszła do Beaty.

– I co? Znowu jakaś wpadka? Nieświeże jajeczko? – zapytała.

– Nie, wręcz przeciwnie. Od czasu tamtego zatrucia pan Jan regularnie wizytuje kantynę. I dobrze, bo tam różne rzeczy się wyrabiają, nie mówię tylko o... – Przyłożyła dłoń do szyi i kilka razy lekko nią poruszyła.

– Widzę, że go lubisz – powiedziała Ada. Beata nieustająco była panną i nieustająco starała się zmienić ten stan cywilny.

– Lubię, to bardzo miły facet. Zawsze umyte włosy, uczesany, zęby wszystkie ma.

– To w czym rzecz? – Kunda nie był w typie Ady, zresztą dopóki Andrzej jakkolwiek przewija się przez jej życie, to żaden facet nie będzie w jej typie, cholerne zauroczenie, niedające się okolicznościom.

– Nie wiem – wyznała smutno Beata. – Wszyscy inni to mają takie lepkie łapy, od razu by… no wiesz, a ten – zupełnie nie. Może ja dla niego jestem za młoda? Może on by wolał starsze? – Spojrzała na Adę znacząco. I z lekką zazdrością.

Komplement to nie był, ale i bez złych intencji Beata to powiedziała. Była młoda, a do tego miała oryginalną, dziewczęcą urodę – lekko falowane rude włosy, piegi, mimo że lato było już tylko wspomnieniem, okrągłą buzię. Gdyby nie staranny makijaż, zawsze pomalowane paznokcie i kuse stroje, mogłaby się kojarzyć z Anią z Zielonego Wzgórza. Dzieliło je pewnie dziesięć lat, ale w suwalskich realiach to było więcej niż dekada – Beata była dziewczyną, Ada – kobietą.

– Nie sądzę. – Uśmiechnęła się Ada. – Może on czeka na jakiś wyraźny sygnał? Nie każdy jest taki wyrywny.

– Myślisz?... – Widać było, że Beata przetrawia jej słowa. – A gdyby…

Drzwi na klatkę się otworzyły i stanął w nich Jan Kunda.

Beata się wyprostowała i poprawiła włosy.

– Dzień dobry, pani porucznik. – Mężczyzna elegancko się ukłonił.

– Dzień dobry, panie inspektorze. Jak kontrola? Trują nas jeszcze? – Ada się uśmiechnęła. Tak, facet nie był w jej typie, ale przebywanie w jego towarzystwie było miłą odmianą od przaśności innych damsko-męskich kontaktów na tej komendzie.

– Nie trują, wszystkie kontrole wypadły prawidłowo, choć…

Na biurku sekretarki rozdzwonił się telefon.

– Tak, panie komendancie? Dobrze, zaraz przyniosę. – Głos miała miły, ale mina stała w jawnej z nim sprzeczności. Podniosła się z krzesła, obciągnęła miniówkę i powiedziała: – Przeproszę państwa, komendant potrzebuje jakichś dokumentów, więc muszę iść po nie do archiwum. – Rozkołysanym krokiem, stukając obcasami kozaków za kolano, poszła w głąb korytarza.

– ...choć desery to mają tu nie najsmaczniejsze. Do sernika w Jaćwieskiej zupełnie się nie umywają. Jeśli ma się wolne popołudnie, to nie można go spędzić milej niż właśnie tam, przy wiedeńskim i małej czarnej.

Tak, to było zaproszenie, ale bardzo subtelne. Kunda wydawał się taki przedwojenny. Może naprawdę woli dojrzalsze kobiety? Nie każdy facet uważa, że im młodsza, tym lepsza. Nie, wciąż nie miała ochoty na flirt, ale dobrze mieć życzliwych ludzi przy sobie, a Jan Kunda na takiego wyglądał.

– Dziękuję za polecenie, bo ja właśnie dzisiaj mam wolne popołudnie. – Uśmiechnęła się do niego.

– Skoro tak, to może połączymy te popołudnia w jedno wspólne? – Popatrzył na nią z nieśmiałym uśmiechem.

– O piątej? – zapytała po prostu.

– Będzie mi niezwykle miło. – Ukłonił się szarmancko i poszedł.

– Coś mnie ominęło? – spytała Beata, która chwilę później położyła na biurku stertę papierowych teczek.

– Nic. To rzeczywiście niewyrywny facet. – To było tylko częściowe kłamstwo. Ada nie planowała flirtu z inspektorem Kundą, a zbytnie tłumaczenia tylko by utwierdziły Beatę w przekonaniu, że coś jednak jest na rzeczy. Lubiła sekretarkę Szkudły i wolała mieć ją po swojej stronie. „Mniej wiesz, spokojniej żyjesz" – dodała w myślach i poszła do swojego pokoju.

Do piątej zostały cztery godziny, a ona miała pokaźną stertę dokumentacji medycznej do przejrzenia. Nie wierzyła w ten trop. Karty leczenia, które do tej pory zgłębiła, to był obraz traum i nieszczęść – upośledzenia wyrzucające poza nawias społeczeństwa i skutkujące autoagresją. Nikt z tych chorych nie byłby w stanie podejść Kozioł i Kołeckiej, uwieść je, a potem z takim spokojem zamordować. Dokumentację musi jednak przejrzeć i jutro zwrócić karty do szpitala. Kierownik oddziału psychiatrycznego powiedział jej, że część pacjentów z Suwałk trafiała na dłuższe leczenie do Choroszczy, gdzie jest samodzielny szpital psychiatryczny, ale to ponad sto kilometrów i trzeba by się tam pofatygować osobiście. „Do sprawdzenia" – pomyślała niechętnie. Czy ktoś, kto siedział w wariatkowie, czyli było z nim naprawdę niedobrze, mógłby potem tak sprawnie i kulturalnie mordować?...

* * *

– To nie stolica, ale lokal całkiem przyjemny. – Kunda dosunął jej krzesło do stolika i usiadł naprzeciwko.

Ada rzadko chodziła do kawiarni. To znaczy wpaść na szybką kawę albo na melbę do Poziomki, to tak, bywało. Ale żeby się umówić i powoli sączyć napoje, to już dawno nie. Z Andrzejem to jednak byłoby ryzykowne, samej jej się nie chciało, Anka, z którą się zaprzyjaźniła w Szczytnie, po szkole wróciła do rodzinnych Katowic. Właściwie to była samotna. I tam, i tu.

Jaćwieska była najładniejszą, niedawno oddaną do użytku kawiarnią w Suwałkach. Przeszklony pawilon, duża sala. Sernik rzeczywiście pyszny. Ten w kantynie smakował jak zbity kawał kwaśnego twarogu osłodzonego suchymi rodzynkami, a tu jadła puszysty ser na kruchym spodzie.

– I jak pani porucznik odnajduje się w naszych skromnych Suwałkach? – Kunda nabrał kolejną porcję ciasta na widelczyk. Jadł powoli, delektując się.

– Miłe miasto – odparła. No bo po co psuć popołudnie? On nie wyglądał na tutejszego, ale najwyraźniej dobrze się tu odnalazł.

– Prawda? Gdańsk piękny, rozmach, historia, morze, możliwości, a jednak tu się lepiej czuję.

„Trafiony-zatopiony – pomyślała – jednak nietutejszy".

– W Gdańsku spędziłem trzy lata, ale gdy tylko się nadarzyła okazja, wróciłem w rodzinne strony.

A jednak nie.

– Urodził się pan w Suwałkach?

– Pod. Ale kiedy miałem trzy lata, przeprowadziliśmy się z mamą do miasta.

Spojrzała na niego. Byli chyba w podobnym wieku, co oznaczało, że pojawił się na świecie pod koniec wojny lub tuż po jej zakończeniu. Pewnie wojenna sierota, biedny.

– Patrzyłem, jak miasto się zmienia, rozbudowuje, pięknieje.

„Rzeczywiście, musi lubić to miejsce" – pomyślała.

– Trochę uroku straciło, gdy matka zmarła.

Adę zalała fala współczucia. Już za samo sieroctwo gotowa była go polubić.

– Los pana nie oszczędzał – powiedziała ciepło.

– Co robić. Mama chorowała – westchnął. Widząc pytający wzrok Ady, dodał: – Choroba rakowa, bezlitosna. To dlatego, żeby uciec od bolesnych wspomnień, wyjechałem na studia.

– Ale dlaczego Gdańsk?

– Tam na politechnice jest chemia spożywcza, która mnie interesowała.

– Ten sam kierunek, który skończył Tomasz Szkudła? – zdziwiła się Ada.

– Tak. Z tą różnicą, że on go skończył, ja po trzech latach wróciłem do Suwałk. Nie studiowaliśmy w jednym czasie, bo on jest młodszy o cztery lata. Kiedyś, gdy ja zaczynałem pracę w sanepidzie, a on był przed maturą, rozmawialiśmy i pewnie dlatego się zapalił. No i warto było, bo teraz jest kierownikiem w dużych zakładach mięsnych. Kraj potrzebuje takich specjalistów.

– A pan nie żałuje, że pan nie wytrwał?

– Nie. – Uśmiechnął się Kunda. – Bardzo lubię swoją pracę. W wakacje po trzecim roku okazało się, że sanepid szuka specjalisty. Znajoma, taka przyszywana ciotka właściwie, której mąż jest tam dyrektorem, zapytała, czy bym nie chciał. Praca dobra, spokojna, warunki bardzo przyzwoite i jeszcze mieszkanie w nowym budownictwie oferowali. Piękny blok, ona z mężem też się tam przenieśli. Moja żałoba trochę przygasła, chętnie bym wrócił na swoje tereny, pomyślałem. I tak już ponad dziesięć lat. Ciągnie do miejsc dziecinnych, prawda?

Czy ją ciągnęło? Nie, nie była sentymentalna. Po prostu lubiła Warszawę za jej możliwości i rozmach. Teraz też by tam wróciła, ale nie z nostalgicznych pobudek.

– A pani porucznik warszawianka? – zapytał miło.

– Tak. I też sierota, to znaczy półsierota. Mama zginęła w wypadku samochodowym, kiedy miałam pięć lat.

– Przykre. – Kunda wyglądał na prawdziwie zasmuconego. – To pewnie stąd marzenie o pracy w milicji?

Adzie znowu przypomniała się ta scena. Do końca życia się od niej nie uwolni. Park Krasińskich, boczna alejka. Późna jesień, koniec października chyba. Wracała z przedszkola z ojcem. Szukała kasztanów czy liści, nieważne. Weszła w jakieś krzaki i zobaczyła coś dziwnego – mężczyzna, odwrócony plecami, klęczał na ziemi. Po chwili zobaczyła, że nie na ziemi, tylko na kimś innym, bo ktoś tam leżał. Facet kiwał się tak dziwnie, aż buty tej drugiej osoby podskakiwały. Nie rozumiała, o co chodzi, czuła, że coś jest nie w porządku. Chciała to powiedzieć ojcu, ale ten, gdy ją zobaczył, od razu krzyknął, że ma się pilnować i żeby nie odchodziła od niego więcej. To już nic nie powiedziała. W domu też nie, bo przyszli sąsiedzi na brydża i mama szykowała kolację. Szybko ją położyli spać, co prawda, mama się trochę martwiła, że Ada nie chce jeść, czy nie chora, a ona nie mogła, bo siedziała w niej ta scena. Następnego dnia rodzice rozmawiali przy kolacji o morderstwie w parku. „Już nie ma spokojnych miejsc, przecież i wy tamtędy wracaliście, daj spokój, co to się dzieje, i to w centrum miasta" - westchnęła mama. „I taki brutalny gwałt" - dodał ojciec. „Gdyby ją ktoś znalazł, to może... a tak wykrwawiła się". Wtedy zapamiętała te zdania, wyraz po wyrazie. Sens dotarł do niej później, gdy była już starsza. Sens i ogromny wyrzut sumienia, że gdyby wtedy powiedziała ojcu, może dałoby się tę kobietę uratować. Już na służbie sprawdziła tę sprawę - zmarła osierociła dwoje dzieci... To w niej wciąż siedziało. I stąd Szczytno, nie tylko dlatego, żeby zwiać z domu, być daleko od macochy. No ale tego nie będzie miłemu, lecz jednak obcemu facetowi opowiadać.

– Pewnie trochę tak. Może, choć to górnolotnie zabrzmi, chciałam, żeby było mniej zła na świecie.

Jan Kunda pokiwał głową.

– A ta sprawa, jeśli mogę zapytać, to się jakoś posuwa do przodu?

– Ta?... – Ada spojrzała na niego rozkojarzona. Myślami była w przeszłości.

– No, te zamordowane dziewczyny.

– A, to. Nie mogę o tym rozmawiać. – Wygodny wytrych. Bo co miała mu powiedzieć? Że sobie nie radzą? To już lepiej tak się zasłonić.

Oboje mieli puste talerzyki i filiżanki. Spojrzała na zegarek. Minęło półtorej godziny, nawet nie zauważyła kiedy. „Naprawdę miły człowiek – pomyślała. – Można to powtórzyć. Następnym razem wypytam go delikatnie o tutejsze układy".

– Bardzo było miło, ale praca woła. Muszę wrócić na komendę, dokończyć przeglądanie materiałów.

– A gdybym chciał znowu zjeść sernik w miłym towarzystwie, to…

– …to się piszę.

Wstał, obszedł stolik, odsunął jej krzesło.

– Może panią odprowadzę? – zapytał.

„Zrobili go przed wojną, zdecydowanie" – pomyślała.

– Dziękuję, naprawdę nie trzeba. Do zobaczenia. – Uśmiechnęła się. Szczerze, jak już dawno nie.

***

Na komendzie było cicho i pusto.

Świeciło się tylko w dyżurce. Poza tym – pustki.

Ada poszła do swojego pokoju. Zapaliła górne światło, ale po przyjemnej atmosferze w kawiarni nie chciała sobie psuć nastroju. Włączyła lampkę na biurku, która oświetliła blat mocnym żółtym światłem. Zgasiła jarzeniówki i usiadła.

Do przejrzenia zostało jej około dwudziestu kart. Obejmowały chorych podejmujących leczenie w ciągu ostatnich trzech lat. Nie, „podejmujących" to złe określenie, bo sami raczej się nie zgłaszali do lekarza – przyprowadzali ich bliscy, którzy już sobie nie radzili z opieką, a właściwie z pilnowaniem.

Otwierała kolejne gęsto zapisane książeczki i wzdychała. Czego tu nie było: samookaleczenia, ucieczki, szwendanie się po okolicy, jakaś kradzież, ale z opisu sprawy wynikało, że powodowana głodem – „chude mleko, pół bochenka chleba, ser topiony".

Jeden przypadek był bardziej interesujący – ekshibicjonizm. Zaburzenia natury seksualnej, które pchały Adriana Wołka do obnażania się w parku. Kolejne strony jasno jednak wykluczały go z grona podejrzanych w ich sprawie – badanie seksuologiczne wykazało „trwałą niezdolność do odbycia stosunku seksualnego".

Ada westchnęła. Było już po dziewiątej. Mogłaby odpuścić i pójść do domu, ale zostały tylko dwie karty. Nie lubiła niedokończonych spraw. Poszła do pokoju socjalnego i wstawiła czajnik na gaz. Z papierowej paczuszki z zielonym kwiatem i napisem: „Herbata popularna" odsypała garść poskręcanych w chude patyczki liści. Trochę za dużo, ale taką lubiła – mocną, esencjonalną. Zalała wrzątkiem i wróciła do siebie.

Przedostatnia teczka zawierała dokumentację młodego chłopaka z opóźnieniem w rozwoju, wyrzucanego z kolejnych szkół za brak postępów w nauce i ewidentne odstawanie od rówieśników, aż do postawienia właściwej diagnozy. „Jak tacy ludzie spędzają życie?" – pomyślała. Ten chłopak miał troskliwą matkę – prosta kobieta ze wsi, ale kochająca. A kiedy jej zabraknie?... Ostatnia karta. Marek Kowal. Najpierw trafił do aresztu za bójkę, a właściwie za serię bójek, wywoływanych bez przyczyny, to znaczy nie potrafił wytłumaczyć, dlaczego się w nie wdawał. Nie znał poszkodowanych, nie było między nimi żadnych zatargów. Odsiedział w więzieniu pół roku, pod koniec kary popadał w coraz głębszą apatię, aż do odmowy jedzenia. Przywieziono go na oddział psychiatryczny, gdzie po kilku tygodniach zdiagnozowano u niego „zaburzenia nastroju o przeciwnych wektorach". Wdrożono leki, za duża dawka, stan „na granicy katatonii". Odstawiono leki – wróciła agresja. Zaatakował pielęgniarkę, był pobudzony seksualnie. Podduszając ją, wcisnął jej palec do oka. Ada poczuła mrowienie. Pierwsza sprawa, która jakkolwiek mogła się wiązać z Bestią. Przewróciła stronę. Mrowienie minęło – Marek Kowal powiesił się w izolatce, do której został odstawiony po tej napaści. Ada westchnęła. Pudło. I wtedy zobaczyła szarą kopertę doczepioną spinaczem do karty leczenia. Otworzyła ją. Było w niej jedno czarno-białe zdjęcie. Mężczyzna powieszony na nierównym, szerokim sznurze, jakby łączonym z prześcieradeł. Puste ściany, gładka podłoga, metalowe łóżko szpitalne. „Skąd się tu wzięło? – pomyślała. – Powinno być w u nas w archiwum". Odwróciła fotografię. Mrowienie wróciło. „Fot. H.H.". Gdzieś to już widziała, skądś znała te litery. I wtedy się jej przypomniało – zakład fotograficzny. Jak się ten facet nazywał? Henryk to na pewno, ale nazwisko? Harabasiuk! Spojrzała na datę śmierci Marka Kowala – 1972, cztery lata temu. Jeśli Harabasiuk zrobił to zdjęcie, to musiał być milicyjnym fotografem. Dlaczego teraz nie jest? To było zastanawiające, ale nie to ją wprawiło w drżenie. Było jeszcze coś, co już poczuła, ale jeszcze nie potrafiła nazwać. I nagle ją oświeciło! To zdjęcie w witrynie zakładu Harabasiuka – ładna, uśmiechnięta blondynka, nieupozowana, taka naprawdę szczęśliwa. Teraz sobie przypomniała, skąd ją znała – to była druga zamordowana, Iwona Kołecka.

Rozdział 15

Ona leżała, spokojna, w oczekiwaniu. On się nad nią nachylał. Patrzył jej prosto w oczy; długo, z lekkim napięciem. Oboje wytrzymali to spojrzenie. On pierwszy przymknął oczy, na moment, na krótką chwilę, jej powieka nawet nie drgnęła. Miała nad nim przewagę – umarli nie mrugają.

Mężczyzna otworzył skórzany neseser. W pierwszej przegródce miał zeszyt, książkę, bloczek blankietów. W drugiej – spore ciemnobrązowe płócienne etui, słoik owinięty lnianą ścierką w kratę, złożony w kostkę materiał. Wyjął te przedmioty. Odwinął słoik i ostrożnie postawił go obok torby. Powoli odkręcił metalową nakrętkę i odłożył ją na ściereczkę. Rozłożył materiałowy pakunek: były to dwa jutowe worki, a między nimi kolejna ścierka, też w kratkę. Lubił kratę, powtarzalny geometryczny wzór. Aż dziw, że ozdabiali nią kuchenne akcesoria. Kobiety przecież wolą kwiatki, ptaszki, inne zawijasy i krągłości. Rozwiązał cienkie skórzane paski i rozłożył etui. Wyciągnął z niego stalową łyżkę, podobną do łyżeczki do herbaty, ale z trochę większą główką i dłuższą, spłaszczoną rączką, jak w lusterku dentystycznym. Główka była łagodnie zaokrąglona, co mogłoby mylnie sugerować jej nieprzydatność do zabiegów chirurgicznych – brzegi miała bardzo ostre.

Nachylił się nad dziewczyną. Zbliżył rękę z łyżką do jej prawego oka. Jeszcze przez moment wpatrywał się w niezapominajkowy błękit. Ładny kolor, najładniejszy z tych trzech. Albo sześciu, zależy, jak liczyć. Wprawnym ruchem wsunął łyżkę pod galaretowatą substancję, zahaczając o nerw wzrokowy. Można by pomyśleć, że oko jest delikatne, jak lekko ścięte białko jajka. Nie jest; wyraźnie czuł sprężysty opór materii. Wciąż go to fascynowało. Delikatnie i ostrożnie, łagodnie niemal, ustawił łyżkę w odpowiedniej pozycji, by nie uszkodzić twardówki. Przecież nie chce niszczyć, wręcz przeciwnie – chce utrwalać.

Powoli uniósł gałkę. Wyglądała jak worek owodniowy z nieodciętym łożyskiem. Pamiętał takie zdjęcie z podręcznika do biologii w liceum. Dziwne, jedno z kilku, na których w dużych słojach w formalinie przechowywano dowody życia zakończonego na różnych etapach – nawet jeszcze przed oficjalnym rozpoczęciem. Przyszło mu do głowy inne, trafniejsze, bo pospolitsze porównanie – oko wyglądało jak gumowa piłka na gumce. Takie jak się sprzedawało i pewnie nadal sprzedaje na straganach w wesołym miasteczku. On wybrał jednak te szklane kulki, które wydawały mu się ładniejsze. Miał rację – ma je do dziś, a piłka-odbijanka na pewno by się już zniszczyła. Miała takie fikuśne paski oplatające jej powierzchnię, jakby pozłotka z choinki. Ładne, ale nietrwałe. Kilka odbić i pewnie straciłyby blask, a potem by się pogniotły i wreszcie – podarły.

Założył zacisk na nerw, inaczej tętnica wypuściłaby z siebie dużo krwi, a on nie lubił krwi. Krwiobieg to podstawa życia, sprawna maszyneria, wraz z płucami i sercem, ale te najpierw czerwone, a potem brunatne plamy wyglądałyby nieestetycznie. Znowu poszło dobrze; w oczodole została tylko wyściółka z tkanki tłuszczowej. Ciekawe, czy któraś z nich wiedziała, że tam też ma sadełko? Nie, no skąd. Pod tą ładną i nęcącą powierzchownością niewiele się kryło.

Skalpelem przeciął nerw wzrokowy. Niby taki delikatny, a stawia opór, jak rzemyk. Podniósł łyżkę i wpatrywał się w szkliste, krągłe oko. Tak, naprawdę ładny odcień niebieskiego, zdecydowanie lepszy niż ten wulgarny cień na powiece. Ostrożnie przesunął rękę nad przygotowany słój i lekko zniżył łyżkę, tak że prawie dotknęła powierzchni płynu. Obrócił ją o dziewięćdziesiąt stopni. Oko się zsunęło, usłyszał ciche pluśnięcie. Zgrabnie zrobił unik dłonią; tej części planu nie może wykonywać w rękawiczkach, nie ma wtedy tak potrzebnej precyzji w palcach. Musi więc uważać – formalina wygląda niewinnie, jak woda, ale jest silnie żrąca.

Patrzył, jak gałka opada na dno, a po chwili lekko się unosi.

Znów stanął nad dziewczyną, by wyłuszczyć drugie oko. Dokonał tego z podobną wprawą i precyzją. Nic tak nie doskonali jak ćwiczenia. Można mieć ku czemuś dryg, ale to praktyka decyduje o mistrzostwie.

Gdy drugie oko dołączyło do pierwszego, mocno zakręcił słój i owinął go w ścierkę. Drugą przetarł skalpel i łyżkę, które umieścił w etui. Tę ścierkę włożył do worka. Dobrze, że jesień w tym roku dość sucha. Każda kolejna para oczu to nowe ognisko. Wiele nie trzeba, juta i len dobrze się palą. Te worki to był dobry zakup, opłacało się pojechać na targ do Ełku. Taki był tłok, że podał pieniądze przez jakiegoś młodego chłopaka; ostrożności nigdy dość. Okazało się, że był aż nadto zapobiegliwy, bo w gazecie nie zamieszczają informacji o zasłoniętych twarzach, a o oczach to już w ogóle wzmianki nie ma, więc kto by się miał zgłosić, że w wakacje sprzedał dwadzieścia sztuk worków?

Słój, etui, zużytą prezerwatywę i worek z zabrudzoną ścierką schował do neseseru. Znowu włożył rękawiczki, które czekały na ławce, aż zakończy ten etap pracy. Podniósł worek i zbliżył się do dziewczyny. Wiedział, co za chwilę powie; za każdym razem te dwa słowa towarzyszyły przykrywaniu ich twarzy. „Pusta lala" – cicho wypuścił to określenie z ust. Udatnie wymyślone, nie ma co.

Jasnobrązowa juta zakryła twarz. Tym razem nie do końca był zadowolony z tego nakrycia, bo worek niełądnie się marszczył na koku. Póki stała, to kok był w porządku, ale kiedy leżała... Trudno.

Usiadł na ławce, przymknął powieki. Już po wszystkim. Ogarnął go spokój. Napięcie, które falowało w nim od jakiegoś czasu, zniknęło. Po raz kolejny kara za to, że patrzyła, została wymierzona. Karał jedną, a patrzyły kolejne. Wtedy, teraz i potem też tak będzie. Nieprzerwany ciąg.

Wciągnął powietrze. Pachniało woskiem do drewna i kadzidłem. Do tego dochodził ten specyficzny chłód, inny jednak niż na zewnątrz. Chłód konserwujący. Konsekrujący. Uśmiechnął się; cóż za trafne skojarzenie. Widać do tego też ma talent.

Raz jeszcze wciągnął powietrze. Teraz dołączyła jakaś przykra nuta. No tak, pewnie pasta do podłóg. Skrzywił się. Ten prostacki zapach popsuł chwilę, co mu przypomniało, że czas na ostatni, wieńczący dzieło element. Sięgnął do pierwszej przegrody teczki i wyciągnął z niej małą drewnianą buteleczkę z kolorowymi rzeźbionymi ornamentami. Delikatnie wyjął korek przymocowany wąziutkim skórzanym paskiem do szyjki falkonu. W powietrzu uniosła się mocna różano-pudrowa nuta.

Rozdział 16

– Harabasiuk? Nie pamiętam takiego nazwiska, ale ja tu jestem od trzech lat, czyli jeśli był, to musiał być wcześniej. – Pani Jola z kadr wyglądała na pięćdziesięciolatkę. Adzie, pewnie ze względu na wiek, wydawało się, że pani Jola od zawsze kontroluje teczki osobowe na tej komendzie. Beata, którą Ada już zdążyła zapytać o Harabasiuka, choć bez przekonania, bo ona parzyła kawę Szkudle dopiero od niecałych dwóch lat, uprzedziła ją o tym. Sekretarka nie wiedziała, kiedy pani Jola zasiedliła mały pokój na końcu korytarza z oknem wychodzącym na zupełnie niereprezentacyjne podwórko, wiedziała natomiast, że kadrowa wcześniej pracowała w Olsztynie, a potem przyjechała do Suwałk za mężem, wojskowym, który miał tu doszlusować do emerytury, jej się tym razem dostała praca w innym resorcie.

– Musiał być. Na zdjęciu, które przedstawia denata, są jego inicjały. To milicyjna fotka, cywil by jej nie zrobił. – Ada trzymała w ręku małą kopertę odczepioną od karty leczenia.

– Skoro tak, to poszukam. – Pani Jola podeszła do drewnianej komody z szerokimi szufladami, na frontach których były przyczepione litery, jak w bibliotecznych katalogach. – Ha, ha, hara… – mruczała do siebie. – O, jest, rzeczywiście. – Triumfalnie obróciła się w kierunku Ady. – Henryk Harabasiuk. – Przeszła na drugą stronę biurka, otworzyła dużą brunatną kopertę wielkości kartki A4 i wyjęła z niej dokumenty. Stanęła obok Krzesickiej. – Zgadza się. Fotograf. Urodzony w Suwałkach, w tysiąc dziewięćset dwudziestym czwartym, czyli ma pięćdziesiąt dwa lata.

– Na emeryturę jednak za mało – zauważyła Ada.

– Za mało – przytaknęła pani Jola. – Ze służby odszedł w... – jeździła palcem po papierze – w listopadzie tysiąc dziewięćset siedemdziesiątego drugiego.

„Zaraz po zrobieniu tego zdjęcia" – pomyślała Ada, głośno zaś zapytała:

– A jest jakiś powód, informacja, cokolwiek?

– Nie, nie widzę. Prośba o zwolnienie, komendant Szkudła podpisał.

– A wcześniej coś? Jakieś nagrody, nagany?...

– Nie, czyste te akta... O, tu mam. Bo tak: w służbie w milicji długo, od tysiąc dziewięćset czterdziestego siódmego. W tysiąc dziewięćset sześćdziesiątym trzecim nieobecność dłuższa, zaraz... Urlop okolicznościowy z powodu śmierci żony.

„Pewnie w jego wieku albo młodsza, czyli w sześćdziesiątym trzecim przed czterdziestką. Wcześnie się zawinęła".

– A potem nieobecność, miesiąc. Zwolnienie lekarskie, pieczątka zatarta. Pewnie się nie mógł pozbierać. W życiu to różnie, jedni w rozpaczy po śmierci małżonka, inni... No, a ci w rozpaczy to albo się rzucają w wir pracy, żeby nie było czasu na rozpamiętywanie i ból, albo jakby im moc odjęło. On to pewnie z tych drugich. Po zdjęciu widać, że mężczyzna delikatny. – Pani Jola podsunęła Adzie fotografię Henryka Harabasiuka.

Rzeczywiście – smutny wzrok, łagodna twarz, spokojne oczy w jasnej oprawie.

– O, i kolejna przerwa w pracy, tym razem dłuższa, bo od stycznia do kwietnia tysiąc dziewięćset siedemdziesiątego pierwszego.

– Długo – zauważyła Ada. – A tym razem jaka przyczyna?

– Pobyt stacjonarny w szpitalu w Choroszczy. Zaraz – ożywiła się pani Jola – to ten, gdzie trzymają war… znaczy umysłowo i nerwowo chorych. Ciekawe… – Spojrzała na Adę z nagłym zainteresowaniem. Ta teczka i ta rozmowa ewidentnie wyrwały ją z codziennej nudy.

– Wypożyczę te dokumenty, dobrze? – Ada czuła narastające podniecenie. Czyżby wreszcie jakiś ślad? Na razie nie mogła tego poskładać do kupy – poszczególne elementy tej układanki były dziwne. Jedno wiedziała – coś się za zniknięciem Harabasiuka kryje. No i zdjęcie na wystawie – kim była dla niego Kołecka? Ta fotografia nie została wykonana w atelier, to było zdjęcie prywatne. Miał z nią romans? Dlatego zabił żonę? Nie zabił żony, ale zabił Kołecką i Kozioł? Był ojcem dziecka Kołeckiej? O co w tym wszystkim chodzi?

– Można, oczywiście. – Pani Jola byłą zawiedziona brakiem dostępu do bardziej szczegółowych informacji, ale podsunęła Adzie kwit poświadczający wydanie akt. – Tylko ostrożnie, pani porucznik. W papierach wszystko musi się zgadzać.

„Tu się pewnie zgadza – pomyślała Ada – ale też papier przyjmie wszystko".

A jaka była prawda?

***

Szła szybko, spieszyło się jej do zakładu. Róg Noniewicza i Waryńskiego, to było w tej okolicy. Miała nadzieję, że będzie otwarte. Na wypadek, gdyby nie, spisała z kartoteki adres prywatny: Chłodna pięć mieszkania dwa. Tak czy owak, zaraz się rozjaśni. Bo na razie, jak na fotografa przystało, było jak w ciemni.

Już widziała szyld i witrynę. Jeszcze pięćdziesiąt metrów i będzie na miejscu.

Na metalowej kracie, przesłaniającej drzwi do zakładu, wisiała kłódka, widać ją było dopiero z odległości kilku kroków. Poczuła zawód. Podeszła bliżej. Zauważyła białą kartkę przyczepioną pinezkami do drewnianych drzwi. Napisano na niej odręcznie: „Zakład nieczynny". Może Harabasiuk tak chorował cyklicznie, a może…

Stanęła osłupiała. Raz jeszcze spojrzała do góry – ten sam owalny szyld, a w nim czarny napis „Henryk Harabasiuk". Miejsce się zgadzało, ale witryna…

Tym razem materiał był niebieski, a zdjęcia sprawiały wrażenie, jakby je dobrano bez żadnego klucza, a właściwie na zasadzie kolekcjonowania różnorodności: małe i większe formaty, mężczyźni patrzący z fotografii do dowodów osobistych, para nowożeńców z bukietem gerber na długich łodygach, dziecko na koniku bujanym, jakiś leśny pejzaż. Nie było żadnego portretu z poprzedniej wystawy. A przede wszystkim nie było jej – Iwony Kołeckiej.

Postanowiła wrócić na komendę, wziąć ze sobą Tomczyckiego i odwiedzić Henryka Harabasiuka. Ciekawe, co ich u niego czeka.

***

– Pani porucznik. – Tomczycki stał na korytarzu i był wyraźnie przejęty. – Dobrze, że pani porucznik już jest, bo komendant…

– Jestem, od rana. Byłam w kadrach. I właśnie idę do komendanta. – Ada minęła Tomczyckiego i skierowała się w stronę gabinetu szefa. Chciała porozmawiać z nim o Harabasiuku. Zanim jednak zdążyła wprowadzić ten plan w życie, drzwi się otworzyły i stanął w nich Szkudła.

Od razu było widać, że coś się stało. Komendant był… Właściwie to trudno jednym słowem określić stan jego ducha. To była mieszanka różnych emocji: złości, gniewu, lęku. „Napięty jak struna" – pomyślała Ada. Co mogło oznaczać właściwie tylko jedno.

– Pojedziecie do kościoła do Sejn – powiedział Szkudła.

„Odbiło mu?" – Adzie przypomniała się msza pogrzebowa Marianny Kozioł i słowa proboszcza, który polecał opiece boskiej pracę milicji. Może Szkudła uznał, że jest już tak źle, że potrzebna im oddzielna msza?

– Ale dziś przecież nie niedziela – Tomczycki był wierzący, ale najwyraźniej tradycyjnie, w dni święte tylko.

– Jestem niewierząca – odpowiedziała Ada z lekkim uśmiechem, który miał pokazać jej zdystansowanie. – Panie komendancie, mam sprawę, chodzi o…

– Ona pewnie była wierząca, ale to jej nie pomogło. Trupa macie, pani porucznik. – Szkudła starał się opanować zdenerwowanie, ale głos mu drżał. – Tak, w kościele tym razem załatwił dziewczynę. Rzeczywiście, kolejną rąbnie nam na komendzie.

Tomczycki zbaraniał. Wyglądał jak na obrazku z książki dla dzieci – otworzył usta, uniósł brwi i nic nie powiedział. Adę też zatkało. Trzy tygodnie po ostatniej. W kościele. On sobie z nimi pogrywał. I przyspieszył. Ta komenda wcale nie jest taka nieprawdopodobna… Tę Ryms również znaleziono rzut beretem od posterunku…

– Proboszcz zawiadomił miejscową komendę, oni zadzwonili do mnie. Roztrzęsiony, ponoć z trudem składał zdania. Poprosiłem, żeby nikomu nic nie mówił, niech czeka na nas. Przy drzwiach stoi posterunkowy od nich, ma nikogo nie wpuszczać. Tadzio jest już w drodze.

– A to na pewno nasza dziewczyna? – Tomczycki jeszcze miał nadzieję. Widać taka profanacja jak mord w kościele nie mieściła mu się w głowie. Mord i gwałt. I jeszcze te oczy…

– Proboszcz ma ponad osiemdziesiąt lat. Był w emocjach. Ale w kościele na pewno leży nieżywa dziewczyna, blondynka, młoda.

– A worek? – zapytała Ada.

– Nie, o worku nic mi nie mówili, ale ten posterunkowy niegramotny. Szkoda czasu na telefoniczne ustalenia. Jedziemy.

***

Dziewczyna leżała w bocznej nawie, na ciemnobrązowej drewnianej ławie z oparciem. Bordowe botki, granatowa wełniana spódnica do połowy łydki, kożuch. „Jak na marach" – pomyślała Ada. W kościele panował półmrok; kilka metrów dalej paliła się jednak duża świeca. Klimatycznie. I jeszcze ten zapach… To akurat Ada lubiła, te specyficzne kościelne aromaty. Ale tym razem znana kompozycja była przełamana inną nutą – tą samą, co w przetwórni pasz. Pudrowa, dusząca róża. Ada podeszła do dziewczyny, wciągnęła powietrze. Tak, tu zapach się intensyfikował. On je musiał skrapiać tymi perfumami. Ciekawe czy przed, jako element ceremoniału, niezbędny do przeprowadzenia wszystkich etapów, czy już po, jako dopełnienie rytuału? Jedno się jednak nie zgadzało. Zza wysokiego, postawionego kołnierza nie było widać worka. Tylko pokaźny kok, który wyglądał jak stożek. Czyżby jakaś odmiana? Podeszła bliżej. A jednak nie. Dziewczyna nie miała oczu.

– Uwaga, pani porucznik. Pod ławką.

Zza konfesjonału wyłonił się Kazimierz Gugała.

Ada spojrzała pod nogi. Dwadzieścia centymetrów od czubka swojego buta zobaczyła róg jutowego worka.

– Nie wiem, dlaczego tym razem tak, ale w ten sposób to zastaliśmy. Poza tą jedną odmianą schemat identyczny. Tadzio pewnie potwierdzi gwałt po sekcji – poinformował ich Kazik Gugała.

– Żadnych śladów? Odciski, cokolwiek?

– Czyściutka robota. Może jeszcze coś prosektorium podrzuci. A, i znowu ten zapach. Teraz już byłem wyczulony. Perfumy. Nic oryginalnego w składzie, może tylko na nos można powiedzieć, że raczej nie tegoroczny hit.

– Dziękujemy. – Ada pokiwała głową.

Trzeci raz. To już oficjalnie seria. A oni kręcą się w kółko. Tak się właśnie czuła – jakby jechała na karuzeli i próbowała złapać nitki tropów. Miała w głowie mętlik. Fakt, to nie była oczywista sprawa, w której szybko się klaruje główny podejrzany. Do tej pory jednak jej śledztwa wyglądały inaczej – nawet gdy morderca bywał zmyślny i podsuwał mylące sugestie, szybko je demaskowała. Tu było zupełnie inaczej: nikt ich nie próbował wpuścić w maliny, wszystko mieli podane jak na tacy. Nawet przestał mordować na odludziu, żeby nie musieli się fatygować. Gdy tylko dokonają oględzin, Ada zapyta komendanta o Harabasiuka. Ta sprawa ewidentnie śmierdziała. Oby to był ten smród. Właśnie – na tej komendzie, w tym mieście, wiele już razy poczuła nieprzyjemnie zapaszki. Które z nich są pospolite, a który – właściwy? Jak na ironię, morderca zostawiał im na pożegnanie zapach perfum.

– O tu, no właśnie tu ją znalazłem. Dobry Boże, to się w głowie nie mieści. – Z drugiej strony przyszedł Szkudła z proboszczem. Staruszek był zgarbiony, niski, szczupły. Lekko trzęsła mu się głowa; cały zresztą się trząsł. – Przyszedłem zobaczyć, czy okna, te na górze – podniósł lekko artretyczną rękę – są przymknięte, bo zanosi się na mocno deszczowe popołudnie. No i wracałem tą boczną nawą i wtedy zobaczyłem, że tu ktoś leży. Wpierw pomyślałem, że może zasłabł albo co. Ale podszedłem bliżej i od razu mnie uderzyło, że ta kobieta tak ładnie wygląda, jakby spała. Wiadomo, jak ktoś przytomność traci, to go ten bezwład zostawia z ręką jakoś krzywo ułożoną, czy nogą inaczej. A tu nie, pod linijkę. A potem jeszcze ten worek...

– Ruszał ksiądz? – zapytała Ada.

Proboszcz spojrzał na nią.

– A pani z milicji? – Najwyraźniej mentalnie żył w czasach, gdy za ład odpowiadali tylko mężczyźni, kierowania ruchem, jak na przykład przez słynną warszawską Lodzię, nie licząc.

– Tak, porucznik Ada Krzesicka, komenda miejska w Suwałkach – przedstawiła się. – To ksiądz zdjął worek?

– No ja, pani porucznik. Już mi pan komendant powiedział, że nie należy ruszać, bo wszystko może być dowodem, wszystko może mieć znaczenie. Ale skąd ja miałem wiedzieć? Teraz już sobie zapamiętam i następnym razem niczego nie ruszę.

Ten „następny raz" zabrzmiał złowieszczo.

– To było takie dziwne. No bo co miałem sobie pomyśleć, jak twarz zakryta? Zwyczajny odruch: odkryć. Miało się rozjaśnić, co z nią, czy ona tylko zasłabła, czy... Podniosłem ten worek, a tam... Ja nie wiem, co się dzieje ze światem... Były i gorsze rzeczy, ale to podczas wojny, a wojna różne rzeczy robi z ludźmi. Ale teraz? To zwyrodnialstwo jest, bo jak to inaczej nazwać? A ja jeszcze, w tym szoku chyba, pomyślałem, że oczy trzeba zamknąć, jak to zmarłemu. No ale tu nie było czego zamykać. To choć gromnicę zapaliłem. Też pewnie źle? – Proboszcz spojrzał na nich przepełnionym smutkiem wzrokiem.

– Nie, to może być. Zostawmy w takim razie panią porucznik i sierżanta, a ja jeszcze chwilę z księdzem proboszczem porozmawiam. – Szkudła delikatnie dotknął ramienia staruszka. – Bo widzi ksiądz, bardzo by przeszkadzało w śledztwie, gdyby wszyscy wiedzieli o tych oczach. Lepiej...

– Zaraz – przerwała mu nagle Ada. – Jeszcze jedno pytanie mam do księdza. Kościół jest cały czas otwarty? Dziś nie niedziela.

– Dom Boży powinien zawsze czekać na swoje owieczki. – Ksiądz szeroko rozłożył ramiona, jakby Ada była jedną z takich owieczek, a on troskliwym pasterzem. – Ale rzeczywiście, w tygodniu to tylko na msze otwieramy, rano i wieczorem. No ale dziś taki dzień…

„Jaki? Środa jest" – pomyślała. Ze środami kojarzył się jej tylko Popielec, ale to jakoś w zimie, przed Wielkanocą wypada.

Ksiądz trafnie odczytał jej milczenie.

– Ofiarowanie Najświętszej Maryi Panny.

Ada wciąż milczała. Ksiądz cicho westchnął.

– Maryja, jako mała dziewczynka, wychowywała się w świątyni jerozolimskiej. Tam miała spędzić czas aż do zamążpójścia. Oczywiście w czystości. Co więcej, decyzja o pozostaniu w dziewictwie dotyczyła także jej późniejszego życia.

„Maryja na zawsze dziewica" – to pamiętała z lekcji z siostrą, gdy w sali katechetycznej na plebanii przygotowywali się do komunii. Siostra czerpała z tego sformułowania jakąś dziwną radość, Adzie było wszystko jedno, bo nie rozumiała, o co chodzi. Teraz zresztą też nie do końca radziła sobie z rzeczywistością zaklętą w tych formułach.

– Więc dziś jest święto na pamiątkę tego, że Pan Bóg w swojej służebnicy umieścił zbawienie nasze. Maryja jako świątynia, piękne święto.

– I dlatego kościół był otwarty? Czyli morderca musiał o tym wiedzieć.

– Dla ludzi wiary to dość oczywiste, pani porucznik.

„Religijna Bestia" – pomyślała.

Rozdział 17

– On jakby nie wiedział, co ma do nich czuć. – Tomczycki patrzył niepewnie na Adę. Każda opinia kosztowała go sporo nerwów, bał się wygłupić przed panią porucznik z Warszawy, Ada to widziała. Widziała także jego zaangażowanie i to, że potrafił szybko myśleć. Gdyby mu dać szansę, mógłby z niego być niezły śledczy. Kilka lat pracy w duecie i kto wie... Jak różnie to wygląda z odmiennych punktów widzenia: dla niego szansa na rozwój, dla niej zsyłkowa degradacja.

Tak, teraz też dotknął czegoś istotnego. Wyniki trzeciej sekcji były właściwie identyczne jak dwóch poprzednich. Chloroform, gwałt, wyłupienie oczu. Dzieło bestii. A zarazem starannie włożone ubranie (znaczy nie jest fetyszystą, oczu nie licząc, niczego nie zabiera), równo ułożone ciało, wygładzona każda fałda. I jeszcze te perfumy. Jest złość, jest upust emocji, ale jest i troska. „Kogo można takimi uczuciami obdarzać? Kogoś, z kim łączy miłość, silna więź, ale do kogo jednocześnie żywi się żal" – pomyślała. On nie był mocno związany ze swoimi ofiarami, bo przecież ledwo go znały, zatem nie o nie same mu chodziło, ale o jakąś inną, w których ją odnajdywał. Tak, uwaga Tomczyckiego była bardzo trafna.

– Zgadza się, słuszna dedukcja – pochwaliła go.

Tomczycki się rozpromienił jak lipcowe słońce.

– Tylko dlaczego? Jaka jest pierwotna motywacja? – Ada zapytała trochę sierżanta, a trochę siebie. – Chyba coś mam.

Tomczycki patrzył na nią pytająco.

– To na razie hipoteza, ale obiecująca. Wszystko ci powiem, ale najpierw muszę pogadać z komendantem. Nie wiesz, czy już wrócił?

– Nie wiem, pani porucznik, na korytarzu nie widziałem, ale chyba słyszałem, jak samochód parkuje na podwórku. Tam jest taki wystający próg i zawsze, jak auto wjeżdża, to słychać jakby głuche uderzenie. – Tak, Tomczycki zdecydowanie miał naturę śledczego.

Ada podniosła słuchawkę i zakręciła tarczą.

– Cześć, Beata, szef wrócił? A sam jest? Można? Dobra, to zaraz będę. – Odłożyła słuchawkę.

– Przesłuchanie tej koleżanki zamordowanej to aktualne? – zaniepokoił się Tomczycki.

– Tak, jasne. Rozmowa zabierze mi z kwadrans i potem od razu jedziemy do przedszkola.

Trzecia zamordowana kobieta pracowała jako przedszkolanka. Anna Okoń, trzydzieści pięć lat, żadnych bliskich. W kadrach dowiedzieli się, że rozwiedziona. Nim oboje zdążyli pomyśleć, że to pewnie kolejna amatorka życia pełnego wyzwań i erotycznych dreszczyków, kadrowa konfidencjonalnym szeptem zdradziła im, że to mąż ją zostawił. „Nie chcę plotek rozsiewać – szepnęła, choć mina zdradzała zgoła odmienne pragnienia – ale ponoć wszystkiemu było winne dziecko, a właściwie brak dziecka. Długo byli małżeństwem, osiem lat. I nic. On się ponownie ożenił i już od roku syna niańczy. A ona – biedna, zapłakana. Cudzym nosy wyciera, a swojego… Ech".

Od kadrowej dostali adres jedynej krewnej, podstarzałej ciotki, szwaczki na emeryturze. Mieszkała w jednej z tych drewnianych chałup, których nowy ład architektoniczny miasta jeszcze nie zmiótł z powierzchni ziemi. Rozpoznała siostrzenicę i bardzo rozpaczała. Potwierdziła wersję kadrowej – Ania nie mogła mieć dzieci. Nic więcej nie wiedziała, była przekonana, że Ania żyje samotnie. „Jak zakonnica – powiedziała ciotka. – Trafiła tylko z adresem, jeśli chodzi o finał ziemskiego życia". „A przedtem miało się wydarzyć coś z zupełnie innej parafii" – pomyślała Ada.

***

– Harabasiuk? We wszystko, no, prawie we wszystko bym uwierzył, ale on?

Ada nie zniechęcała się niedowierzaniem komendanta. Wybielanie wszystkich, z którymi los go jakkolwiek połączył, to był u niego odruch.

– Fakty nie stawiają go na ołtarzu. – Wciąż pozostawała w sakralnej stylistyce. – Na tym zdjęciu na pewno była druga zamordowana, Iwona Kołecka. I po jej morderstwie fotografia znika, znika też fotograf. Jasne, to nie dowód, ale zastanawia, prawda? – Nim komendant zdążył potwierdzić lub zaprzeczyć, Ada zaczęła kolejny wątek: – I ta sprawa z samobójstwem w Choroszczy. On tam był jako fotograf, a wcześniej, w tysiąc dziewięćset siedemdziesiątym pierwszym, jako pacjent. Rok później odszedł ze służby. Leczenie psychiatryczne nie powinno go wyeliminować z pracy w milicji? Co mu właściwie było?

Szkudła wyciągnął papierosa. W zasadzie to nie miało znaczenia, że Ada nie pali, to znaczy nie pali czynnie. U komendanta chcąc nie chcąc, zaciągała się gęstym dymem.

– Zaczęło się od śmierci Jadwigi Harabasiukowej, znaczy jego żony. Straszna historia.

– Ona była młoda. Co się stało?

– Młodsza o kilka lat od niego, trzydzieści parę miała, jak pani porucznik teraz. Samobójstwo popełniła.

Ada stężała. Kiedy kobieta może popełnić samobójstwo? Kiedy cierpi z powodu ogromnej i utraconej miłości. Do mężczyzny lub do dziecka. O dziecku Harabasiuków nie słyszała, więc druga ewentualność, co by znaczyło, że nie Henryk był tym jedynym i najważniejszym.

– To na pewno było samobójstwo?... – zapytała powątpiewająco.

– Bez wątpienia. Jeśli pytacie o jego alibi, to był ponad pięćdziesiąt kilometrów od domu, znana u nas sprawa podpalenia we wsi wtedy była, on robił dokumentację fotograficzną. A ona się powiesiła na sznurze od bielizny, w stołowym, na lampie.

– Ale dlaczego? To było jakoś związane z Harabasiukiem?

Szkudła na chwilę zamilkł.

– Nie. To stara historia, ale widać są historie, które się w człowieku nie przedawniają. Ją los ciężko doświadczył. W czterdziestym piątym Ruskie ją zgwałcili. – Szkudła rozejrzał się dookoła, choć w pokoju byli sami, i przeszedł do szeptu: – Nie jeden, a kilku, po pijaku, brutalnie, w żaden sposób nie oszczędzając. Nie tylko głowa i serce jej po tym nie doszły do siebie, lecz także ciało. Nigdy nie urodziła dziecka. Pracowała na poczcie, ale często brała zwolnienia, bo albo migreny, albo inne rzeczy. W końcu została na pół etatu. No a potem się powiesiła. Zostawiła list, że przeprasza, że już nie może. Harabasiuk też jakby umarł. On ją bardzo kochał, jak o dziecko się troszczył. Poszedł na urlop, bo się nie mógł pozbierać. Później jakoś szło, ale życia sobie nie ułożył. Nawet kiedyś go zapytałem, to już było z pięć lat po jej śmierci, czy nie myśli, żeby się znowu ożenić, to się uniósł. Że nie mógłby patrzeć na szczęście innej, jeśli ona w grobie leży. Na początku siedemdziesiątego albo w siedemdziesiątym pierwszym pogorszyło mu się. Tak bardzo, że do tego szpitala pojechał. Daleko od Suwałk go wysłaliśmy...

– My, znaczy kto? – przerwała mu Ada.

– No ja, jako szef komendy, a załatwiał tam z lekarzami Zyguś, znaczy Fornal. Trzy miesiące go trzymali, wrócił w trochę lepszym stanie, choć właściwie to nie wiem, czy tam się może komuś poprawić. Ale zaraz po tej sprawie z Choroszczy przyszedł i powiedział, że już nie da rady pracować w milicji. Że jemu każde martwe ciało się z Jadziunią kojarzy, bo to on ją znalazł. No i poszedł do cywila, zakład otworzył. Dobrze mu się wiedzie, jeśli chodzi o finanse. Parę razy go zapraszał ktoś od nas do kantyny czy na imieniny jakieś, ale nie chciał. Wybrał samotnię.

– A może on z powodu tego żalu zabija? Takie przeniesienie – jego żona odebrała sobie życie, umarła, to on nie może patrzeć na szczęście innych kobiet? – zasugerowała Ada.

Szkudła wzruszył ramionami.

– Gdyby mnie pani porucznik zapytała o to przed tymi morderstwami, tobym zaprzeczył. Teraz... Nie wiem, już nie dałbym sobie ręki uciąć. Ja go tyle lat znam. No i gwałty? Jak jego żonę tak...

– Właśnie! – Ada nagle zrozumiała. – A może to kara? Może on powtarza gwałt, bo takiego cierpienia doznawała jego żona? On to robi dla niej, takie pośmiertne, pokrętne zadośćuczynienie. Wybiera młode, ładne, pełne życia. I zabiera im to życie. Jak wyglądała Harabasiukowa?

– Zwyczajnie. Szczupła, miła twarz, delikatna. Tylko zawsze przygarbiona. Nie wiem, czy był powód fizyczny, czy może tak ze smutku.

– Ale włosy, jaki miała kolor włosów?

– Blondynka, choć wcześnie zaczęła siwieć, tylko że one się tak mieszały, bo jasne z jasnymi... – Szkudła nagle urwał. – Wy naprawdę go podejrzewacie?

– Pierwszy trop, który może nas do czegoś doprowadzić. Po spotkaniu z koleżanką z pracy tej ostatniej zamordowanej podjedziemy z sierżantem do mieszkania Harabasiuka, może będzie w domu. Nie napisał, do kiedy zakład zamknięty, zobaczymy. Na pewno sprawdzimy, czy ma alibi na te trzy daty. Jeszcze jedno przyszło mi w związku z tą sprawą do głowy - wciąż nie wiemy, gdzie morderca poznaje te wszystkie dziewczyny, a przecież musi być jakiś wspólny mianownik. I to może być miejsce pracy. Gdzie mogłyby się zjawić wszystkie trzy?

Szkudła wzruszył ramionami.

– Wiele takich miejsc. Sklep, fryzjer, kawiarnia, kościół...

– Ale żeby tam był mężczyzna, nasz morderca. Facet, dla którego można się zapomnieć, z pozycją.

– E, to z tego zestawu nic.

– Z tego nic – zgodziła się Ada. – Ale na przykład zakład fotograficzny...

– Pasuje. Teoretycznie oczywiście – zastrzegł Szkudła.

– Ale nie tylko. Bo jeszcze lekarz. Dentysta też by się nadał. Odwiedzimy ich i zobaczymy.

Szkudła niechętnie kiwnął głową.

– Ale nie siejcie paniki, bo ludzie zaczną gadać, że walimy na oślep, najpierw przesłuchanie w przedszkolu. Jutro rano czekam na raport.

***

– Biedna Ania. – Katarzyna Małecka, przedszkolanka, znowu wyciągnęła z kieszeni chustkę. – Ona nie miała łatwo w życiu. Nie wiem, czy państwo, to znaczy, czy milicja już wie, że ona była rozwiedziona, tak?

– Tak – powtórzyła Ada. – Państwo wie, milicja też.

– No właśnie – westchnęła teatralnie Małecka. – Ale to nie z jej winy. Bo się przyjęło uważać, że jak rozwódka, to nie wiadomo, co się tam dzieje, że może jakaś wada, skoro już ją mąż zostawia, albo jeszcze gorzej – to ona sama odchodzi, a jaka przyzwoita kobieta sama odchodzi, tak?

– Tak. – Kiwnął głową Tomczycki.

„Nie" – pomyślała Ada. Katarzyna Małecka miała nie tylko tradycyjne podejście do życia, lecz także denerwującą manierę kończenia zdań pytających tym śpiewnym, wyniesionym „tak".

– Właśnie. – To słowo przedszkolanka też lubiła. – Ale to on ją zostawił. A ona bardzo pragnęła dziecka, wszystko by oddała. Trzy razy była w ciąży i trzy razy się nie udało. A za każdym razem ona wracała coraz smutniejsza. Bo raz, że nadziei ubywa, a dwa, że tu wciąż miała dzieci dokoła. Na początku ją to bolało, ale potem to już jakoś przywykła czy może nawet w tych cudzych trochę radości macierzyńskiej odnalazła. I pewnie by się jakoś to życie ułożyło, no ale mąż ją zostawił. Odszedł, jak się okazało, że tamta jest w ciąży. To czym Ania go miała przy sobie zatrzymać, tak?

– Kiedy to było? – zapytała Ada.

– Ze dwa lata temu.

– A później oni się jeszcze widywali, to znaczy ona z tym byłym już mężem?

– Nie, skąd. Ta dziewczyna, co mu dziecko urodziła, to nie od nas, tylko gdzieś spod granicy. A on, zaopatrzeniowiec, to mu łatwiej pracę zmienić. No i zmienił, wyjechał. Byłoby niezręcznie gdyby się mijali na ulicy: tamci wózkiem, a Ania... tak?

„Jeszcze raz i nie wytrzymam" – pomyślała Ada. Katarzyna Małecka działała jej na nerwy. Nie tylko tym „tak", lecz także całą sobą – pulchną, bujną brunetą, ubraną w jakieś zakładki czy falbanki, które zupełnie nie pasowały do jej figury, i w drewnianych koralach, które wyglądały jak zrobione i pomalowane przez dzieci. „Ciotka-klotka".

– A teraz jeszcze ta śmierć... Straszne. – Przedszkolanka z przejęciem splotła dłonie na podołku. – Nie układało się jej w życiu, bidulce. Jak miała dwadzieścia lat, straciła rodziców, oboje naraz, w jakimś wypadku autobusowym, potem dziecka mieć nie mogła, mąż ją odszedł. Los jej nie oszczędzał. – Widać było, że choć Małecka żałuje Anny Okoń, to jednocześnie czerpie jakąś pokrętną przyjemność z faktu, że te wszystkie nieszczęścia dotknęły jej koleżankę, oszczędzając ją, Katarzynę. Nie polubiłaby tej kobiety.

Ada już się podniosła z małego drewnianego krzesełka, od którego ścierpły jej nogi, gdy Małecka powiedziała:

– Choć ostatnio to się wydawało, że może i do niej się los uśmiechnie.

– Bo? – zapytała porucznik.

– Bo, ja nie wiem, oczywiście, czy to ma znaczenie, w końcu to nic konkretnego, ale Ania chyba kogoś poznała.

– To chyba czy poznała? – Ada potrzebowała konkretu.

– No, ja go nie widziałam, tak? Ale Ania opowiadała, że spotkała jakiegoś mężczyznę, który wydaje się bardzo miły.

– A nie powiedziała, gdzie go poznała?

– Nie. Nie chciała zapeszać, ona była taka przesądna po tych wszystkich nieszczęściach, więc tylko wiem od niej, że to jakiś elegancki mężczyzna, nie pospolity, jak to najczęściej bywa, tylko ktoś lepszy.

„Z pozycją". Ada i Tomczycki wymienili spojrzenia.

– I jeszcze powiedziała, że wszystko jej mówi, że to może być ten, bo są tacy podobni, nawet fizycznie. „Jak spasowani jesteśmy" – powiedziała.

Ada znowu spojrzała na sierżanta. „Znaczy blondyn".

– Dziękujemy. – Krzesicka podała jej rękę. – Gdyby coś się jeszcze pani przypomniało, proszę przyjść na komendę.

Już w drzwiach Ada się odwróciła i zapytała:

– A czy jakoś ostatnio Anna Okoń nie korzystała z usług fotografa?

– Korzystała – odparła bez namysłu przedszkolanka.

– Jest pani pewna? – Ada była trochę zdziwiona tym brakiem zastanowienia.

– Tak. Bo wszystkie korzystałyśmy. Jakieś nowe przepisy czy regulacje, już dokładnie nie wiem, ale trzeba było zrobić nowe książeczki pracownicze, znaczy zdrowia. I zdjęcia były potrzebne, więc wszystkie robiłyśmy. Ja to nawet sobie zrobiłam ondulację z tej okazji. Bo skoro zmiana, to potem pewnie długo nic i ta książeczka przez lata będzie mi służyła, to chciałam ładnie wyglądać.

– W Suwałkach? U Henryka Harabasiuka? – zapytała Ada.

– Tak, no bo gdzie? – Przedszkolanka wzruszyła ramionami. – W centrum ma zakład, najwygodniej. Zdjęcia bardzo ładne zresztą wyszły, bo czasem to jak z ogłoszenia za przestępcą, jak to się nazywa...

– List gończy – podsunął Tomczycki.

– Właśnie, jak z listu gończego. A ten fotograf to ma jakiś dryg, dar. No ładnie mu wychodzą zdjęcia, zwłaszcza dziewczyn. Zresztą to na wystawie u niego widać.

„Już nie" – pomyślała Ada.

– Tylko że on taki jakby smutny. Nie pożartował ani nic. Uśmiechał się, ale żeby jakoś filuternie, to nie. – Przedszkolanka zmarkotniała. Zaraz jednak się rozjaśniła na inne wspomnienie: – Za to pan doktor! Trochę wstyd, bo i młody pan sierżant tu jest – Tomczycki zastygł w oczekiwaniu na ciąg dalszy – ale powiem: tu i żarty, i takie bardziej fikuśne sprawy.

– A doktor który? – zapytała Ada, choć właściwie była pewna.

– Fornal, doktor Fornal – odpowiedziała Katarzyna Małecka.

„Chyba ma szczęście, że jest brunetką" – pomyślała Ada.

Rozdział 18

Ada przyłożyła ucho do wysokich drewnianych drzwi. Cisza. Żadnego oddechu, żadnego skrzypnięcia podłogi, szurnięcia kapciem. Nic.

– Chłodna pięć, mieszkania dwa. – Tomczycki raz jeszcze spojrzał do notesu. – To ten adres, ale wygląda na to, że go nie ma.

– Na drzwiach zakładu wciąż kartka, że nieczynne. Byłam przed służbą sprawdzić.

– Dziwna zbieżność, przypadek? – Tomczycki próbował dodać dwa do dwóch. – Obciąża go to? – Rozpiął górny guzik grubej wełnianej kurtki. Mocno się ochłodziło, dobrze że przynajmniej śnieg nie padał. Ada nie lubiła zimna, a mrozu to wprost nie znosiła: szron na szaliku, skostniałe ręce, włosy oklapnięte od grubej czapki.

Westchnęła.

– Bywa tak, że przestępcy potrafią kłamać bez mrugnięcia okiem. Wiedzą, że są głównymi podejrzanymi, a nie robią nic, by odsunąć od siebie podejrzenia, poza doskonale udawanym zdziwieniem, że to właśnie ich się uważa za winnych. To jest taktyka na rympał. Zaprzeczenie proste. Ręka w nocniku. To nie moja ręka, to nie mój nocnik. Rozumiesz, o czym mówię?

Tomczycki spojrzał szybko na Adę i wrócił do pisania. „Jezu, chyba nie robi notatek" – przemknęło Adzie przez głowę.

– No dobra. Po drugiej stronie znajdują się osoby lękliwie, które wszystkiego się obawiają, i choćby nie miały najmniejszego związku ze sprawą, to będą się panicznie bać, że ktoś je z nią połączy. To są paranoicy. Notujesz? – Sierżant nie wyczuł lekkiego tonu. – A gdzieś pośrodku są ludzie, którzy mają coś na sumieniu i boją się na akord – to znaczy akurat w tej sprawie są czyści, ale może, jak po nitce do kłębka, ten wątek doprowadzi milicję do innej brzydkiej sprawy, w którą są uwikłani.

– A ten fotograf? – Tomczycki chłonął słowa Ady jak poezję. – To w której grupie, jak pani porucznik myśli?

Ada westchnęła po raz drugi.

– Na rympał nie, bo dał nogę. Przebywał w szpitalu psychiatrycznym, to może być paranoikiem, ale jeśli rzeczywiście było tak, jak komendant opowiadał, to życie go nieźle poturbowało, czyli miał konkretny powód, żeby sobie nie radzić z codziennością.

– Czyli ten ostatni wariant? – Tomczycki próbował usystematyzować wnioski w sprawie i swoich notatkach.

Trzecie westchnięcie było najdłuższe.

– To możliwe. Zarazem jednak fotografia Kołeckiej, która zniknęła z wystawy, a w ślad za nią zniknął i Harabasiuk, oznacza chyba coś bardziej zagmatwanego.

– Czyli jaka to będzie kategoria? – Tomczycki jakby się pogubił.

– Inna. Mordercy, którzy nie są ani bezczelni, ani znerwicowani. Psy-cho-pa-ci. Dobra, zapukam ostatni raz i idziemy. – Ada grzmotnęła pięścią w drzwi, aż Tomczycki się spiął. Porucznik Krzesicką też trudno było przypisać do konkretnego typu funkcjonariuszy MO: wydawała się krucha, gdy się nad czymś zamyśliła, zdarzało się jej delikatnie poklepać po ramieniu, tak że w człowieka wstępowała krzepiąca otucha, a potrafiła też zakląć tak, jakby nie wychodziła z kantyny, albo łupnąć w drzwi pięścią drwala. Niejednoznaczna. I fascynująca. Och, jak fascynująca. I ładna, jednoznacznie.

– A co to za hałasy? Mam po milicję zadzwonić? – Drzwi obok się otworzyły i stanęła w nich tęga kobieta w grubej podomce i wałkach na głowie.

– A ma pani telefon? Zresztą nie trzeba, my z milicji. – Ada wyciągnęła z torebki legitymację i podsunęła kobiecie pod nos.

– Jezusie najsłodszy, a co to się stało? – Sąsiadka Harabasiuka natychmiast zmieniła nastawienie. Wydawała się bardziej przejęta niż podekscytowana ewentualną sprawą kryminalną.

– A coś się mogło stać? – pytaniem odpowiedziała Krzesicka.

– Tu mieszkają porządni ludzie – obruszyła się kobieta, choć już bez tego buńczucznego nastawienia, z którym ich przywitała.

– A Henryk Harabasiuk? – zapytała Ada.

– O, pan Henryk to jeden z najporządniejszych. Zawsze się ukłoni, dzień dobry powie, drzwi przytrzyma. Bardzo kulturalny człowiek. I w mieszkaniu ma czysto, mimo że sam jest. To rzadkie, żeby mężczyzna był taki schludny. Aż żal, że się taki dobry materiał marnuje... A może państwo wejdziecie na chwilę, co tak będziemy stać na klatce? Zrobię kawy, herbaty, placek z kruszonką mam. – Popatrzyła na Adę i Tomczyckiego z nadzieją. Chyba też mieszkała samotnie.

– Tylko na chwilę, bo mamy dużo pracy. Za poczęstunek dziękujemy – powiedziała Ada, wywołując tym z trudem maskowane rozczarowanie na twarzy Tomczyckiego. Niby chudy, a apetyt mu dopisywał. Z kuchni dolatywał lepką smugą zapach gotującej się pomidorowej.

Sąsiadka Harabasiuka też miała w mieszkaniu czysto, ale natłok serwetek, bieżników, makatek, figurek, filiżanek i innych małych dekoracji oszałamiał. Ada wyobraziła sobie, jak ta kobieta codziennie pucuje, trzepie, czyści te wszystkie swoje skarby. Pół życia jej na tym schodzi. A może właśnie tak to życie przepędza, bo nie ma nic lepszego do roboty?

– Mieszka pani sama? – zapytała, gdy usiedli przy okrągłym stole z kołkową serwetą, wazonem, paterą i serwetnikiem.

– Mąż mój, świeć Panie nad jego duszą, osiem lat już nie żyje. A ja wciąż na tym świecie, w dobrym zdrowiu nawet. Taki los.

Ada przyjrzała się jej dokładniej. Na korytarzu wydawała się starsza. Teraz jednak oceniła ją na niecałe pięćdziesiąt lat. Trochę młodsza od fotografa.

– A z panem Harabasiukiem to tylko sąsiedzkie więzi panią łączą? – Ada postanowiła wykonać szarżę z przytupem.

Trafiła celnie. Kobieta spąsowiała.

– Tak, oczywiście. No wie pani, pani…

– Porucznik – dopowiedziała Ada.

– Właśnie, pani porucznik.

– Ale skoro pani wdowa, on wdowiec, to… przecież normalne. – Ada uśmiechnęła się ciepło i przyjaźnie, co miało zachęcić kobietę do zwierzeń. I zachęciło.

Sąsiadka bawiła się serwetą, przekładając palce przez ażurowy wzór.

– No dobrze, co tam ukrywać, wy i tak się dowiecie, jak będziecie chcieli.

„Typ racjonalistki" – pomyślała Ada. Taki lubiła najbardziej.

– Ja to nawet bym chciała, bo tak, jak powiedziałam, to bardzo kulturalny, porządny mężczyzna. Trochę może nieśmiały, ale czy ta cecha u męża zła? Zresztą mnie śmiałości nie brakuje… Ale wracając do rzeczy – pan Henryk niezainteresowany. Zatwardziały wdowiec, choć to już ponad dziesięć lat będzie. Na pewno ją kochał, ale teraz to... No, powiem wprost, mnie się wydaje – tu westchnęła z rezygnacją – że on po prostu młode kobiety woli. Wystarczy spojrzeć na zdjęcia, jakie wystawia.

– A jakaś młoda tu przychodziła? – zapytała Ada.

– E, tu to nie. – Pokręciła głową kobieta.

– Na pewno?

– Na pewno.

Ada była przekonana, że gdyby ktoś odwiedzał Harabasiuka, sąsiadka by o tym wiedziała.

– Ale w zakładzie... – Palce znów owinęły się serwetą.

– W zakładzie to co? – Ada wciąż była miła, ale coraz więcej ją to kosztowało.

– No, bywało, że już po siedemnastej, czyli powinno być zamknięte, i było, znaczy drzwi były zamknięte, ale światło się paliło. Widziałam, bo przechodziłam obok akurat...

„Akurat" – pomyślała Ada.

– A właściwie to dlaczego milicja do niego przyszła? Jeśli można wiedzieć? – Sąsiadka nagle zrobiła się czujna.

– Szukamy świadków w pewnej sprawie. Pan Harabasiuk jest jednym z nich – odpowiedziała Ada bez zająknięcia. – Wie pani może, gdzie on teraz jest?

– Niestety nie. Ale dokądś pojechał. Z walizką.

– Widziała go pani z walizką? Gdzie? Kiedy?

– No tu, znaczy na klatce. Parę dni temu, nie pamiętam dokładnie.

– I nic nie powiedział? Nie zapytała pani? – zdziwiła się Ada.

Sąsiadka na chwilę się zacukała. Jeden z wałków niebezpiecznie zwisł nad uchem.

– Nie widziałam go osobiście.

– To jak? – Tomczycki po raz pierwszy od dłuższego czasu się odezwał.

Ada odwróciła się w stronę drzwi wejściowych.

– Przez wizjer?... – podsunęła uprzejmie.

Sąsiadka pokiwała głową.

– Dobrze, to dziękujemy za informacje, a gdyby coś się pani przypomniało albo gdyby pan Harabasiuk wrócił, to proszę dać nam znać.

Sąsiadka znowu pokiwała głową i wstała od stołu, żeby ich odprowadzić do drzwi.

– A jeszcze zapytam, skoro pani porucznik taka miła. Te sprawy, znaczy te zamordowane dziewczyny, to milicja już coś wie? Bo ludzie to już gadają…

– Co gadają? – Ada przyjrzała się jej uważnie.

– No, że albo milicja sobie nie radzi, albo ta sprawa jakaś dziwna, dziwniejsza, niż się wydaje.

„I to, i to" – pomyślała Ada.

* * *

„Na pewno ludzie gadają gorsze rzeczy" – pomyślała Ada, przekładając papiery na biurku. Sąsiadka Harabasiuka nie powiedziałaby im tego wprost, aż tyle odwagi nie miała. Do Ady nie docierały takie sygnały, bo jednak wciąż była tu obca. Wielu rzeczy jej się po prostu nie mówiło. Ale Szkudła… do niego to musiało dotrzeć. Zresztą co tam ludzie, niech sobie gadają, tyle im zostaje, ale wojewódzka, Warszawa… Zaraz się zacznie. Siedzieli jak na bombie. W szambie. Że wybuchnie, Ada była pewna. Tylko kiedy i kogo z nich zmiecie lub gównem opryska?...

Usłyszała pukanie do drzwi.

– Wejść – rzuciła, nie wstając.

– Dzień dobry. Czy mogę? – Usłyszała miły męski głos.

Podniosła głowę. W drzwiach stał Jan Kunda.

– O, witam. Pan do mnie? – zapytała. Zabrzmiało to dość formalnie.

Zobaczyła, że się speszył. Odzywka była jak do namolnego petenta, a nie do kogoś, z kim wypiła kawę i zjadła sernik.

– Proszę – dodała szybko i wskazała ręką krzesło przed biurkiem. „Chyba jeszcze gorzej wyszło" – pomyślała. Sąsiadka Harabasiuka albo Beata lepiej by to rozegrały.

– Nie, ja nie chcę przeszkadzać. Po prostu byłem w kantynie, papiery odebrać i pomyślałem... Skoro zimno się zrobiło, to dobrze by było coś rozgrzewającego...

– Na służbie jestem – zastrzegła Ada, choć na myśl o winiaku albo chociaż miodzie pitnym poczuła miłe ciepło w żołądku.

– Nie, no skąd. Gdzieżby alkohol. I to jeszcze w pracy. – Kunda stanowczo zaprzeczył. – Kawę lub herbatę miałem na myśli. Szarlotkę teraz mają w Jaćwieskiej. Może byśmy, pani Ado, jeśli tak mogę...

– Tak, pewnie. To znaczy z imieniem ładniej niż z porucznikiem, ale do kawiarni, niestety, nie mogę. Praca. – Pokazała na zawalone papierami biurko. – Zresztą zaraz wychodzę.

W tym momencie do pokoju wszedł Tomczycki.

– Dzień dobry! – przywitał się. – Nie zastałem go, gabinet ma akurat przerwę. Do czwartej – powiedział do Ady.

– Dobrze, to spróbujesz po południu. Ja teraz idę do szpitala. – Uśmiechnęła się przepraszająco w stronę Kundy.

– Znowu jakieś problemy zdrowotne – zatroskał się inspektor, chyba szczerze.

– Nie, odpukać, sanepid przecież czuwa. – Ada spojrzała na Kundę znacząco. – Powiedzmy, że idę służbowo.

Kunda pokiwał głową. Nawet jeśli był ciekaw, to nie dał tego po sobie poznać.

– To może kiedy indziej ta kawa i szarlotka?

– Z przyjemnością – zapewniła go Ada już bez urzędowego tonu. – Jak się nam tu trochę... przejaśni. – Chciała powiedzieć: przewali, ale towarzystwo inspektora łagodziło obyczaje. I dobrze, bo od kilku miesięcy z kulturą było u niej słabo – nie była w kinie, na koncercie, niczego wartościowego nie przeczytała. Nawet radia nie włączała zbyt często. Raz czy dwa słuchała Wolnej Europy. Jakieś piosenki. A poza tym klęła jak furman, ubierała się jak facet, makijaż nakładała tylko wtedy, gdy trzeba było ukryć pijackie cienie pod oczami. Musi nadrobić, trzeba mieć jakąś odskocznię od szarego dnia. Zadbać o siebie. Może książki lub muzyka zapełnią tę pustkę po Andrzeju, której nie chciała już zalewać alkoholem.

***

– Dzień dobry! Dzień dobry! Pani porucznik też przeziębiona? – Zygmunt Fornal wstał zza biurka i wyciągnął do niej rękę.

„Nieprofesjonalnie, kobieta powinna pierwsza wykonać ten gest" – pomyślała, wysuwając jednak ramię. Zamiast spodziewanego uścisku, Fornal poderwał jej rękę i wycisnął na dłoni zbyt długi i zbyt mokry pocałunek. Mignęła jej sylwetka Kundy, jego nieśmiałe gesty. Porównania same przychodziły do głowy. Trochę podobni, a jak różni.

– Nie. A pan doktor nie boi się zarazków? Może milicja nie myje zbyt często rąk? – Ada cofnęła ramię.

– Mówiłem już chyba kiedyś, że jestem uodporniony na zarazki? Wciąż jednak jestem czuły na kobiece piękno... – Zawiesił teatralnie głos. I spojrzenie – na piersiach Ady.

„Typ, który się nie poddaje – doszła do wniosku – póki biologia go nie wyeliminuje. Dlaczego ten facet właściwie jest sam?". Był namolny, lepki, ale może to kwestia osobistego odbioru Ady, bo na pewno znalazłaby się niejedna amatorka jego ekspansywnego podrywu. I wyglądu - ostentacyjnego, ale i zadbanego. I wreszcie - pozycji. Właśnie, po to tu przyszła.

– Panie doktorze, jestem tu służbowo, jako funkcjonariuszka Milicji Obywatelskiej. Z oficjalnym pytaniem: co pan robił dwudziestego trzeciego września, dwudziestego dziewiątego października i dwudziestego pierwszego listopada tego roku?

Zygmunt Fornal spojrzał na nią w nieprzenikniony sposób. Tym razem nie padł żaden gruby żart. Będzie na rympał?

– A mogę się dowiedzieć, w jakim celu Milicja Obywatelska o to pyta?

– Wolałabym, żebyśmy się nie przerzucali pytaniami. Rutynowe sprawdzanie różnych wątków. A pytanie jest dość proste.

– Rutynowe... – powtórzył powoli Fornal. Wyglądał, jakby chciał coś dodać, ale zrezygnował. Usiadł przy biurku i schylił się do wsuniętej pod nie metalowej szafki, skąd wyciągnął gruby zeszyt. Ada zauważyła, że miał tam wyrysowane kratki z kolejnymi dniami miesiąca, taki podręczny kalendarz. Niektóre okienka były zapisane, inne bez jakichkolwiek adnotacji.

– Dwudziesty... który września? – zapytał, nie podnosząc wzroku. W głosie lekarza Ada wyczuła napięcie

– Trzeci. Dwudziesty trzeci. Niedziela – odpowiedziała Ada.

– Mam. – Palec Zygmunta Fornala trafił w odpowiednie okienko. Puste. – Nic nie robiłem. Nie miałem dyżuru, przychodnia nieczynna. Wolne.

– A pamięta pan, jak pan spędził ten dzień?

– A pani?

Ada rzuciła mu ostre spojrzenie.

– Dobrze, już dobrze. Dwa miesiące temu... Nie, chyba nie pamiętam. A skoro nie pamiętam, to pewnie samotnie.

– Na pewno pan sobie nie przypomni? Z nikim się pan nie widział, nigdzie nie był, niczego, co mógłby ktoś inny potwierdzić, pan nie robił? – Ada starała się wywnioskować z jego zachowania, jakie wrażenie robi na nim ta rozmowa, ale Fornal zachowywał się raczej spokojnie, nie zdradzał żadnych silniejszych emocji.

– Nie. Ale pomyślę. Kolejna data?

– Dwudziesty dziewiąty października.

– Dwudziesty ósmy...

– Nie, dwudziesty dziewiąty.

– Dwudziesty ósmy – powtórzył Fornal – to był dyżur. Czyli dwudziestego dziewiątego miałem wolne. Cały dzień.

– I co pan robił?

– Po dyżurze śpię. Zazwyczaj sam.

– I wtedy też pan spał sam?

– Tak. To przed Wszystkim Świętymi. Dziewczyny wtedy jakieś nostalgiczne się robią – powiedział ironicznie.

– Czyli nikt nie potwierdzi, że był pan wtedy w domu.

Fornal rozłożył ręce.

– Dwa do zera dla milicji. Trzecia data?

„Dobrze się bawi czy tylko udaje? Na rympał czy rzeczywiście niewinny?" – zastanawiała się Ada.

– Dwudziesty pierwszy listopada – powiedziała.

– A, wtedy byłem w pracy. – Postukał palcem w gęsto zapisany kwadrat. Pracowity dzień, kilkadziesiąt szczepień. Jasionowo, Szury, Szypliszki... Niezły przerób.

– To są nazwy miejscowości, czyli pan dokądś wtedy jeździł?...

– Tak. Mamy akcję, odgórną, wytyczne Państwowego Zakładu Higieny. Poprawiamy stopień wyszczepialności. To ważne, zwłaszcza tu, na terenach wschodnich. Oficjalnie się tego nie mówi, ale niedawno w Związku Radzieckim była potężna epidemia błonicy. Zaczęliśmy od szczepienia pograniczników, a teraz dbamy o ludność z województwa.

– I tak przez cały dzień?

– No tak. Z przerwami rzecz jasna, na dojazd, jakiś obiad. To męcząca praca.

– Niech pan powtórzy jeszcze raz te nazwy miejscowości, dobrze? – Ada włączyła długopis, by zapisać je w notesie.

– Szypliszki, Szury, Jasionowo... Pani porucznik przyjezdna, to powiem, że na mapie to do góry i tak na prawo trochę od Suwałk, na wschód. Żeby to jakoś bardziej przybliżyć pani porucznik, to Jasionowo znajduje się na tej samej wysokości co Prudziszki, dzieli je zaledwie kilka kilometrów. Bo gdzie Prudziszki są, to pani porucznik chyba wie?

Wiedziała, oczywiście. Przetwórnia pasz, drugie morderstwo. Ada przez chwilę przyglądała się Fornalowi. Właściwie już go zdefiniowała, ale coś w tym człowieku nie dawało jej spokoju. Za tymi ładnymi, przysłoniętymi długimi rzęsami oczami, za tym kpiącym uśmiechem, gładko wygolonymi policzkami coś się żarzyło, coś, czego Ada nie potrafiła uchwycić. Ten facet cały czas był w natarciu, napędzany Bóg jeden wie jaką energią. Jego stosunek do kobiet, i nie chodziło o powszechne tutaj mizoginię i patriarchat, był brutalnie przedmiotowy. Póki co pozostała z pytaniem:

Taki rympał czy taka gierka?

Nie wyciągnęła ręki na pożegnanie.

Rozdział 19

– Jest czwarty grudnia. Cały kraj świętuje Barbórkę, zaraz się zaczną przygotowania do świąt, a ja rano wstałem i pierwsza moja myśl po przebudzeniu, to czy przypadkiem dziś ktoś nie znajdzie bezokiej, zgwałconej Barbary. A o świętach to wcale nie myślę. Znów miałem telefon. Wiecie jaki, mówić nie muszę. Powiem wam za to co innego: za powiatu byłem tu komendantem, to i w województwie się utrzymam. Z wami, bez was, mimo was – bez różnicy! – Szkudła rąbnął pięścią w biurko, aż butelki z wodą mineralną podskoczyły, a wstawione przez sekretarkę w musztardówkę paluszki zagrzechotały. Początek narady był wyjątkowo ponury. Zresztą wszystko dokoła było ponure: ołowiane niebo, szary od sadzy śnieg, brak postępów w śledztwie, zniecierpliwienie „góry". – Dobra, to podsumujcie, co tam macie. – Szkudła sapnął i usiadł na krześle. Aż zajęczało.

– Sprawdziliśmy najbliższe otoczenie Okoń. To znaczy właściwie sprawdziliśmy, że nikogo bliskiego nie było. Mąż, były mąż, mieszka w Ejszeryszkach. Z nową żoną, dzieckiem. Wygląda na zadowolonego z życia… – zaczął Tomczycki.

– Ja się nie pytam o dobrostan obywateli, tylko o to, kto mógł załatwić te dziewczyny. – Szkudła tylko pozornie się uspokoił. Niby nie krzyczał, ale za to pluł jadem. Widać, rozmowa z wojewódzką musiała być wyjątkowo przykra.

– Sierżant chciał podkreślić, że Okoń nie miał żadnych powodów, by mordować byłą żonę. Zresztą ma alibi na dwudziestego pierwszego listopada. Auto się zepsuło, nie wyjechał wtedy w trasę. – Ada postanowiła wziąć na siebie impet gniewu komendanta. Fakt, mordercy nie złapali, ale przykładali się do roboty. Przepytali dziesiątki osób, które mogły coś wiedzieć lub zauważyć. Poza rodziną rozmawiali z wędkarzami, kioskarkami, kierowcami autobusów i nielicznych taksówek, listonoszami, zakonnicami sprzątającymi kościół w Sejnach, sąsiadami i znajomymi denatek, wszystkimi, którzy w tych feralnych dniach i godzinach mogli się znajdować gdzieś w pobliżu miejsc dramatycznych wydarzeń. Pomagali im funkcjonariusze z innych wydziałów. Wszystko na nic. Tomczycki godzinami ślęczał nad aktami z archiwum. Zaczęli przeglądać kolejną trzylatkę wstecz pod kątem gwałtów, dewiacji, innych odchyleń, czegokolwiek, co w jakiś sposób odbiegałoby od przestępczej normy. Tomczycki wziął to na siebie, Ada raz jeszcze czytała akta wszystkich skazanych mężczyzn między siedemdziesiątym trzecim a siedemdziesiątym szóstym. Może wtedy jeszcze nie zabijał, może nie zgwałcił, może w inny sposób był na bakier z prawem? Może coś jednak przeoczyli? Facet musiał być tutejszy i być może miał już coś za uszami. Ada krążyła też wokół dotychczasowych podejrzanych, czym jednak narażała się Szkudle, bo tu do porozumienia z komendantem nie doszło – to byli tylko jej podejrzani.

– Stan na dziś jest taki, że jedyny punkt zaczepienia, jaki mamy, to Zygmunt Fornal i Henryk Harabasiuk.

Szkudła się spiął. Oparł przedramiona na biurku i nachylił się w ich stronę. Fachowiec od mowy ciała określiłby tę pozycję jako „w natarciu”. Tomczycki mimowolnie wstrzymał oddech.

– Wiem, że pan komendant ma inną koncepcję – zaczęła Ada, ale Szkudła jej brutalnie przerwał:

– Ja, kurwa, nie mam koncepcji, bo od koncepcji to wy tu jesteście. A wy mi przychodzicie z podejrzeniami z dupy! – Zacisnął dłonie w pięści. – Coście się do nich przyczepili? Tutaj mieszka z przyległościami trzydzieści pięć tysięcy ludzi, to może być każdy, kurwa, każdy. Sami żeście tak mówili, a basował wam pan pułkownik z Warszawy. – Ostatnie słowa komendant wycedził przez zęby.

Ada była przygotowana na wybuchy, pół roku z cholerycznym i nieokrzesanym szefem trochę ją uodporniło na jego ataki wściekłości. Mimo wszystko w środku się gotowała, adrenalina jej podskoczyła.

– Nie z dupy, panie komendancie – powiedziała spokojnie, choć w jej głowie eksplodowało „chuju ty" – ale z normalnej milicyjnej roboty.

Szkudła gwałtownie wstał, z łoskotem odsuwając krzesło od biurka. Tomczycki patrzył na tę dwójkę z nerwowym wyrazem twarzy. „Jak dzieciak, którego starzy się kłócą – pomyślała Ada. – Sercem z matką, ale ojca się boi. Bo ojciec, wiadomo, wyrocznia. Tu, w Suwałkach, jeszcze bardziej niż gdzie indziej".

Szkudła podszedł do okna i się zapatrzył. Ada wzięła głęboki oddech, policzyła w myślach do dziesięciu, odchrząknęła i mówiła dalej, do jego pleców:

– Nikt z bliskich tych zamordowanych kobiet nie miał powodu czy możliwości, żeby je zabić. No, prawie nikt. W przypadku drugiej zabitej, Iwony Kołeckiej, pojawił się wątek romansu z żonatym mężczyzną.

Szkudła wyciągnął z kieszeni sfatygowaną paczkę papierosów i pudełko zapałek. Zachrzęściło i draska błysnęła płomieniem. Zaciągnął się i wypuścił gęsty obłok dymu. Wciąż stał odwrócony do nich tyłem.

– Ustaliliśmy jednak, że na czas morderstwa Kołeckiej Tomasz Szkudła ma alibi, a pozostałych dwóch kobiet nie znał.

Inni mężczyźni, z którymi Kołecka utrzymywała bliższe stosunki, też potrafili wskazać świadków, potwierdzających, że w dniu i porze morderstwa podejrzani nie mogli być w Prudziszkach. Pozostaje sprawa ojcostwa dziecka Kołeckiej. Nie wiemy, czy może mieć związek z morderstwami, ale to niewyjaśniony wątek. Ojciec małej jest wpisany w metryce jako NN, a ktoś co miesiąc robił przekazy pocztowe, zapewne właśnie biologiczny ojciec. Kolejnego miesiąca po zabójstwie pieniądze nie przyszły, czyli wiedział, że Kołecka nie żyje, co potwierdza znowu teorię, że to ktoś tutejszy. Ale potem przekazy znowu się pojawiły, z wyrównaniem, teraz na matkę Kołeckiej. Odpada zatem motyw finansowy – że już nie chciał płacić i dlatego zamordował, uwalniając się tym samym od zobowiązania. Żeby domknąć ten wątek, powinniśmy zidentyfikować ojca. W tym celu będę chciała pobrać krew od małej i od potencjalnego ojca, to znaczy od jednego z tych trzech absztyfikantów.

Szkudła zgasił papierosa na lastrykowym parapecie, potem uchylił okno i głośnym pstryknięciem palców posłał go na ulicę.

– Wracając jednak do głównego wątku – ciągnęła Ada – nikt z tej grupy nie znał wszystkich trzech zamordowanych, a ta okoliczność, bez wątpienia – zaakcentowała ten wyraz – miała miejsce. Szukamy kogoś, kto znał Kozioł, Kołecką i Okoń. I jednocześnie nie żywił do żadnej z nich osobistej urazy. Wybrał je, bo znajdował w nich jakiś wspólny mianownik: to, że były kobietami, to oczywiste. Idąc dalej: były też młode, podobne fizycznie, blondynki. Chętne na bliższą znajomość. I teraz tak: kluczowa w mojej opinii wydaje się kwestia, gdzie on je poznawał. Biorąc pod uwagę fakt, że udawało mu się je zaprowadzić w miejsca nieoczywiste, jeśli idzie o randkę, na przykład do przetwórni pasz, to musi mieć w sobie coś, co wzbudza zaufanie – w wyglądzie, sposobie zachowania, stanowisku.

– Nigdy nie zrozumiem kobiet. To jakiś osobny gatunek. – Komendant, kręcąc głową, podrapał się po wygolonym karku.

– I te dwie poszlaki – kontynuowała Ada – co do miejsca poznania i zawodu, splatają się w dwóch osobach: Henryku Harabasiuku i Zygmuncie Fornalu albo kimś o kim jeszcze nic nie wiemy. Ale od czegoś trzeba zacząć.

Szkudła odwrócił się od okna, ale nie wrócił za biurko. Stał, zabierając połowę chuderlawego światła, które próbowało przeniknąć do pokoju przez gęste stylonowe firanki.

Tomczycki milczał, wyrównując idealnie ułożone papierowe teczki, które przyniósł ze sobą na naradę.

– Co do Zygmunta Fornala, to, jak pan komendant wie, nie ma alibi na aż dwa dni: pierwszego i drugiego morderstwa. Pierwszy to niedziela, nie pracował, jak wszyscy. Drugiego dnia odebrał dzień wolny po dyżurze. Zeznał, że spał. Sam. Trzecia data – był w pracy, ale wyjazdowo. Gdyby się uparł, mógłby zahaczyć o Prudziszki. Nie potrafi się dokładnie rozliczyć z całego czasu podczas tych szczepień. Zeznał, że znał każdą z zamordowanych kobiet. Jako pacjentki, zaznaczył. Przy okazji, Stanisław – Ada zajrzała do notesu – Przyzba, dentysta, też leczył każdą z nich, ale on dla odmiany ma alibi na każdy z terminów. Harabasiuk natomiast jeszcze niesprawdzony. Wiemy, że w witrynie ustawił duże zdjęcie Kołeckiej, które zniknęło po jej morderstwie. Wiemy, że Okoń robiła u niego fotografię do książeczki zdrowia. Czy znał Kozioł, tego nie wiemy, ale z dużą dozą prawdopodobieństwa możemy przyjąć, że tak. Sporo osób korzysta z usług tego fotografa. Harabasiuk wyjechał nagle, bez powodu. W przychodni nie odnotowano jego wizyty w ostatnim czasie. Leczy go doktor Fornal, potwierdził, że od, cytuję: „dobrych kilku tygodni a może dłużej", Harabasiuk nie chorował. Tu mówimy o podstawowym zdrowiu, bo stan psychiczny to odrębna kwestia. Doktor Fornal zeznał, że w siedemdziesiątym pierwszym tylko odwiózł Harabasiuka do Choroszczy, nie zajmował się jego procesem terapeutycznym. „Od ciała jestem, nie od głowy". Czekam na dokumentację z tego szpitala psychiatrycznego, może czegoś więcej się dowiem. Sprawdzam też, gdzie Harabasiuk się znajduje. Jedyna krewna to ciotka, mieszka w Tolkmicku. Byli tam kilka razy z miejscowej komendy, ale nikogo nie zastali. Udało się ustalić, że wyjechała do sanatorium, do Kołobrzegu. Spróbujemy, znowu za pośrednictwem, sprawdzić, czy wie coś o losach bratanka.

Szkudła wreszcie podszedł do biurka. Ciężko usiadł na krześle. Podniósł się na chwilę, sięgnął do kieszeni spodni i wyciągnął z niej wymiętoloną paczkę. Pustą, jak się okazało. Otworzył szufladę biurka i zlustrował ją. Jakby niedowierzając, przerzucił jej zawartość dłonią. Zatrzasnął szufladę z łoskotem i niezadowoleniem. Sięgnął do musztardówki z paluszkami. Wyciągnął jednego i zaczął go paznokciem oskubywać z grudek soli. Ada przyglądała się jego palcom – grubym, mocno owłosionym, upapranym nikotyną, a najgorsze były te paznokcie właśnie: twarde, zbyt długie, wypiłowane w ostry czub. „Krogulcze" – pomyślała. Jak taką dłonią można dotykać kobiecej piersi? Przypomniały się jej zgrabne dłonie Andrzeja, z miękkimi opuszkami. Napięcie, które w niej siedziało, nie znajdowało ujścia – zero seksu, zero alkoholu. „To pierdyknie, musi pierdyknąć".

– Wy wierzycie w to, że to któryś z nich by mógł być? – zapytał wreszcie Szkudła. – Tak naprawdę ich oskarżacie? – dodał już ciszej.

– To nie oskarżenia ani kwestia wiary, a fakty, panie komendancie. Na razie jedyne, które mamy. – Ada wytrzymała jego spojrzenie. Zresztą wolała patrzeć na jego twarz niż na dłonie.

– Poszlaki – sarknął Szkudła.

– Tak, poszlaki – odparła twardo Ada.

– No dobrze. Trzymając się, hipotetycznie, tej wersji, to według was Harabasiuk albo Fornal ryzykowaliby wszystkim, co mają? Pracą, pozycją, wolnością, życiem może nawet, bo za takie zbrodnie to stryczek jak nic.

– Może to im daje coś, co bardziej cenią? Co jest dla nich ważniejsze? A może nawet to coś takiego, co bierze nad nimi górę, czemu nie potrafią się oprzeć?

– A co niby? Seks? Harabasiuk wdowiec, gdyby chciał, toby sobie przygruchał jakąś. Warunki ma, możliwości ma, tylko prawie na bank chęci nie ma. A nawet gdyby jednak, to co? Nie mógłby po ludzku, jak człowiek, nie jak ta bestia? I myślicie, że Zygmunt też nie może się inaczej poksiutać? Wolny człowiek jest, ma ochotę na panienki, to hulaj dusza! Ja wam to muszę tłumaczyć, jak wy z Warszawy przyjechaliście, gdzie takie rzeczy to nie pierwszyzna.

– Mogliby. A doktor Fornal to z tej możliwości nawet często korzysta. Ale tu o coś więcej chodzi, może mają takie specyficzne potrzeby erotyczne, że nie dawało rady zwyczajnie?

– Właśnie, ja w tej sprawie... – Tomczycki wreszcie włączył się do rozmowy.

Szkudła i Ada spojrzeli na niego. Czasami można było zapomnieć o jego obecności. Wtapiał się w tło, milczał, potakiwał. Był na wyposażeniu komendy, ale niezbyt często eksploatowany.

– Bo dziś rano, kiedy przeglądałem akta, znalazłem coś interesującego.

Ada się zdziwiła, więcej – nieprzyjemnie się zdziwiła. Do tej pory zawsze od razu dzielił się z nią każdym spostrzeżeniem, uwagą, wątpliwością. Tomczycki trafnie odczytał jej wzrok.

– Pani porucznik, to było wcześnie rano. Ja przyszedłem do pracy przed czasem, bo tych akt tyle... No i zdążyłem dokończyć wczoraj zaczętą teczkę, a potem otworzyłem kolejną, znaczy tą. – Lekko drżącymi palcami przesunął na środek stołu szarą tekturę. Rozwiązał przybrudzone wstążki i wyciągnął z niej plik kartek.

„Tę". Ada była wkurwiona. Fakt, narada zaczynała się o ósmej, ona jeszcze rozmawiała z Beatą, która ją zagadnęła na korytarzu, ale mógł jej jakoś dać znać. I co on tam właściwie znalazł?

– Tadeusz Nowak – zaczął Tomczycki.

– Coś mi to mówi... – Szkudła zmarszczył krzaczaste brwi.

– Wyszedł w siedemdziesiątym drugim. Siedział pół roku, za pobicie żony.

– A, tak, tam na grubo szło – przypomniał sobie Szkudła.

– I za gwałt – dodał Tomczycki.

– Gwałt? – Szkudła się zdziwił.

– Tak – potwierdził Tomczycki. – Na żonie.

– A, teraz pamiętam. Fakt, było coś takiego. Ale to sprawy małżeńskie, niezrozumienie, jakieś niesnaski. Dlatego mi nie przychodził do głowy jako podejrzany w naszej sprawie.

– Ale był gwałt? – upewniła się Ada.

– Był – potwierdził Tomczycki. – Na żonie właśnie.

– Na żonie to ja nie wiem, czy to jednak gwałt... – Szkudła w końcu odgryzł kawałek paluszka, którym do tej pory się bawił.

„Mentalność capa" – pomyślała Ada. Nie miała ochoty na kolejną przepychankę. Niesnaski, jak on to powiedział. Mina Tomczyckiego świadczyła o tym, że coś go rzeczywiście zaniepokoiło, niech jak najszybciej to z siebie wydusi.

– Sąd tak orzekł. Wyrok skazujący, siedem miesięcy, bo wyraził skruchę, kajał się. Dobra opinia z zakładu pracy.

– Co teraz robi? – zapytała Ada.

– To samo co przed sprawą. Jest sanitariuszem weterynaryjnym w pegeerze, w Mikołajewie.

„Sanitariusz. Od zwierząt, ale medyk".

Myśli Szkudły musiały iść tym samym torem, bo się wyprostował i zapytał:

– No i co dziwnego w związku z tym Nowakiem znalazłeś?

Tomczycki spojrzał na kartki przed sobą.

– Więc wyszedł w siedemdziesiątym drugim. Pracował, żadnych skarg ani spraw nie było. W siedemdziesiątym piątym, na początku roku, rozwiedli się, mam tu taką informację.

– A z jakiej okazji to trafiło do akt? – zdziwiła się Ada. – Po co państwo zaglądało temu Nowakowi do sypialni?

– Nie zaglądało, to znaczy… – Tomczycki ewidentnie czuł, że porucznik Krzesicka jest zła, ponieważ o nowym wątku w sprawie dowiaduje się na naradzie u komendanta. Jeszcze gotowa pomyśleć, że on coś przed nią ukrywa, a on naprawdę nie zdążył jej przekazać. Jej ironii bał się najbardziej, bo najbardziej bezradny był właśnie wobec niej.

– To przy kolejnej sprawie. O pobicie.

– Żony? – zapytał Szkudła. – Dlatego rozwód?

– Nie, to było już po rozwodzie. Sprawa z Ełku. Nowak pobił się z facetem.

„Pffff!... Też mi coś".

– I? – Szkudła zaczynał się niecierpliwić.

– Rzecz w tym, że to było po tym, jak Nowak wyszedł z tego, no, z burdelu. A właściwie nie wyszedł, tylko go ten, z którym się pobił, wyrzucił. A to był taki, jakby to, stręczyciel…

– Alfons. – Szkudła nazywał sprawy po imieniu. – A dlaczego się pobili?

– Właśnie. To jest ciekawe. Nowak najpierw nie chciał nic powiedzieć, ale miejscowa milicja zna tę melinę i wie o procederach, co tam się dzieją. I tego, Mroczka, czy inaczej: alfonsa, też zna. Więc od razu było jasne, że chodzi o dziewczynę. Cała trójka się początkowo zapierała, ale potem dziewczyna zeznała, że owszem, przyszedł do niej, że się umówili na randkę, tak powiedziała. Wcześniej się nie znali, ale nie wyglądał podejrzanie, nawet myślała, że mocno nieśmiały jest. Ale potem... Przeczytam: „Poprosił, żebym się rozebrała, sam jeszcze był w ubraniu. Potem poprosił, żebym się położyła, to się położyłam. On nadal nie zdjął spodni. Patrzył na mnie, aż mi się zrobiło nieswojo, bo w końcu nie po to przyszedł, żeby się gapić. I wtedy mnie poprosił, żebym zamknęła oczy. Dziwne, ale co tam, różni się zdarzają. Tylko że zamknęłam oczy i dalej nic się nie działo. Otworzyłam, on chyba zaczął się rozbierać, bo miał spodnie rozpięte. Zdenerwował się, że podglądam, jak to powiedział. Dlatego chciał, żebym przykryła twarz bluzką. No takie zboczenia to nie dla mnie. Odmówiłam, a on się wściekł. Zaczęłam krzyczeć, przyleciał Zdzisiek i go wywlókł na korytarz". I potem ta bijatyka, z podwórka na ulicę, aż przyuważył ich patrol. Nowak milczał, ten Zdzisiek Mroczek też niechętnie opowiadał, w końcu dziewczyna wyjawiła, o co tam poszło. Nowak był karany za przemoc wobec żony, ale tu do niczego nie zdążyło ostatecznie dojść. Za bijatykę dostał trzy miesiące. Odsiedział dwa.

– Kiedy to było? – zapytał Szkudła.

– Rok temu. Wyszedł na początku tego roku.

Szkudła wstał od biurka. Przeszedł do okna i z powrotem. I tak kilka razy. Potem stanął przed nimi i powiedział:

– Bardzo dobrze, Tomczycki. Czuję, że wiatr zadął w nasze żagle. Pojedziecie sprawdzić tego Nowaka.

Ada wpatrywała się w fotografię, którą wyjęła z teczki przyniesionej przez Tomczyckiego. Patrzył na nią około czterdziestoletni facet, łysiejący brunet z zakolami, kartoflanym nosem i dużymi uszami. To nie była twarz inteligenta ani Adonisa. Czym by uwiódł te dziewczyny, zwłaszcza Okoń, która mówiła o tajemniczym znajomym, zapewne mordercy, że nawet z wyglądu jest do niej podobny? Fakt, w burdelu zachowywał się dziwnie, ale generalnie faceci, którzy chodzą w takie miejsca, są dziwni, bo inaczej zapoznaliby jakąś miłą, zwyczajną dziewczynę i już. Nie czuła, żeby to mógł być on. Wciąż uważała, że morderca to ktoś bystry, wyzwanie dla śledczych.

– Teraz, już, pani porucznik. Do pracy, szukacie go i sprawdzacie alibi. A potem od razu wracacie na komendę i zdajecie raport.

Nie było sensu dyskutować. Szkudła był jak pies myśliwski, który poczuł zwierzynę – w amoku, bez szansy na odwołanie.

– Tak jest, panie komendancie – powiedział za nią Tomczycki.

Wyszli.

* * *

Ada miała wrażenie, że teren pegeeru obejmuje całe województwo. Co tam województwo – rozciąga się na całą Polskę: budynki robocze, stodoły, obory, cholera wie, co jeszcze, przecież się na tym nie znała, była dzieckiem z miasta, ciągniki, traktory, jakieś metalowe ustrojstwa do pracy na polu, krowy, świnie, hektary. A po bokach bloki, a właściwie czworaki, porozrzucane betonowe piętrowe pudełka ze wspólną klatką schodową. Przed tymi budynkami trzepaki i sznury do suszenia bielizny, a na nich prześcieradła. „Jak to schnie? Przecież zamarza. To potem wstawiają taką przymrożoną płachtę do pokoiku i co dalej?...” – myślała Ada, kiedy wysiedli z auta i zaczęli szukać Tadeusza Nowaka.

– Właściwie to się cieszę, że mieszkam w Suwałkach. – Ada patrzyła na ten świat dokoła i miała wrażenie, jakby się cofnęła do dziewiętnastego wieku. Niby mechanizacja, udogodnienia, autobus do miasta, stołówka, ale za tym wszystkim kryła się jakaś beznadzieja. Jak się żyje, gdy każdy dzień taki sam? Zaplanowane odgórnie życie?

– No, ja też, nie chciałbym pracować na roli, to ciężki kawałek chleba. Wolę mój drewniak, ogródek mamy. Tata króliki hoduje. Blisko do kościoła i na komendę. Ale tutaj to nawet nieźle wygląda. Z rozmachem pobudowane, warunki przyzwoite, o, nawet chodniki są przy domach, dalej może też pociągną. – Sierżant był z ducha pozytywistą.

– A nie wydaje ci się, że to życie to jak w kołowrotku? Dzień za dniem taki sam, a potem emerytura. A właściwie to co oni robią, gdy idą na emeryturę? Zostają tu? Czy dokądś się przenoszą?

– E, no chyba tu. No bo dokąd? – Tomczycki nigdy się nad tym nie zastanawiał. W ogóle nie myślał o przyszłości, ani obcych, ani swojej. Kiedy się ma dwadzieścia lat, to życie ogranicza się do dziś. Zwłaszcza kiedy obok jest ktoś taki jak porucznik Ada Krzesicka.

– A gdyby to się kiedyś nagle skończyło? – zapytała.

– Ale jak skończyło? – Tomczycki nie zrozumiał.

– No normalnie. Było i nie ma. A ci ludzie musieliby sobie sami ułożyć życie. To byłoby im lepiej czy gorzej, jak myślisz?

Tomczycki aż przystanął. Ada Krzesicka nieodmiennie go fascynowała. Była z innego świata, inaczej się ubierała, inaczej wyglądała, inaczej mówiła. Imponowało mu to, Warszawa to musi być coś niesamowitego, nie do wyobrażenia – taki rozmach, gwar, możliwości. Ale chyba nawet tam ludzie mają poukładane życia, to znaczy robią to, co muszą robić, jak wszyscy.

Bo gdyby nie musieli… gdyby on, Tomczycki, nie musiał… Ta myśl go poraziła. Gdyby mógł robić, co by tylko chciał… Tak, porucznik Krzesicka była niezwykła – czasem wystarczyło, że tylko o coś zapytała, a w człowieku zrywała się burza.

– Tomczycki, ty mnie słuchasz? – Tym razem głos miała zniecierpliwiony. Chyba za bardzo się zamyślił.

– Tak, pani porucznik? Bo ja właśnie o tym, czy byłoby lepiej…

– Dobra, to sobie jeszcze pomyślisz w domu, a teraz znajdźmy tego Nowaka, bo mi stopy marzną. Mogłoby być cieplej, cholera.

– E, tak lepiej. Gdyby było cieplej, to po błocku byśmy chodzili. Ten kierownik powiedział, że to ostatni budynek, drogą od obory numer pięć. No i tak poszliśmy, to jest ostatni, ale na liście lokatorów nie było Nowaka, no to...

– Słuchaj, a może to tamten?... – Ada wskazała ręką na szary klocek jakieś trzysta metrów dalej, pod lasem. – To chyba też mieszkalny.

Tomczycki kiwnął głową i poszli.

Tu zamiast szerokiej alejki z udeptanym śniegiem była wąska ścieżka, tak że z trudem mieściły się na niej dwie stopy obok siebie. Trzeba je było układać w jednej linii, żeby śnieg z boków nie wsypał się za cholewki.

Doszli do budynku. Też był murowany, ale pojedynczy, to znaczy parterowy, z jednymi drzwiami wejściowymi. Przybrudzone okno po lewej zasłaniała gęsta firanka, ale przebijało przez nią delikatne światło. Okno po prawej było całkowicie ciemne.

Tomczycki nacisnął klamkę. Weszli do małego przedpokoju, po obu stronach którego były kolejne drzwi. Na wprost wisiał jakiś kilim. Drzwi po lewej, do okna ze światłem, wyglądały normalnie, to znaczy były szare, ze stalową klamką, te po prawej takie same, ale zamontowano na nich rygiel, z drugiej strony dokręcony do futryny. Wisiała na nim kłódka.

– Dobra, to pukamy. – Ada zdjęła rękawiczkę i energicznie zastukała. Luz między drzwiami a futryną sprawił, że drzwi się lekko zachybotały. Po chwili klamka się ugięła i ktoś im otworzył.

W progu stał Tadeusz Nowak, prawie taki sam jak na zdjęciu z akt. To znaczy twarz miał taką samą, bo reszty ciała na fotografii przecież nie było. Duży, zwalisty wręcz facet – w szerokich spodniach, raczej od garnituru, ściśniętych w pasie odznaczającym się pod grubym bordowym swetrem skórzanym paskiem. Spod swetra wystawał kołnierzyk koszuli w musztardowym kolorze. „Chyba tak ma ta koszula, a nie, że to z brudu" – pomyślała Ada. Nie bez powodu – mieszkanie wyglądało więcej niż smętnie: bure linoleum na podłodze, na gołej ścianie dwa wbite gwoździe służące za haczyki, na nich granatowa kufajka, pod nią walonki. Po lewej chyba kuchnia, bo dostrzegła taboret, po prawej pokój, ten oświetlony. I tyle. Z suchego opisu można by wnioskować, że to melinowate wnętrze, ale Ada nie wyczuła żadnego przykrego zapachu, cebuli nie licząc. Usłyszała natomiast muzykę, która w ogóle nie pasowała ani do mieszkania, ani do jego lokatora. „To chyba Vivaldi" – stwierdziła ze zdumieniem.

– A wyście co za jedni? – zapytał Nowak, stając tak, żeby nie mogli zrobić kroku dalej. Był naprawdę masywny.

– Milicja Obywatelska, komenda miejska w Suwałkach, porucznik Ada Krzesicka, sierżant Piotr Tomczycki. – Ada wyciągnęła legitymację z torebki.

Nowak przekręcił włącznik. Nad ich głowami rozbłysła żarówka.

Nie zrobiło się od tego ładniej, ale Ada zauważyła, że w mieszkaniu jest czysto – żadnych plam, brudów, gratów.

Nowak przez chwilę wpatrywał się w okazany dokument, potem podniósł wzrok na Adę.

– A czemu ta wizyta? Był miesiąc temu posterunkowy z Sejn, żadnych uwag nie zgłaszał. Wiem, że jestem na warunkowym, zresztą i bez tego bym niczego wbrew prawu nie robił. Dość już przeszłem.

„Przeszedłem" – pomyślała Ada, ale tak automatycznie, bez irytacji. Spodziewała się kogoś bardziej odrażającego, groźniejszego, antypatycznego. A Nowak był... no, na świętego nie wyglądał, ale to był raczej typ raptusa, kogoś podatnego na impulsy. I dość prostego. Strategiem zbrodni na pewno nie był. Akta twierdziły, że był damskim bokserem i że zgwałcił żonę. Coś na pewno było na rzeczy. Zarazem z kilkuletniego doświadczenia pracy w milicji wiedziała, że nikt nie budzi w ludziach tak gwałtownych, ostrych emocji jak mąż albo żona. W złych małżeństwach ślubny lub ślubna byli niesamowicie silnymi wyzwalaczami, prowokującymi do bardzo brutalnych zbrodni.

– A co pan przeszedł? – zapytała. – A w ogóle to możemy wejść dalej?

Nowak wzruszył ramionami, mruknął coś pod nosem, odwrócił się i poszedł do pokoju. Przez poszarzałą szybę drugiego okna widać było ścianę lasu.

Usiedli na rozklekotanych krzesłach przy niedużym prostokątnym stole, na którym leżała gazeta. „Współczesna" – Ada przeczytała napis na winiecie.

– Lubi pan czytać? – zagaiła. Ludzie, których myśli na chwilę się odciągnie od niewygodnego dla nich tematu, odprężają się i są rozmowniejsi.

– Nie – odparł. – Muzykę lubię, ale żadne podrygałki. – Nowak wstał, aby ściszyć radio. – A to, to stara gazeta, z zeszłego roku. Śledzie jadłem. Z cebulą. Nie chciałem stołu uwalać. A gazeta ze świetlicy, pozwalają brać, jak już nieaktualne.

Rzeczywiście, była i data – 25 listopada 1975.

– Panie Nowak, czy domyśla się pan, dlaczego do pana przyszliśmy? – Nie było sensu dłużej tego przeciągać.

– No… z powodu tego Ełku.

– A co było w tym Ełku? – zapytała Ada.

Nowak popatrzył na nią, jakby nagle nabrał podejrzeń, czy jej legitymacja jest prawdziwa.

– A to pani władza nie wie? To jak to?... – Był szczerze zagubiony.

– Wiem. To znaczy znam sprawę z akt. Ale chciałabym, żeby mi pan sam opowiedział, o co tam poszło.

– No o co… bójka była, ale nikomu włos z głowy nie spadł. Sprzeczka można powiedzieć, tyle że na pięści. Ale to on mnie pierwszy za chabety wziął…

– A dlaczego?

Nowak wzruszył ramionami. I cicho odpowiedział:

– Przez niezrozumienie. – Spuścił głowę. W tonie głosu i intonacji Ada usłyszała zażenowanie, bezradność i wstyd. „W ten sposób daleko nie zajedziemy". Nowak nie był chyba cwany, on po prostu nie chciał o tym mówić.

– Dobrze, panie Nowak, to ja pana naprowadzę. Był pan u… – Ada przekartkowała notes – Marioli Bączyk. Zgadza się?

Nowak smętnie kiwnął głową.

– I to podczas tej wizyty doszło do, jak pan to powiedział, sprzeczki.

Nowak kiwnął głową po raz drugi. Jeszcze bardziej smętnie.

– A dlaczego?

Nowak milczał.

– Wiemy, czym się zajmuje Mariola Bączyk – powiedziała Ada.

Na policzkach Nowaka pojawiły się czerwone plamy. Wciąż jednak milczał. W tle zaczęło się solo fletu z akompaniamentem klawesynu.

„Jezu, nic z niego nie wyciągniemy. To znaczy ja nie wyciągnę. On się mnie wstydzi. Może Tomczycki?..." Spojrzała na sierżanta. Siedział obok niej, z rękami na kolanach, wyprostowany i milczący. I może też odrobinę spięty. Oraz różowy. „Czy on już kiedyś uprawiał seks?" – to pytanie do niej wróciło. Jakoś nie mogła sobie wyobrazić Tomczyckiego w łóżku.

Chrząknęła, kilka razy. Tomczycki spojrzał na nią z niepokojem.

– Przepraszam, czy mógłby mi pan dać coś do picia?

„Czy on tu w ogóle ma bieżącą wodę?"

– A co? Bo ja mam tylko… mleko mam.

– Doskonale. Coś mi wpadło do gardła.

Nienawidziła mleka. Od przedszkola i gorącej zupy mlecznej, na której robiły się paskudne kożuchy. Zdejmowała je, a one odrastały, jak głowy smoka. A jeśli przypadkiem któryś się schował między makaronem albo kaszą manną i przykleił do podniebienia, to natychmiast miała odruch wymiotny. Raz się zresztą nie skończyło na odruchu – blat stolika, rajtuzy i kapcie dzieci, ich talerze – wszystko to pokryło się jej wymiocinami.

Nowak niepewnie wstał i, oglądając się za siebie, poszedł do drugiego pomieszczenia.

– Słuchaj. – Szarpnęła Tomczyckiego za ramię. – Kiedy mi przyniesie mleko, powiem, że muszę do toalety, i wyjdę na chwilę. A ty z nim pogadasz. On się wstydzi, rozumiesz? Mnie się wstydzi bardziej, bo jestem kobietą. Tobie może coś powie. Wyciągnij z niego, o co tam poszło z tą prostytutką.

Tomczycki wciąż był różowawy, ale przytomnie zapytał:

– A pani porucznik jest pewna, że tu jest toaleta?

„Kurwa, no". Ale lepszego pomysłu nie miała.

Nowak wrócił. Postawił przed Adą metalowy kubek z mlekiem.

– Proszę. Z dzisiejszego udoju.

Żołądek podszedł jej do gardła.

– Dziękuję. – Odchrząknęła. – A mogłabym jeszcze skorzystać z toalety? – Uśmiechnęła się przepraszająco.

– No, to musi pani porucznik wyjść do sieni i tam na wprost drzwi wejściowych są inne drzwi, i to jest ustęp.

– Nie widziałam trzecich drzwi, tylko drugie, naprzeciwko.

– Są, za kotarą. Zaprowadzić?

„A, więc to była kotara, nie kilim, który miał zatrzymywać ciepło".

– Nie, nie, dam sobie radę. Sierżant Tomczycki dokończy rozmowę.

Tomczycki przejechał dłońmi po kolanach. Denerwował się.

Ada wyszła z pokoju na korytarz, przy okazji rozglądając się po mieszkaniu Nowaka. Tak, było całkiem czysto, to znaczy nie było ewidentnie brudno. Mało sprzętów, zimno, ponurawo, ale bez bajzlu. Mieszkanie samotnego faceta w kiepskim pegeerowskim budynku. Smutek smutków.

Wyszła na korytarz. Odsunęła zasłonę, rzeczywiście, były za nią drzwi. Otworzyła.

– Kurwa.

W wąskiej klitce, w betonowej posadzce była dziura, a na ścianie za nią metalowa rura hydrauliczna ze spustem. Obok stał taboret ze ścinkami gazet. W przeciwnym rogu stół z białą obtłuczoną miednicą. I tyle.

Tu już nie pachniało dobrze. Nie mogła jednak za szybko wrócić. Opuściła pomieszczenie, nie zamykając drzwi. Stanęła przy kotarze. Wilgotnawy zapach stęchlizny był w porównaniu z wyziewami z dołu kloacznego jak lawendowa łąka.

Oparła się o ścianę. „Czym facet z takiej nory mógłby zwabić te dziewczyny, które pewnie marzyły, żeby wyjechać z Suwałk do innego, lepszego życia?" – pomyślała. Jak je uwiódł słowami, skoro tak nieporadnie je składał? Na Vivaldiego? A jednocześnie jego historia przestępcza mogła wzbudzić w Szkudle zrozumiały entuzjazm. Wreszcie jakiś konkret. I to taki, który na papierze dobrze wygląda. „Dobra, chyba już". Znowu odchyliła kotarę, lekko popchnęła drzwi, a potem pociągnęła z impetem za klamkę, aż huknęło. Zasunęła kotarę i wróciła do mieszkania.

Tomczycki i Nowak siedzieli przy stole, jak ich zostawiła. Milczeli.

„Kurwa, chyba nie cały czas?" Ostatnio wciąż przeklinała. Ale co ma robić, jeśli nie pali, nie pije i nie spotyka się z Andrzejem? Czuła, że jest jak tykająca bomba, przepełniona różnymi „nie": niespełnieniami, niepowodzeniami, niezrozumieniem.

– I jak, sierżancie? Przebieg wydarzeń z zajścia w Ełku ustalony? – odezwała się jak rasowy przełożony.

– Takk – odpowiedział Tomczycki. O jedno k za dużo, czyli jednak kosztowało go to sporo nerwów.

– Dobrze, to teraz jeszcze zapytamy obywatela Nowaka, co robił w następujących dniach: dwudziesty trzeci września, dwudziesty dziewiąty października, dwudziesty pierwszy listopada.

Nowak patrzył na nią, jakby go zapytała, jaką książkę ostatnio przeczytał.

– Nie wiem, pani sierżant, kto by to spamiętał? Dzień podobny do dnia, czy miesiąc temu czy trzy, wydaje się, że tak samo i to samo.

– To pomogę. – Ada wyciągnęła kartki z wypisanymi na maszynie miesiącami i dniami. – Dwudziesty pierwszy września to była niedziela.

– To chyba nic. Nie pracuję przecież. A jak nie pracuję, to w domu jestem.

– Sam?

– Ano sam. Rozwodnik jestem.

– I z nikim się pan wtedy nie spotkał? Nigdzie nie wychodził?

– Wychodzić to pewnie i wyszłem. Zaraz za domem las ładny jest, grzybny. Suszę na zimę, mogę pokazać, w kuchni mam kilka sznurów.

– Na razie nie ma potrzeby. A dwudziestego trzeciego października? I ten dzień w listopadzie? To już w tygodniu roboczym.

– Nie pamiętam, ale u kierownika jest zeszyt, to się wpisuję, jak wyjazdy są, można sprawdzić, dzień po dniu.

– A dużo pan jeździ?

Nowak pokiwał głową.

– Zbiera się. Pastwiska w różnych miejscach, kurniki, konie też do zaopiekowania, czasem do jakiegoś gospodarstwa zajadę. Roboty jest dużo.

– Czyli mówi pan, że kierownik ma zeszyt? – upewniła się Ada.

– Ma. A o co się właściwie rozchodzi? – Nowak znowu zrobił się podenerwowany.

– Rutynowe kontrole w województwie. Na razie to wszystko, ale zapewne dostanie pan wezwanie na komendę na oficjalne przesłuchanie.

– Mleka pani nie wypije? – zapytał Nowak, jakby nie zrozumiał albo nie usłyszał jej słów. Albo nie chciał zrozumieć lub usłyszeć.

– Słucham? A, tak, pewnie.

Podniosła metalowy kubek do ust. To był inny zapach, nie taki jak z butelki, jeszcze gorszy. Policzyła do trzech i wzięła dwa duże łyki. Przeszył ją dreszcz obrzydzenia.

– Dziękuję. Pomogło. – Przemogła grymas i próbowała się uśmiechnąć.

Nowak spróbował odwzajemnić uśmiech.

Obojgu kiepsko to wyszło.

* * *

– I co ci powiedział? – zapytała Tomczyckiego, gdy z wąskiej ścieżki przeszli na szerzej wydeptaną w śniegu alejkę.

– On... no najpierw się wstydził, a potem... potem powiedział, że się wstydził. Też. – Tomczycki był pełen zrozumienia dla tej motywacji Nowaka, klienta burdelu. – Przyznał, że chciał, żeby zamknęła oczy, ale ona się z nim droczyła, tak powiedział, więc dla pewności chciał jej założyć na głowę bluzkę czy tam coś z ubrania, żeby się nie bać, że będzie go podglądała.

– Ale dlaczego? Przecież był w miejscu, gdzie nagość jest oczywista. I akceptowana. Za pieniądze, fakt, ale jednak. Coś z tym Nowakiem jest nie w porządku.

– To pani porucznik wie? – zdziwił się Tomczycki.

– Ale co wiem? No właśnie nie wiem, dlatego... Aha. – Nagle do niej dotarło. – Dobra, to co to jest? Co on ci powiedział?

Doszli do budynku, w którym urzędował kierownik. Tomczycki stał przed Adą i oglądał czubki swoich butów.

– On, znaczy Nowak, ją... ją...

– Co „ją"? Jąka się? Przecież normalnie mówił.

– Jądra jednego nie ma – wypalił Tomczycki, jakby jak najszybciej chciał się pozbyć tej informacji.

Rozdział 20

– Taciewo i Okrągłe, bardzo ciekawe, nie sądzicie? – Szkudła po raz pierwszy od długiego czasu był zadowolony.

Ada wpatrywała się w mapę i niechętnie musiała przyznać, że było w tym coś ciekawego. A raczej nieprzyjemnie niefortunnego dla Nowaka, że dwudziestego dziewiątego października właśnie w tych miejscowościach, jak pokazywał zeszyt kierownika, kolczykował, leczył kopyta i w innym celu wyciągał swoją torbę z narzędziami felczerskimi. Do Prudziszek nie było stąd daleko, kilka kilometrów. Dwudziestego pierwszego listopada wpisu w zeszycie na temat Nowaka kierownik nie zrobił, co znaczyło, że ten pracował na miejscu, a to stanowiło tylko pozorne alibi. Kiedy Ada zapytała kierownika, czy w związku z tym, że Nowak nie opuszczał pegeeru, usłyszała: „To już trzeba by się bydła spytać. Ogromny teren, przejście całego zajmuje ponad dwie godziny. Nie upilnuje się ludzi, niestety, można robić różne rzeczy". Charakterystycznie podpuchnięte oczy kierownika zdradzały, że i siebie upilnować nie potrafi.

– No i jeszcze ten defekt. W niczym chyba nie przeszkadza, znaczy się, może, zresztą musi móc, inaczej nie byłoby sprawy o gwałt. Ale... – Szkudła zawiesił na chwilę głos. Widać było, że jest na fali. – ...to nie jest coś, czym facet chciałby się chwalić. Taki brak może powodować, że on się czuje gorszy, że się wstydzi. Wiemy, że jest porywczy. A teraz, jak się doda dwa do dwóch, to nam wyjdzie, że pewnie doznawał przykrości ze strony kobiet. Skoro nawet z żoną i z kur... z prostytutką znaczy, mu nie poszło, to z innymi to już wcale. Jedyny sposób to... – Tym razem zamilkł na dłużej, czekając, aż któreś z jego podwładnych dokończy zdanie, przekuwając je w oczywisty wniosek.

Ada milczała. Miała opór przed tym oczywistym wnioskiem. Klocki układały się – teoretycznie – w niekorzystny dla Nowaka obrazek, ale ten facet po prostu nie pasował na Bestię, ich Bestię. Był za oczywisty, za prosty, za porywczy, za mało subtelny, a zarazem, paradoksalnie, było w nim coś niewinnego.

– Przymusić kogoś, to znaczy kobietę. Żeby chciała – powiedział Tomczycki. Widać było, że trudno mu wytrzymać tę przedłużającą się ciszę.

– Otóż to, Tomczycki, otóż to, chłopaku.

Ta łaskawość w głosie Szkudły coraz bardziej niepokoiła Adę. „Czy oni już odtrąbią zwycięstwo?"

– Profil osobowościowy nie pasuje – odezwała się wreszcie.

– Profilem chcecie fakty przebijać? – Szkudła nie zamierzał odpuścić.

– A oczy? – zapytała Ada.

– A co oczy? Nie potrafiłby wyjąć, hę? Technik weterynarii? Co się tu pani porucznik nie zgadza?

– Po co mu te oczy?

– Po co? Po co?! – Szkudła wstał zza biurka. – Bo go wkurwiało, że się gapią na niego i na to jego jedno jajko! No – wykonał zamaszysty gest w powietrzu – i po sprawie.

– Wystarczyłoby, żeby je otumanił, potem by im te bluzki kładł na twarz czy co innego i też załatwione. – Ada była sceptyczna.

– Właśnie – i chloroform dostać to dla niego nie taka trudna sprawa. – Szkudła wyciągał z tej rozmowy to, co chciał. – A ty jak myślisz, Tomczycki, co?

Tomczycki czuł się jak w potrzasku. Z jednej strony komendant, który dziś pierwszy raz od dłuższego czasu ich nie opieprzał, a nawet był zadowolony. Z drugiej porucznik Ada, która miała wątpliwości. Rozmawiali o tym, kiedy wracali na komendę. „Nie ten..." Jak to było?... operus moderandi?... nie: *modus operandi*, tak powiedziała: „Nie ten *modus operandi*". A przecież się znała, porucznik z Warszawy w końcu. I naprawdę mądra. A z trzeciej strony to...

– W końcu ty wyszukałeś tę sprawę w aktach, jak kłębek nitki, co nam się rozwinął i nas doprowadził do Nowaka. – Szkudła wyczekująco patrzył na Tomczyckiego.

„Po nitce do kłębka – pomyślała Ada – tak się mówi. Jak z kłębka do nitki, to po co rozwijać?".

* * *

Milczeli oboje. Ada wiedziała, że niekomfortowa cisza między nimi zaboli Tomczyckiego. Gdyby go od razu opieprzyła, to powietrze by się oczyściło i po sprawie. A tak to sierżant nie ma pojęcia, czego się spodziewać. Bez jasności co do relacji między nimi było mu ciężko. Dzisiejsza narada to był dzień jego triumfu – komendant go docenił. I to w związku z najbardziej zawikłaną sprawą w historii tej komendy – sprawą Bestii, która kładła się cieniem na bezpieczeństwie obywatelek Suwałk i nowo powstałego województwa, a także na karierze komendanta Szkudły. Niewykluczone, że by go przenieśli gdzieś na małą komendę, a tu dali kogoś innego. I nie wiadomo, jaki ten ktoś by był. Komendant Szkudła ma swoje wady, ale to są wady poznane, znajome, a przez to jakby bezpieczne. Co prawda, porucznik Krzesicka też była jakiś czas temu nowa, ale to kobieta. Niezwyczajna kobieta. Dlatego tym bardziej się gryzł – bo porucznik Krzesicka nie wierzyła w winę Nowaka. „Intuicja" – powiedziała mu, kiedy wracali na komendę. Tomczycki nigdy by się nie odważył powołać na intuicję, nawet gdyby ją miał. Wiedział, co ona oznacza, ale nigdy mu nic z sensem nie podpowiedziała.

– Myślisz, że to Nowak? – zapytała w końcu Ada.

Tomczycki odetchnął, mimo wszystko.

– Nie wiem – przyznał najszczerzej, jak umiał. – On by rzeczywiście mógł każdego z tych dni być w miejscach morderstw, to wykonalne.

– Powiedział nam, że nie zna żadnej z tych kobiet. Wyobrażasz sobie, jak je zaczepia i zaprasza na randki, a one się zgadzają? Musiały iść z nim z własnej woli. Nie ma śladów walki, nic pod paznokciami ofiar, nie broniły się. Żadnych śladów ciągnięcia ciała lub przenoszenia. Nic. Chciały tam być. Z nim. – Zabrzmiało to złowieszczo.

Tomczycki pokręcił głową. On by też nie potrafił, a Nowak wyglądał, jakby nie potrafił jeszcze bardziej.

– Ale może ten... brak, co on go ma, to może to jest jednak powód? – Wstyd akurat Tomczycki bardzo dobrze rozumiał.

– Żeby dusić i wydłubywać oczy? Nie, to nie ten typ. Lękliwy, czasem porywczy, ale to nie psychopata, który planuje z zimną krwią. Obstawiamy złego konia, Tomczycki.

– Komendant uważa, że dobrze, jak to pani porucznik mówi, obstawiamy.

– Bo komendant albo wygra, albo zostanie bankrutem. Dla niego to gonitwa o życie.

Znowu zamilkli.

– Pójdę już – powiedział Tomczycki. – Mama czeka z kolacją – dodał ciszej i jakby z rezygnacją.

Ada pokiwała głową. Jej się nie spieszyło. W pustym mieszkaniu służbowym może się poczuć tylko gorzej.

Kwadrans później jednak i ona wstała zza biurka. Byle nie siedzieć, nie dać się natłokowi myśli. Może się przejdzie, potem sobie włączy radio, może nawet coś wypierze czy wyprasuje – trzeba jakoś zabić ten wieczór.

Kiedy wychodziła, zobaczyła, że na biurku Beaty wciąż się świeci lampka. Po chwili zobaczyła też samą Beatę, która wracała z łazienki. Na korytarzu zapachniało perfumami.

– O, ty jeszcze tu? – zdziwiła się sekretarka Szkudły.

– Tak samo pomyślałam o tobie – odpowiedziała Ada.

– A, daj spokój. – Czerwone paznokcie Beaty zakreśliły w powietrzu łuk. – Tyle mi dziś stary dowalił: porządkowanie papierów, składanie teczek, jakieś pisma. Muszę teraz odpocząć. Idę do Jaćwieskiej. Może byś się wybrała?

Ada spojrzał na obcisłą sukienkę Beaty, jej utapirowane włosy, mocny makijaż. Potem przypomniała sobie swoje poranne odbicie w lustrze – dżinsy, moherowy luźny sweter, tłusty krem na policzkach, bo przecież jechali na to wygwizdowo.

– Dobra, idziemy – zdecydowała.

Kim by się miała tu przejmować?

* * *

– I widzisz, to zupełnie niepotrzebne inwestycje. – Beata wysunęła spod stolika całkiem zgrabną nogę w nowych kozakach. – Choćbym nie wiem, co robiła, to dupa. – Czknęła i zaraz pokryła to *faux pas* perlistym śmiechem. – Przepraszam, to przez ten likier.

Ada wyrozumiale kiwnęła głową. Ona też piła, tylko miała mocniejszą głowę. I więcej praktyki. No i nie wybierała jakichś kolorowych świństw. Dziś – sangria. Słodko wchodzi, do wuzetki może nawet za słodko, ale co robić, gdy wszystko dokoła takie słono-gorzkie?

– A Tomczycki? – zapytała.

– Co Tomczycki? Że dla mnie? E, daj spokój. – Beata znowu się roześmiała. – To nieśmiały szczyl. Zresztą stracony dla kobiet, bo wpatrzony w ciebie jak w obrazek.

– No coś ty –zaprzeczyła Ada kurtuazyjnie, choć przecież widziała zauroczenie sierżanta.

– No ja nie mówię, że ty byś chciała i coś by z tego mogło być, bo jasne, że on dla ciebie za młody, ale tak jest. – Szczerość Beaty wzrastała z każdym kolejnym kieliszkiem alkoholu. – Wgapia się w ciebie jak cielak.

– Ale naprawdę nie ma tu żadnego sensownego faceta, który by nie miał żony, za to miał mieszkanie, świeży oddech i trochę manier? – Zapytała Ada. Ona, co prawda, nikogo takiego nie poznała przez pół roku, no ale Beata żyje tu od urodzenia.

– Świeży oddech… No i widzisz, nawet poszłam do tego nowego dentysty, ale nic z tego nie wyszło. Oglądał moje zęby, jakby jego życie od tego zależało. Wycierpiałam się tylko, bo znalazł ubytki i zasuwał tą bormaszyną, aż mnie ciarki przechodziły. A nie o takie ciarki chodziło… A szkoda, bo ma miłą twarz, spokojny jest, no i zawód konkretny. Może nie jestem w jego typie? – zapytała, niedowierzając jednak.

Ada pocieszająco wzruszyła ramionami. Na niej dentysta zrobił wrażenie lękliwego maminsynka. Zresztą mieszkał z matką. W wieku trzydziestu siedmiu lat. To o czymś świadczy.

– A ten inspektor z sanepidu? – przypomniała sobie nagle Ada.

– Kunda? – zdumiała się Beata. – Nie, zupełnie nie.

– A czego mu brakuje? – Teraz zdziwiła się Ada, odganiając obraz nieszczęsnego Nowaka.

– Pociągu do kobiet. To wiesz, ten... – Beata zrobiła znaczącą minę.

– Woli facetów? – To Adzie nie przyszło do głowy.

– Najpierw myślałam, że to ze mną jest coś nie tak, bo on był zupełnie nieczuły na moje wdzięki. Żadnych aluzji nie łapał, nic. A potem mijały tygodnie, miesiące, i też nic. Znaczy jest samotny, nigdy go z żadną kobietą nie widziałam.

„To chyba nie jest dobry moment na wyznania" – pomyślała Ada, która w tej samej kawiarni piła z Kundą kawę. Fakt, wyrywny nie był, ale to raczej na plus mu się liczyło. Najwyraźniej Beata lubiła bardzo męskich facetów, takich, co to nie owijają w bawełnę i nie chcą wspólnie oglądać znaczków pocztowych.

– Zresztą on tak prywatnie to w ogóle dziwny. Na przykład jak kiedyś był na imieninach komendanta, to nie pił alkoholu. Wyobrażasz sobie?

– Z trudem – przyznała Ada szczerze. – Słuchaj, a Fornal?

Beata jakby otrzeźwiała.

– W żadnym razie. Nasz doktorek nie szuka żony czy nawet dziewczyny tak na dłużej. To zabawowy typ. I nie w taki sposób jak ja, to znaczy jak my teraz – zastrzegła. – On tylko wygląda tak niewinnie.

Ada pomyślała, że akurat niewinności nigdy by Fornalowi nie przypisała.

– Niewinnie? Mnie to on się wydaje taki lepki, wiesz, co mam na myśli, każdą kobietę by obmacywał.

– A, to tak. Ale to w sumie zwyczajna sprawa u zwyczajnego faceta, biologia po prostu. – Beata ewidentnie była bardziej tolerancyjna. – Niewinny w tym sensie, że wszyscy myślą, że to takie macanki-nieobiecanki, na wesoło. A on nie zawsze jest na wesoło. Kiedyś – nachyliła się do Ady – był u komendanta. To już było wieczorem, po pracy. On i jeszcze kilku tych szeryfów, co to tu w Suwałkach by chcieli rządzić. Popili się, głośno było, ale w sumie normalnie, nie pierwszyzna. Fornal wyszedł z gabinetu i mówi do mnie, że komendant już mi dziękuje i mogę iść do domu. No to zaczęłam się zbierać. A jak się nachyliłam po torebkę z szuflady, to mnie złapał za tyłek. Ale nie tak wiesz zwyczajnie, tylko tak obleśnie. I w ogóle zaczął mnie obmacywać, tak nachalnie, jak dzikus jakiś, no jakby nie mógł się powstrzymać. Popchnął na ścianę, mało co, a... Zaczęłam się szarpać, w końcu go podrapałam. I jakoś otrzeźwiał.

– Nie zgłosiłaś tego komendantowi? – zapytała Ada, choć raczej bez przekonania.

– A po co? Zaraz by go usprawiedliwił. I jeszcze dodał, że jak się nosi takie krótkie spódniczki, to jakby się faceta prowokowało... No ale my tu nie po to, żeby o tych starych dziadach gadać, tylko po to, żeby się rozerwać. Halo! – Teatralnym szeptem przywołała kelnerkę. – Sowietskoje igristoje dla nas. Ja stawiam – dodała, gdy zostały same przy stoliku.

– A co my właściwie świętujemy? – Ada nie miała ochoty się opierać, choć radziecki szampan nie był dla niej trunkiem pierwszego wyboru. Potrzebowała jednak odreagować i się znieczulić. W domu, do lustra, to by było słabe, ale z koleżanką, przy stoliku? Kulturalnie, jak ludzie.

– Pijemy akonto. – Beata podniosła kieliszek.

***

Dwie godziny później świat wyglądał już mniej nieprzyjaźnie. I mniej wyraźnie. Po szampanie był jeszcze winiak. Potem Ada resztką silnej woli odmówiła dalszego picia za przyszłe matrymonialne sukcesy Beaty, „które muszą się, kurwa, wydarzyć", i obie opuściły Jaćwieską. Sekretarka mieszkała rzut beretem, zresztą po drodze do mieszkania Ady, więc ten kawałek przeszły wspólnie, choć niepewnie. Dalej Ada wędrowała już sama. Było cholernie zimno, ale to akurat dobrze, bo czuła się coraz bardziej pijana. Po kiego łączyła alkohole? I jeszcze ten szampan, którego nie lubiła. Gazowane siki.

Szła, starając się zachować linię prostą. Przed oczami miała biało-szare plamy: śnieg na chodniku, szare fasady budynków, śnieg na szarych dachach. Falująca mozaika. Ulica, z latarniami i gołymi pniami drzew, tak śmiesznie się zbiegała, jakby w oddali miała się skurczyć do jednego punktu. Przymykając jedno oko, Ada starała się odzyskać perspektywę. Byłoby może nawet ładnie, gdyby jednak nie zrobiło się jej trochę niedobrze. Przystanęła, oparła dłonie na udach i, lekko się chwiejąc, pochyliła się. „Żeby tylko nie rzygać" – pomyślała. W domu to w porządku, ale publicznie... Dobrze, że nikogo nie ma w pobliżu. I wtedy usłyszała za plecami głos:

– Dobry wieczór, pani Ado. Może mógłbym jakoś pomóc?

Powoli się podniosła i odwróciła. Z lekkim opóźnieniem reagowała na bodźce, a głos dobiegał jak spod wody. Jan Kunda.

– A co pan tu robi? – zapytała. – Kurwa – dodała po cichu. Typowe odwrócenie uwagi: zamiast się tłumaczyć ze swojego położenia, przerzuci rozmowę na jego temat. Ale się chyba nie udało.

– Wyszedłem na spacer. Lubię taką samotność, a po mroźnym marszu lepiej się śpi. Polecam. Tylko może w lepszej kondycji. – Spojrzał na Adę z troską. – Odprowadzę panią.

Ada wykonała gest, jakby się wzbraniała. Próbowała się wyprostować i bez dryfu ustać na nogach. To ćwiczenie słabo jej wychodziło. Z trudem łapała sens słyszanych słów.

– Wiem, milicja nie potrzebuje ochrony, ale, proszę mi wybaczyć bezpośredniość, to nierozsądne, żeby tak po nocy samej chodzić. W końcu ostatnio nie jest tu u nas bezpiecznie, prawda? – Miło się uśmiechnął.

„Nie dość, że mnie widzi zalaną, to jeszcze dowala, choć to całkiem sympatyczny człowiek". Świat wciąż gniewnie wirował, ale adrenalina pomagała Adzie zebrać myśli.

– Już zaraz będzie bezpiecznie – powiedziała z pijacką pewnością, która szarpnęła ją niespodziewanie na bok.

– Tak? – zdziwił się uprzejmie inspektor.

– Tak – przytaknęła, próbując odzyskać równowagę. – Mamy podejrzanego. Milicja, kurwa, się sprawiła.

„Po co ja to gadam" – zatliła się iskierka zdrowego rozsądku, ale zaraz zgasła.

Inspektor wciąż się uśmiechał. Wziął ją pod ramię, delikatnie, choć pewnie asekurując przed upadkiem.

„Może i pedzio, ale w porządku" – pomyślała Ada. I nagle jakby coś w niej pękło. Tygodnie stresu, niepowodzeń, spieprzonego życia osobistego. Zalała ją fala żalu nad sobą i jakiejś tkliwości. Zdania popłynęły alkoholową strugą.

– Uwierzyłby pan, kogo? Nowaka. Takie oryginalne nazwisko. Kto by się spodziewał. Felczera czy jak tam, technika od bydła. – Zatrzymała się i spojrzała na niego z pijacką bystrością. – A... Chuj. Pan jest swój, to panu powiem. Bo niby nie ma alibi, a ma problemy z... – Poczuła, że się zagalopowała. O takich sprawach jednak nie będzie mówić, zwłaszcza jeśli inspektor rzeczywiście kocha inaczej, bo wtedy to i on ma trudne życie. Nawet trudniejsze niż Nowak z jednym jądrem. – Nie, jednak panu nie powiem. Śledztwo, wicie, rozumicie. – Kwestię zakończyła cichym beknięciem.

– No, to sukces, prawda? – Kunda podtrzymał jej ramię, bo lekko się zachwiała. – Chodźmy, mróz dziś solidny.

Ada znowu zaczęła stawiać niepewne kroki.

– Prawie. Prawie. Dowodów brak. – Zaniosła się głośnym śmiechem. – Po-szla-ki – wysylabizowała. W ogóle trudno jej się mówiło i nie wiadomo, czy bardziej od mrozu, czy od alkoholu.

Nawet ją to cieszyło. Bo to znaczyło, że los Nowaka, faceta ze zwichrowanym życiorysem i z takąż fizjologią, mimo tych wygodnych dla śledztwa okoliczności niewinnego, chyba wciąż nie jest przesądzony.

– Czyli jeszcze nie będzie ogłoszonego sukcesu?

Mijali kolejne budynki; w tle majaczył już jej blok.

– To się okaże. Przeczytasz we „Współczesnej". Albo w „Głosie Suwałk".

– Pani, pani Ado, nie wydaje się przekonana. – Jan Kunda, niezrażony tym nagłym przejściem na „ty", wyczuwał jej dystans co do tego sukcesu.

„Sukcesu". Zaśmiała się ironicznie. Nagle wszystko jej odpuściło. Pomyślała, że to zabawne, że idzie, ubzdryngolona, w środku nocy, z miłym obywatelem, który bardziej od niej wierzy w działania Milicji Obywatelskiej. I to takie grubymi nićmi szyte. Mimo że mróz ściskał jej policzki, a stopy przeszywały tysiące igieł, zrobiło się jej gorąco. Przystanęła.

– Latarnia nie działa. – Popatrzyła do góry na ciemny klosz.

– W tym roku stawiali. Ale wszystko ekspresowo, różne niedoróbki wychodzą.

– Niedoróbki! Właśnie. Kurewskie – powiedziała, patrząc na inspektora, który miał zagubiony wzrok. – Bo czasem bywa tak, że najciemniej pod latarnią. Szuka się winnych gdzieś po polach i lasach, a tymczasem pod nosem… – Starała się mówić głośno i wyraźnie. Wróciły mdłości. Zakręciło się jej w głowie, w brzuchu nieprzyjemnie się przewaliło. – Pod nosem doktorki różne z lepkimi łapami, też bez alibi i…

Nie dała rady. Sernik, sangria, szarlotka, śledzie, winiak i radziecki szampan. Nerwy, niepewność i oblepiające ją od tygodni poczucie beznadziei. Wyrzuciła to wszystko z siebie, wstrząsana spazmatycznymi, rwanymi ruchami przepony.

A potem zrobiło się jej bardzo słabo. Kolana zaczęły drżeć, świat zaczął wirować. Pustka, rozchodząca się od brzucha, powoli obejmowała całe ciało.

Przed oczami znowu migały jej plamy, jak w kalejdoskopie. Kołysała się, ziemia uciekała jej spod nóg.

A potem nagle opadła w jakąś miękkość. Ciemną, ale ciepłą.

Rozdział 21

Znowu było podobnie, jak tamtego poranka, kiedy próbowała złapać pion po trudach weekendu, i przyszedł Tomczycki, żeby powiedzieć, że mają morderstwo. Podobnie, ale jednak gorzej, dużo gorzej. Wtedy świadkiem jej upodlenia było tylko lustro, a teraz... „Kurwa, Jezu! Co się w ogóle stało?" Adzie zdarzało się już mieć urwany film i doskonale znała to bardzo nieprzyjemne uczucie niepewności pomieszane z poczuciem winy. Przecież zdawała sobie sprawę, że taki palimpsest, czarna dziura – jak zwał tak zwał – to czas kompletnej utraty kontroli nad własnym życiem. Ona mogła zrobić wszystko i jej się mogło wszystko przytrafić. Wszystko. Ada mało pamiętała z wczorajszego wieczoru, głównie szczynowaty smak radzieckiego szampana. I to, że kawałek szła z Beatą, swoją drogą mocny ma łeb ta dziewczyna jednak, nie doceniała jej, a potem sama, a później spotkała.... Kundę? Tak, Kundę, który ją tu chyba odprowadził, a raczej zawlókł. Chyba o czymś rozmawiali? Coś mu opowiadała. Chyba, chyba. Znowu otworzyła oczy. Świat oglądała z pozycji horyzontalnej, ułożona na własnym tapczanie i starannie przykryta kocem. Sama by się tak nie opatuliła, a i pewnie miałaby problem, żeby trafić kluczem do zamka. A skoro tak leży, to znaczy, że inspektor otworzył drzwi i wszedł z nią tutaj. O Boże! Wsunęła rękę pod koc. Sweter i dżinsy były na swoim miejscu. Może to naprawdę przyzwoity facet, a może nie miał ochoty na seks z kobietą, która chwilę wcześniej obrzygała chodnik – bo to Ada pamiętała. Albo jest ciotą, jak twierdzi Beata. Wiedziała z doświadczenia, że powoli, w ciągu dnia różne fragmenty przeszłości będą do niej wracać, ale póki co w głowie miała tylko zamęt.

– Kurwa – wymamrotała, próbując wstać. Ile razy można sobie obiecać, że już się tak nie zdarzy?...

Powoli usiadła na łóżku. W głowie regularnie jej dudniło, usta miała wyschnięte, a język jak kołek. Wstała, przytrzymując się ściany. Drobiąc i przesuwając dłonią po tynku, poszła do łazienki. Przechodząc koło drzwi wejściowych, zobaczyła, że na podłodze leży klucz. Nacisnęła klamkę – drzwi nie ustąpiły, co znaczyło, że Kunda zamknął je z zewnątrz, a potem wsunął klucz pod spodem.

„Trzeba chronić milicję, skoro milicja w rozsypce" – pomyślała. Mgliście się jej przypomniało, że coś w tym stylu powiedziała Kundzie. Chyba nie skompromitowała się osobiście, opowiadając o trudnym losie kochanki na wygnaniu, ale zdaje się, że niezbyt pochlebnie się wypowiadała o komendancie i jego teoriach. Tak! Najpierw się wyrzygała, a potem słownie dała upust żółci. Dobrze, że Kunda trochę na uboczu się trzyma, boby ją Szkudła opieprzył za rozpuszczanie języka.

Rozebrała się i weszła do wanny. Z prysznica leciała tylko letnia woda, i bardzo dobrze. Włożyła do ust szczoteczkę z obfitą porcją pasty. Po chwili zakręciła kurek z czerwoną kropką, zostawiając tylko strumień z niebieskiej.

– Kurwaaa! – warknęła, gdy lodowate igły zaatakowały jej ciało. Zagryzła wargi i policzyła do dwudziestu. Potem wyszła z wanny, dygocząc, i wytarła się w ręcznik. Był wilgotny i lekko dawał stęchlizną. „Tu wszystko gnije – pomyślała. – A ja?".

Wyciągnęła z szafy koszulę i wełnianą kamizelkę, wróciła do łazienki po dżinsy. Trochę je zalała wodą, ale trudno. Obejrzała nogawki – czyste, bez rozbryzgów wymiocin. Przynajmniej tyle.

Poszła do kuchni, wmusiła w siebie kromkę chleba z masłem i dwie szklanki wody, a potem połknęła trzy polopiryny. Ręce jej niepokojąco drżały. Setka winiaku załatwiłaby sprawę. „Nie mogę, nie chcę" – to była jej poranna modlitwa.

– Nie mogę na ciebie patrzeć – powiedziała zapuchniętej babie w lustrze.

Po chwili trzasnęła drzwiami wyjściowymi.

* * *

Szła szybkim krokiem, wdychając mroźne powietrze. Czterdzieści pięć minut to minimum, zanim wejdzie na komendę. Mijała kolejne bloki, domy, witryny. Kobiety z siatkami, w których stukały szklane butelki z mlekiem, przytupujące kolejki do mięsnego i meblowego, dzieci szczelnie obwiązane szalikami, tabliczkę z nazwą ulicy: Waryńskiego. Z ciekawości skręciła w Noniewicza, w stronę zakładu fotograficznego. Z odległości kilkudziesięciu kroków zobaczyła niebieski materiał na wystawie, czyli nic się nie zmieniło od zeszłego razu. Prawie nic, bo kiedy podeszła bliżej, zauważyła, że z drzwi zniknęła kartka informująca o zamknięciu lokalu. Krata była zasunięta, ale to nic dziwnego, bo wciąż był wczesny poranek. Ada postanowiła przyjść tu w ciągu dnia, razem z Tomczyckim. Tomczycki… Mimowolny bohater, odkrywca Nowaka, pierwszego poważnego podejrzanego. Póki dowodów brak, piłka jest jednak w grze. „No bo co? Jednym jądrem Szkudła przekona prokuratora?" – pomyślała. Przypomniało się jej spotkanie z Andrzejem na komendzie. Nie to narzędzie zbrodni, nie ta ręka, portmonetka bez odcisków palców Marchwickiego, a i tak czekał w więzieniu na stryczek. Nie takie cuda sądy widziały.

Nie wierzyła w winę Nowaka, ale ta niewiara to było jedyne, czym teraz dysponowała. Prócz niej miała mgliste poczucie, że gdzieś blisko, na wyciagnięcie ręki, dzieją się brzydkie, mroczne rzeczy. Znikający Harabasiuk i zdjęcie Iwony Kołeckiej, zbyt jednoznaczny w seksualnych obsesjach Fornal, zapętlony Szkudła.

Doszła do komendy. Na korytarzu spotkała Beatę.

– Cześć! – zaświergotała jej do ucha sekretarka. Naprawdę mocna głowa.

– Cześć. – Ada ściągnęła z siebie kurtkę.

– I jak po wczorajszym? – padło sakramentalne pytanie. – Trochę się martwiłam o ciebie. – Beata też odwiesiła płaszcz. Dzisiaj jej pełne uda odsłaniała rozkloszowana miniówa. Sekretarka Szkudły nosiła ubrania minimalistyczne, jeśli idzie o ilość materiału potrzebnego na ich uszycie.

– Dałam radę. Właściwie to pan Jan mnie odprowadził – powiedziała Ada.

– Pan Jan? Kunda znaczy? Tak? – zdziwiła się Beata, na chwilę zapominając o uśmiechu. – A co on tam robił?

Ada wzruszyła ramionami.

– Nie mam pojęcia, przecież go nie śledzę. Powiedział, że lubi spacery przed snem.

– Może być. – Beata wydawała się uspokojona tym wyjaśnieniem. – Mówiłam ci, to dziwak. A on poszedł z tobą do samego mieszkania?

„Wciąż czujna – pomyślała Ada. – Panna na przeciągającym się wydaniu. A ze mnie żadna rywalka".

– Tak. I nawet mnie przykrył kocem, a potem zamknął drzwi od zewnątrz i wsunął klucz. I nic, zupełnie nic nie zaszło – dodała, żeby nie było nawet cienia wątpliwości.

Beata ewidentnie odetchnęła.

– Widzisz, mówiłam ci: dziwak. Miły, ale dziwak. Zupełnie niewyrywny do kobiet. Do facetów zresztą chyba też nie, ale oni to się muszą ukrywać, nie? Pewnie dlatego taki samotny biedaczek. Chociaż i tak wyszedł na prostą, bo życie to miał zupełnie do dupy. Ta historia z matką... – Beata smutno pokiwała głową nad losem inspektora Kundy.

– No. Choroby rakowe są okropne – zgodziła się Ada.

– Tak, chyba tak – przytaknęła Beata, lekko zdziwiona. – A dlaczego teraz ci to przyszło do głowy?

– Z powodu Kundy – wyjaśniła Ada, lekko skonfundowana.

– Jezus, on jest chory? – Beata się przejęła.

– Nie, skąd, znaczy wygląda dobrze. Jego matka była chora na raka. Umarła.

Beata spojrzała na nią zdumiona.

– Kunda umarła, bo się zabiła. Popełniła samobójstwo.

Na chwilę zapanowała cisza. Ada próbowała zbolałą jeszcze głową ogarnąć otrzymaną informację. Z zakamarków pamięci wracała do niej rozmowa, współczucie i smutek, które przeżywała, kiedy Kunda dzielił się z nią swoimi wspomnieniami, a te przywoływały jej własne traumy z dzieciństwa. Poczuła się nieswojo. Oszukana.

– Powiedział mi, że jego matka umarła z powodu choroby rakowej. – Ada już przypomniała sobie tę rozmowę, na pewno dobrze go wtedy zrozumiała.

– Niemożliwe. Co prawda, to było już ładnych parę lat temu, może nawet paręnaście, ale u nas nie tak często ludzie się zabijają. A ona tak, odkręciła gaz i tyle.

– Dlaczego mnie okłamał? – zapytała Ada. Na głos, choć raczej kierowała to pytanie do siebie.

Beata wzruszyła ramionami.

– Może się wstydził? – zasugerowała. – Wiesz... Jego matka była panną, nigdy nie wyszła za mąż. Nie dorastał w tradycyjnym domu. Mimo wszystko jej śmierć musiała go mocno trzepnąć. Matka to jednak matka, jaka by nie była – westchnęła.

– On wyjechał na studia, prawda?

– Tak. – Beata kiwnęła głową. – Myślę, że chciał uciec od tego miejsca, od bólu. Może też od ludzkich języków. Wiesz, jak to jest... Ksiądz się podobno z trudem dał przekonać, żeby ją na cmentarzu pochować, a nie pod murem. Targnąć się na swoje życie to grzech ciężki.

„Mordercy mają tu fory" – pomyślała Ada.

– A jednak wrócił z tych studiów – zauważyła.

– Widać znane śmieci są lepsze od obcego świata – stwierdziła filozoficznie Beata.

Może. Było jej trochę dziwnie, że ją okłamał. Jednak nie ma ludzi bez tajemnic.

* * *

– Świeci się – powiedział Tomczycki. – Znaczy jest w środku. Wchodzimy? – Spojrzał na Adę.

Bez oporu przyjął informację, że idą do Harabasiuka. Z poczucia winy, że jej nie uprzedził o Nowaku, to na pewno. Ale czy z przeświadczeniem, że wciąż szukają Bestii, bo facet z pegeeru jest ślepym tropem, tego nie wiedziała. Tomczycki był milczący, bardziej niż zwykle. A ona skacowana, też ponad przeciętność.

Kiwnęła głową. Nacisnęła klamkę, drzwi zaskrzypiały.

Ściany niewielkiego pomieszczenia były obwieszone fotografiami. Szybko przeleciała je wzrokiem – Kołeckiej nie wypatrzyła.

Zza ciemnej kotary wyłonił się niewysoki blondyn. W marynarce, pod krawatem. W rękach trzymał okulary w stylu Gomułki. Speszył się na ich widok.

– Dzień dobry – powiedział, patrząc na Tomczyckiego.

– Dzień dobry. Ja... to jest porucznik Ada Krzesicka. Z naszej komendy.

Ada kiwnęła głową. Znali się. Nic dziwnego, Tomczycki też tu pewnie robił zdjęcia do dokumentów.

– Chcielibyśmy z panem porozmawiać. – Ada wyjęła jednak legitymację, żeby było całkowicie formalnie. – Byliśmy tutaj w zeszłym tygodniu, ale zakład był nieczynny. Chorował pan? – Jednocześnie uważnie przyglądała się fotografowi, próbując w mowie ciała, mimice znaleźć szczeliny lub potwierdzenie tego, co wyrażały słowa.

Fotograf był bladawy, ale może gdy się całymi dniami siedzi w suterenie lub w ciemni, to całkiem zwyczajna sprawa. Niewątpliwie był zdenerwowany. Bardzo. Uciekał wzrokiem, częściej odwracał się do nich półprofilem, wkładał i zdejmował okulary, ręce albo krzyżował na wątłym torsie, albo podpierał dość szerokie biodra – przyjmował postawę obronną – i to wszystko prawie jednocześnie.

– Nie – zaprzeczył smutno. – Nie byłem chory, pojechałem... pojechałem odpocząć, do ciotki, do Tolkmicka.

– Wiemy, gdzie mieszka pana ciotka. Koledzy z komendy we Fromborku kilka razy próbowali pana odwiedzić, ale się im nie udawało. Ktoś potwierdzi, że pan tam był?

– No ciotka przecież. – Harabasiuk nerwowo poprawiał węzeł krawata. – Ale o co chodzi? – Znowu wsunął okulary na nos. Spoza szkieł jego oczy wydawały się ogromne i czujnie wystraszone, jak u lemura.

– Zaraz wszystko się wyjaśni. A ciotka przypadkiem nie jest jeszcze w Kołobrzegu? – zapytała Ada.

– No jest, w sanatorium się leczy.

– Czyli też odpoczywa, ale gdzie indziej... Zatem w Tolkmicku był pan sam?

– Przyjechałem, ciotka kolejnego dnia odjechała pekaesem do Elbląga, a stamtąd dalej, do Kołobrzegu. Ale dlaczego właściwie milicję interesuje moja ciotka? To spokojny człowiek, emerytka... Coś się jej stało?

„Niby w melancholii, wycofany, a próbuje odwrócić kota ogonem" – pomyślała sceptycznie Ada.

– Mamy nadzieję, że u cioci wszystko w porządku. Milicja życzy jej dobrego turnusu. A nas interesuje pan, panie Harabasiuk. – Zabrzmiało ironicznie, i takie miało być. – Pan był w milicji, prawda?

– Przecież wiecie. – Z fotografa zeszło powietrze. Znowu ściskał krawat. – Wszystko macie w aktach.

– Wiemy. – Pokiwała głową Ada. – Ale w aktach mamy suche fakty, a nas interesują powody i pobudki. Dlaczego pan odszedł z milicji?

Tomczycki się spiął. Ona też znała odpowiedź i wiedziała, że to będzie dla Harabasiuka jak grzebanie w niezagojonej ranie, ale trudno – trzeba go tym wyprowadzić z równowagi, żeby potem nie miał siły kręcić w sprawie zdjęć z wystawy.

– To też wiecie. – Głos mu się załamał. Jeśli grał, to miał predyspozycje do aktorstwa. – Przez żonę. Jadwinia... Po tym próbowałem jeszcze pracować w milicji przez kilka lat, ale coraz gorzej mi szło. Pal sześć, jak trzeba było fotografować męskie zwłoki. Ale kiedy kobiece... A najgorzej to takie, co to były katowane, gwałcone. – Zacisnął dłonie w pięści. – To ja już nie mogłem, to było ponad moje siły.

– Rozumiem – oznajmiła Ada beznamiętnym tonem. Kątem oka zauważyła, że Tomczyckiego zabolała jej obojętność.

Trudno. – Ale przez kilka lat się jednak panu udawało wykonywać obowiązki zawodowe. Przerwa po śmierci żony jest zrozumiała, ale potem była jeszcze jedna, dłuższa, w szpitalu w Choroszczy. Trzy miesiące, czyli kilka razy dłużej niż pobyt w sanatorium. I kilkanaście razy dłużej niż u cioci w Tolkmicku. A jednak nie pomogło, bo niecały rok później złożył pan rezygnację. Akurat po sprawie samobójstwa, z Choroszczy właśnie. Mógłby mi pan przybliżyć te fakty? – Zaakcentowała słowo „fakty".

Harabasiuk zaczął nerwowo chodzić po zakładzie. Ada odruchowo przesunęła się w stronę drzwi. „Czy tu jest wyjście przez zaplecze?" – pomyślała.

– Ja… ja nie rozumiem, po co rozdrapywać stare rany. Dość się już wycierpiałem… – mówił coraz szybciej i głośniej. – Zresztą ja to nic w porównaniu z Jadziunią… Ona nigdy się nie wyleczyła, ani ciała, ani duszy. Ja tak bardzo chciałem jej pomóc i tak bardzo nie potrafiłem. Zawiodłem, ja też ją zawiodłem! – Prawie się rozszlochał.

Adę coś drasnęło w sercu, ale twarz miała nieporuszoną. Widziała już niejeden spektakl.

– Po pogrzebie nie potrafiłem rano wstać z łóżka. Przez miesiąc w takim półśnie. Potem mnie komendant wyciągnął, inni ludzie pomogli. Ale to wracało. Znaczy było cały czas, niekiedy tylko przycichało. Później jednak się nasiliło. Ja… przestałem być sobą. Jakieś lęki, myśli dziwne.

„Głosy, żeby zgwałcić i udusić" – dopowiedziała w myślach Ada, choć zaraz zrobiło jej się przykro.

– Sam już nie potrafiłem dać sobie rady. I dlatego do Choroszczy...

– Sam się pan zgłosił? – zapytała Ada.

Harabasiuk przystanął wreszcie. Patrzył wprost na Adę. Ich spojrzenia się skrzyżowały.

– Nie. Nie do końca. Doktor mnie skierował. A w szpitalu… Może doktorzy pomagają, ale jak się raz trafi w takie miejsce, to jakby do piekła. Do piekła, rozumie pani? Rozumiecie? – Zrobił krok w jej stronę, aż się odsunęła.

Ada wiedziała i rozumiała. Była kiedyś cały dzień z eskortowanym więźniem w Tworkach i długo nie mogła otrząsnąć się z tego, co tam zobaczyła.

– Tak.

Cofnął się i trochę spokojniej mówił dalej:

– I dlatego, jak potem się zdarzyła ta sprawa samobójstwa, to już coś we mnie ostatecznie pękło. Że ja też tak skończę, jak ten, co prześcieradła porwał i się na nich powiesił. Że mi kompletnie odbije, nie dam rady. Musiałem odejść z milicji. Zakład otworzyłem i tak sobie tu żyję, spokojnie, bez strasznych obrazów.

– Czyli czuje się pan już lepiej? Pytam o zdrowie psychiczne. – Ada wciąż próbowała zachować dystans.

– Tak, trochę. Na tyle, na ile taka tragedia w ogóle może pozwolić człowiekowi na normalne życie. Bo szczęśliwy to ja już nigdy nie będę. Bez Jadziuni. – Wbił wzrok w podłogę.

Tomczycki włożył ręce do kieszeni kurtki. Zawsze tak robił, kiedy się czymś denerwował. Widać było, że ta rozmowa dużo go kosztuje, choć przez cały czas milczał.

– Tak… – zaczęła Ada. – No to już się nam trochę rozjaśniło – spojrzała na sierżanta, podkreślając wspólny front milicyjny – ale mimo złych wspomnień i bólu jednak próbował pan jakoś zawalczyć o to swoje szczęście…

Harabasiuk patrzył na nią nierozumiejącym wzrokiem.

– Pytam o kobiety w pana życiu. Na przykład o Iwonę Kołecką. Bardzo atrakcyjna, młoda, na pewno potrafiłaby pana pocieszyć. Podobała się panu?

Harabasiuk zamarł.

– Ja… – wydukał. – Ale… – Nie potrafił dokończyć.

– No co: ja? Co: ale? – Ada poczuła irytację. Ile można grać kartą wiecznej sieroty? – Bardzo ładnie wyglądała na tej fotografii. Taka pogodna, odprężona. Tu pan zrobił to zdjęcie? W zakładzie? A może w mieszkaniu? Po miłej kolacji z winem? Czy może już rano, przed śniadaniem? – Wiedziała, że prowokuje i sprawia ból.

Harabasiuk się zachwiał, jakby miał zemdleć, ale zaraz się pozbierał.

– Ja wiedziałem, że to wyjdzie! Wiedziałem! Przestraszyłem się, jak tylko ona umarła.

– Została zamordowana – poprawiła go Ada.

– Jak została zamordowana – powtórzył posłusznie Harabasiuk. – Bo to faktycznie prywatne zdjęcie, nie z zakładu. Źle by to mogło wyglądać. Nie wiedziałem, co robić.

– I dlatego pan je ukrył. Co jeszcze pan ukrywa?

– Nie, nie dlatego! Ja nic!

– Ale Kołecka była pana kochanką?

Harabasiukowi na moment odebrało dech. Gdy go odzyskał, wybuchł:

– Nie! Nigdy! Ja bym nie mógł!

Adzie przypomniał się Nowak z jednym jądrem.

– To on! Przez niego to wszystko! Najpierw powiedział, że taka ładna fotka mu wyszła, pełna życia, żebym dał na wystawę, bo same takie pozowane. A potem, jak się to stało, to przyleciał. Kazał ściągnąć z wystawy, zabrał wszystkie odbitki i kliszę, ja naprawdę nic nie mam. I jeszcze kazał mi milczeć, „Ani pary z ust – powiedział. – Do Choroszczy cię znowu wyślę" – zagroził. Zrobiłem, jak chciał, ale potem z tych nerwów, z głupoty uciekłem na kilka dni do Tolkmicka. A przecież całe życie nie mogę uciekać, przed kimś, od kogoś. On będzie zły, okropnie zły. – Harabasiuk ukrył twarz w dłoniach.

– Fornal? Tak? – wyrzuciła z siebie Ada, bo w jednej chwili zobaczyła cały obrazek. Potrzebowała tylko potwierdzenia.

Harabasiuk podniósł na nią wzrok.

– Tak, Zygmunt Fornal. Przecież to lekarz, to on wtedy mnie zawiózł do tego szpitala. I teraz groził.

– Nie o to pytam. Co Fornal ma wspólnego z Kołecką?

Teraz to Harabasiuk wyglądał na zdumionego.

– Jak to co? Oni byli razem. Iwona Kołecka to kiedyś była jego dziewczyna.

* * *

Lamperie są wygodne, bo łatwo z nich zmyć różne brudy. Przejedzie się szmatą i już, czysto. Zwykła farba jest niewytrzymała, każdy ślad zostaje. Dlatego korytarze w szpitalach maluje się farbami olejnymi. Tu, w przychodni, ściany też były podzielone na dwie części – najpierw metrowy mniej więcej pas seledynowej lamperii, potem wylakierowana deska, a nad nią biała farba.

„Fornal jest jak ta lamperia. Błyszczący, łatwozmywalny" – myślała Ada, czekając, aż pacjent wyjdzie z gabinetu. Nie miała ochoty zwlekać z odwiedzinami do zakończenia godzin przyjmowania, dlatego przyszła do przychodni. Na krzesłach z bladej sklejki siedziało kilka osób. Trudno, poczekają.

Drzwi się uchyliły. Ada wstała, równocześnie z nią zażywna czterdziestolatka.

– Ja mam numerek siódmy. – Kobieta wyciągnęła przed siebie dłoń z kwadratowym karteluszkiem. W głosie słychać było ledwo skrywaną pretensję – Teraz ja, bo właśnie szóstka wychodzi.

Ada machnęła jej przed nosem swoją legitymacją.

– Milicja ma zawsze numer pierwszy.

Kobietę zatkało, przez krzesła przetoczył się pomruk zdziwienia.

Ada weszła do gabinetu.

– O, dzień dobry, pani porucznik. – Fornal wstał zza biurka, gotowy do bliższego przywitania, ale Ada powstrzymała go gestem dłoni. Zatrzymał się w pół kroku.

– Dzień dobry, panie doktorze. Wracam prosto z zakładu fotograficznego Henryka Harabasiuka. Znacie się chyba całkiem nieźle, nie tylko zawodowo, prawda?

Fornal kiwnął ostrożnie głową.

– Od dawna?

– Czy ja wiem?... No, długo, obaj się w Suwałkach urodziliśmy, z tym że on jest starszy.

– A korzysta pan z jego usług?

– Jak większość tutaj. – Fornal wzruszył ramionami. – Przepraszam, nie bardzo rozumiem, do czego ma prowadzić ta rozmowa. Bo pacjenci czekają...

– Harabasiuk też jest pana pacjentem.

– Jest. Już pani porucznik pytała o niego. Nie było go w przychodni od kilku tygodni, widać zdrowie mu dopisuje.

– A może się boi pana doktora, bo pobytu w Choroszczy nie wspomina najmilej?... – Ada się uśmiechnęła, pierwszy raz od wejścia do gabinetu, ale nie był to przyjazny uśmiech.

– To szpital psychiatryczny, nie luksusowy hotel, fakt. Henryk Harabasiuk to człowiek trwale chory, z okresami remisji, czyli lepszej formy, ale generalnie do końca życia powinien być pod opieką psychiatry. Nigdy nie wiadomo, czy mu się nie pogorszy. Z tego też powodu nie należy, niestety, brać wszystkich jego wypowiedzi na poważnie. Może się rozmijać z prawdą, nawet bez złych intencji. – Fornal przybrał pogodny wyraz twarzy, jakby właśnie był psychiatrą, który próbuje nawiązać kontakt ze swoim ułomnym intelektualnie pacjentem.

– A pan się też bez złych intencji rozminął z prawdą, zatajając informacje o swojej relacji z Iwoną Kołecką? Kazał pan Harabasiukowi zdjąć jej fotografię z wystawy, groził mu pan, zabrał negatywy i co jeszcze, panie doktorze?

Łagodny uśmiech zniknął. Fornal usiadł ciężko za biurkiem, ukrył twarz w dłoniach, jakby chciał powstrzymać napływające łzy. Wyszło to dość teatralnie. Brak było tylko chusteczki do nosa.

„Co on kombinuje?" – pomyślała Ada. Za grosz nie wierzyła temu człowiekowi, choć starała się zachować minimum obiektywizmu.

– To trudna sprawa. – Dobiegł ją zduszony głos. – Rzeczywiście, trochę spanikowałem. Nie chciałem, żeby mnie z tym całym gównem łączono. To małe miasto, a do fotografa przychodzi dużo ludzi...

– Rzeczywiście, trudna. I panika na miejscu. Nie jest łatwo, gdy była dziewczyna zostaje zamordowana, a nie ma się alibi na ten czas.

Fornal gwałtownie się podniósł. Oczy miał suche. Zamiast łez pałało w nich święte oburzenie.

– Ja? Że ja bym miał ją zamordować? To niedorzeczne! –zaprotestował ostro.

– Niech się pan uspokoi. Od tragedii do sensacji, bogaty ma pan repertuar. Niech pan siada i wreszcie normalnie porozmawiajmy. Albo tu, albo pójdziemy razem na komendę.

Fornal niechętnie usiadł.

– To jak to było? – Ona też usiadła. W przeszklonej szafce za plecami Fornala widziała różne buteleczki, fiolki, pudełka i blistry. Do chloroformu także ma na pewno dostęp. A formalinę to u kumpla Tadzia znajdzie.

– Dawno to było, przede wszystkim – powiedział. – Jakieś pięć lat wstecz. Teraz to już nic, nie spotykaliśmy się. Wiem, że z innymi się zadawała.

– A jej karta w przychodni?

– Ja zakładałem, ale potem chodziła do doktor Kownackiej.

– Tego również pan nie powiedział, kiedy rozmawialiśmy.

– Bo od razu by się zaczęło: dlaczego kiedyś tak, a teraz nie, czy coś się wydarzyło.

– No i tak się zaczęło. Wie pan, co grozi za utrudnianie śledztwa i wprowadzanie funkcjonariusza Milicji Obywatelskiej w błąd?

Fornal wzruszył ramionami.

– Dobra, to wracamy do przeszłości. Mieliście romans?

– Spotykaliśmy się. Romans to raczej złe słowo, bo ja byłem wolny, ona też.

– To dlaczego nic z tego nie wyszło, skoro oboje byliście wolni? I chyba było nieźle, jeśli to zdjęcie u Harabasiuka to pan robił. Kołecka wyglądała tam na szczęśliwą, a pan, skoro pstrykał, to pewnie także był zakochany.

Fornal znowu się uśmiechnął.

– Zakochany?... Nie, raczej nie. To była pewnego rodzaju fascynacja. Erotyczna, tak bym to nazwał. Pani porucznik pewnie rozumie, jak to jest, gdy się dwoje ludzi nie może od siebie odkleić.

„To jednak jest kawał skurwysyna"– pomyślała. Pamiętała, niestety. I drugie niestety – nie tylko erotyka ją do Andrzeja ciągnęła.

– Trochę to trwało, z pół roku jakoś. A potem zaczęło się wypalać.

– U pana, jak rozumiem? – zapytała uprzejmie.

– U mnie, u niej też. Normalna rzecz, taki spadek napięcia. To znak, że czas się żegnać. Ale ona nie myślała o rozstaniu, tylko wręcz przeciwnie, o małżeństwie. „Wyszaleliśmy się, to teraz możemy zacząć myśleć normalnie”. Ja nie mam ochoty się wiązać, od początku jej to mówiłem. Wtedy to akceptowała, potem przestała. Zrobiła się namolna, natarczywa, napastliwa. Nachodziła mnie w pracy, w domu. Groziła, że coś sobie zrobi. Uwodziła, lądowaliśmy w łóżku, myślałem, że to taka nieokiełznana namiętność jednak, a gdy tylko kończyłem papierosa palić, to ona apiać, znowu swoje... – Fornal zamilkł.

Ada była przekonana, że szczerze się nad sobą użalał. Temu facetowi brakowało zupełnie empatii, uczucia czy potrzeby innych nie miały dla niego żadnego znaczenia. Przypomniały się jej słowa Beaty. Fornal szedł i brał, co chciał, jak swoje. „Dupek i egoista, ale czy mógłby zabić?”

– A to zdjęcie... Tak, to ja zrobiłem. Ładne, prawda? To było na samym początku. Bardzo była ponętna wtedy. Jeszcze trochę rozespana, ale już po porannym... No, i to było widać na twarzy. Harabasiuk wywołał, a kiedy zobaczyłem odbitki, pomyślałem, że żal, żeby na takim małym karteluszku to zostało. To zrobił duży kadr. „Wstaw – powiedziałem – na witrynę, to ci klientek przybędzie”. To wstawił, i rzeczywiście, przychodziły, ale on to jest dupa nie facet. Miękkie jajo.

– Sugeruje pan jego niemoc seksualną?

– On ma niemoc w głowie. Czy w rozporku, to nie wiem. Ale jeśli podejrzewa pani, że to on zabija i gwałci, to się pani myli. Nie ten typ.

– Nie, Harabasiuka nie podejrzewam, tylko pana. Co pan na to?

Fornal aż podskoczył. Wstał zza biurka, gwałtownie odsuwając krzesło. Dopiero teraz Ada poczuła zapach peweksowskiego old spice'a, który snuł się razem ze szpitalnymi woniami po całym gabinecie.

– To żart, kpina jakaś. Nie jestem święty, ale od drobnych grzeszków do morderstwa jeszcze kawałek. Poza tym – uspokoił się – ja nie potrzebuję przymuszać kobiet do seksu. Chętne wciąż się znajdują.

„Co one w nim widzą? Chyba tę pewność siebie" – pomyślała Ada.

– Cóż, sprawa jest w toku. Niech pan nie opuszcza miasta, zaproszę pana na oficjalne przesłuchanie. – Wstała i kiwnęła mu głową. Już położyła dłoń na klamce, gdy nagle ją olśniło. „Pięć lat wstecz".

– Ta mała Kołecka to pana dziecko?

Fornal chwilę pomilczał, jakby zastanawiając się nad odpowiedzią, potem kiwnął głową z rezygnacją.

– I to pan jej płacił co miesiąc te pieniądze? I teraz też?

Kiwnął drugi raz.

– I mimo to się pan z nią nie związał?

– To już było po rozstaniu. Ze trzy miesiące później przyszła, że jest w ciąży. Zapytałem, czy na pewno ze mną. Tak mnie walnęła w twarz, że uwierzyłem, to było prawdziwe oburzenie. Ale ja znam ten typ, ona też nie była święta. Na pewno by chodziła na boki. Zresztą już powiedziałem, wiązać się nie chcę, to nie dla mnie. Zobowiązałem się płacić i płaciłem, jestem honorowy. – Spojrzał jej hardo w oczy. – Teraz także płacę, mimo że bym nie musiał.

– A pan podobno był półsierotą, prawda? – Ada wiedziała o tym od Tomczyckiego.

– Byłem. Taki los wojennego pokolenia. Ojciec zginął w czterdziestym czwartym, przed moim urodzeniem. Pogrobowiec, tak się to nazywa. Może dlatego tak lubię korzystać z życia – nigdy nie wiadomo, kiedy się skończy.

Ada pominęła tę psychologiczną analizę.

– Czyli tylko matka pana wychowywała?

Fornal kiwnął głową.

– Ale łatwo pewnie nie było?...

– A jak by mogło być? – prychnął Fornal. – Ale dobrzy ludzie pomagali, nie została sama.

– A gdyby i jej nie było? Nie najlepiej co?

Fornal kiwnął głową, choć dość apatycznie. Nie rozumiał tego nagłego przeskoku.

– To tak ma właśnie teraz ta mała. Niech pan czasem o tym pomyśli. Siódemka może wejść – powiedziała, wychodząc na korytarz.

Do drzwi wejściowych odprowadziło ją siedem par ciekawskich oczu. Sześć – kobiecych.

Rozdział 22

– Jego nie ma w mieszkaniu, panie komendancie. Gdzie jest? No gdzieś na terenie, bo w zeszyt nic nie jest wpisane, nie wyjeżdżał. Znaleźć go tu, to z pół dnia się zejdzie. Na pewno, panie komendancie? Bo porucznik Krzesicka... – Tomczycki lekko odsunął słuchawkę od ucha. – Tak jest, panie komendancie, powtórzę. Co?.. A, teraz, głośno. Dobrze. – Spojrzał na stojącą obok Adę. – Macie natychmiast dokonać rewizji. Mieszkanie należy do pegeeru. Jeśli podejrzany jest na terenie zakładu, to wystarczy. – Głos Tomczyckiego brzmiał, jakby odczytywał telegram. – Tak jest, zrozumiałem, wykonamy – dodał już ciszej.

Odłożył słuchawkę, ale się nie ruszył. Ada też nie. Buzowało w niej. Szkudła wysłuchał jej raportu z przesłuchania Harabasiuka i Fornala, i nic. To znaczy nawet się ucieszył, bo sprawa badania ojcostwa córki Kołeckiej już nie dotyczyła jego bratanka. Twardo jednak obstawał przy podejrzeniach co do Nowaka. I widać miał dar przekonywania, bo prokuratura przychyliła się do przeszukania jego mieszkania. „Prokuratura, czyli kolejny podstarzały cap, który oskarżać zaczął za Stalina" – pomyślała Ada. Zdzisław Wosiuk, dobry znajomy Szkudły, zresztą komendant nie miał złych znajomych. To wszystko zaczynało się niebezpiecznie szybko kręcić. W sumie to może nawet dobrze, że to oni będą przeszukiwać. Nie do końca zgodnie z przepisami, ale przynajmniej uczciwie będzie.

– Chodźmy – powiedziała do Tomczyckiego.

***

Drzwi otworzyli kluczami, które dał im kierownik pegeeru. Mieszkanie Nowaka było tak samo posępne jak poprzednim razem. I tak samo czyste. W kuchni na przykrytym ceratą stole stał ten kubek, w którym przyniósł jej mleka. Umyty. Obok niego obtłuczony talerz z kwiatowym szlaczkiem, też bez śladów używania. Kuchenka trochę zatłuszczona. I zalatująca octem, którym pewnie próbował ją doczyścić. W piekarniku – pusto. W kredensie wyłożonym starymi gazetami – też nic, nie licząc skąpej zastawy i emaliowanego garnka. Próbowała podnieść linoleum – mocno przytwierdzone.

Przeszła do wąskiego, ciemnego korytarza. Tomczycki włączył tę smętną, łysą żarówkę. Obmacała zdefasonowaną marynarkę wiszącą na jednym z gwoździ. W kieszeni znalazła karteluszek. Obrazek z Matką Boską Częstochowską. „Jezu" – pomyślała, bezwiednie adekwatnie. Ludzie nie przestaną jej zadziwiać. O co on się mógł modlić? Był na wycieczce czy raczej pielgrzymce na Jasnej Górze? Spojrzała na ścianę nad drzwiami – żadnego symbolu religijnego tam nie było.

W pokoju zobaczyła Tomczyckiego, który sprawdzał wnętrze tapczanu. Na podłodze obok leżała zdjęta pościel – duża puchowa poduszka i koc obleczony w poszwę. „Trochę przepocone" – pociągnęła nosem.

– Masz coś? – zapytała Tomczyckiego, otwierając szuflady pod blatem stołu.

Sierżant pokręcił głową.

– Na razie czysto – odpowiedział.

„Względnie" – dopowiedziała w myślach Ada. Coś w głosie sierżanta przykuło jej uwagę. Odwróciła się i zobaczyła, że Tomczycki wertuje jakąś kolorową gazetę, chyba zagraniczną, bo litery nie układały się w oczywiste znaczenie.

– Co masz? – zapytała Ada.

– Dla mężczyzn, porno... grafia – odparł spłoszony Tomczycki. Wyglądał, jakby nie mógł się zdecydować, co z tą gazetą zrobić: oglądać dalej czy cisnąć z obrzydzeniem.

– Pokaż. – Ada wyciągnęła rękę.

– Proszę – mruknął Tomczycki, spuszczając oczy.

– Klasyczny świerszczyk. Niemiecki. Trochę przyciężki, ale jest, co potrzeba. – Ada przekartkowała magazyn. – Chyba często był w użyciu – zauważyła. Rogi pozaginane, okładka trochę wytarta. „Dobrze, że mam rękawiczki" – pomyślała, starając się nie wyobrażać sobie konfiguracji, w których występowała ta gazeta podczas momentów uniesień.

„Co się dziwić. Musiało mu to jedno jądro dopiekać". Wiedziała, że to ryzykowne i nieprofesjonalne, ale czuła do tego faceta jakąś... sympatię. Słyszała jeszcze Vivaldiego na przywitanie. Nie, „sympatia" to za duże słowo. Może litość? Na pewno nie potrafiła czuć do niego odrazy. I myśleć o nim jak o Bestii. To był człowiek poturbowany przez los. Tak, pamiętała, że żonę też poturbował, ale czuła, że jeśliby podłubać w tej sprawie, okazałoby się, że kwestia jego ułomności odgrywała tu pewną rolę. Nie sądziła, że kiedyś będzie w takiej sytuacji brać faceta w obronę, starała się go zrozumieć, nie usprawiedliwić. Życie i ludzka natura są bardziej skomplikowane niż sądowe wyroki, zakończyła filozoficznym banałem.

– No dobrze, weźmiemy to, oznacz, niech nasz fotograf zrobi zdjęcie. To co nam tu jeszcze zostało?

Tomczycki rozejrzał się po pokoju.

– Stąd to jeszcze meblościanka. No i nie byliśmy w łazience. A, i jeszcze jest taka drewniana przybudówka, z tyłu. Trzeba wyjść z budynku. Posterunkowy Michalczyk przy niej jest.

– Dobra, kiedy skończysz z łóżkiem, idź do łazienki. Ja zrobię tę przybudówkę.

Tomczycki kiwnął głową.

Ada podeszła do meblościanki. W przeszklonej witrynie stały ciosany kryształowy wazon, gliniany dzbanek i pudełko z kompletem widelczyków deserowych. „To chyba jego część po podziale majątku" – przyszło jej do głowy. Na odkrytych półkach było pustawo. Jakiś poradnik wędkarski, książka *ABC ogrodnictwa*, pudełko z dwiema szpulkami nici i igłą. Otworzyła szafkę. Dwa komplety pościeli; blady róż i biały, w niezapominajki. „Też porozwodowe" – pomyślała. Wyciągnęła je. I wtedy ją zobaczyła. Sfrunęła na zadeptaną podłogę, niebiesko-różowo-fioletowa. Intensywne, nasycone kolory, przeplatające się w wymyślnych esach-floresach. „Jak barwny motyl w zimie" – przeleciało jej przez głowę. Tu, w tej lekko zatęchłej, samczej dziurze, taki powiew wiosny. Niepasujące, dziwne.

Schyliła się, ale śliski materiał z łatwością przesunął się po jej rękawiczkach.

– Jedwab – powiedziała do siebie.

Kiedy się podniosła z apaszką w ręku zobaczyła, że tuż za jej plecami stoi Tomczycki.

– To chyba nie Nowaka – powiedział.

– Nie w jego stylu – przytaknęła ironicznie. Czuła narastające zdziwienie i irytację. To była kobieca apaszka, elegancka, schowana między niewyprasowaną, trochę złachaną pościelą. Zupełnie nieoczekiwana w takim miejscu. Świerszczyk – tak, okej. Ale taka wymuskana galanteria?...

– Czyje to może być, byłej żony? – zastanawiał się Tomczycki.

– Cholera wie – mruknęła Ada. Podniosła materiał do nosa. Wąchała dłuższą chwilę. Jedwab zatrzymał zapach jakiejś wody toaletowej, chyba dość taniej, spod którego dało się wyczuć nutę zapachu, jakiego Krzesicka nie zapomni do końca życia.

– To nie żony – szepnęła do siebie. Ułożyła apaszkę na stoliku, kładąc przy niej kartkę z numerem dwa. I wtedy zobaczyła wyhaftowany inicjał. Tomczycki też go dostrzegł.

– I.K. – przeczytał i z niepokojem spojrzał na panią porucznik.

Ada milczała. Tomczycki również nic więcej nie powiedział, bo i co tu było mówić.

Iwona Kołecka.

* * *

– No, toście się sprawili! – Szkudła klepnął się po udach, a potem wstał, z szurgotem odsuwając krzesło. – Brawo, sierżancie!

Tomczycki lekko się uniósł, jak pochwalony uczeń, który oddaje w ten sposób szacunek nauczycielowi, a potem opadł i zaczął nerwowo zaplatać palce.

Ada poczuła ból w skroniach, tak mocno zacisnęła zęby.

– To sukces sierżanta Tomczyckiego, ale na pewno ze wsparciem naszej pani porucznik. Póki jej tu nie było, sierżant nie miał tak dobrych wyników. – Szkudła położył dłonie na oparciu krzesła i patrzył to na nią, to na Tomczyckiego. – No, fakt, i spraw takich nie mieliśmy. Ale ta jedna nam wystarczy na razie. – Uśmiechnął się szeroko, pokazując sporą szczerbę w górnej szczęce, po lewej stronie. Była tu już pół roku, a dopiero teraz zauważyła ten brak. Znaczy nigdy wcześniej nic go tak nie ucieszyło. – No, ale nim się zabierzemy do świętowania, trzeba jeszcze oficjalnie potwierdzić, że to apaszka Kołeckiej. Pojedziecie do jej matki, okażecie.

– Ja bym została, papiery mam porozwalane na biurku, muszę wreszcie poskładać i do archiwum oddać. – Ada odchrząknęła. – Myślę, że sierżant sam może, ewentualnie z Michalczykiem.

Tomczycki się wzdrygnął. Do tej pory w takich trudnych chwilach stał za plecami Ady. Teraz został sam. No dobra, z Michalczykiem. Czy była na niego zła?...

– Dobrze, niech tak będzie. Porucznik ma rację, w papierach musi być porządek, bo zaraz trzeba będzie akt oskarżenia przygotowywać. No, to do roboty! – Szkudła odepchnął się od oparcia krzesła, wyprostował i wskazał na drzwi, dając im do zrozumienia, że audiencja skończona. Zacierał ręce i był wyraźnie zadowolony.

W pokoju Ada usiadła przy biurku, na którym leżała jedna, przewiązana sznurkiem teczka.

Tomczycki spojrzał na nią wzrokiem zranionej łani.

– To nic osobistego, Tomczycki, naprawdę. – Adzie w końcu zrobiło się go żal. Czy gdyby ona przeglądała dokumenty Nowaka, to zatailaby sprawę bijatyki? Nie, bo to by znaczyło, że powinna odejść z milicji, jeśli jej przeczucia i prywatne opinie biorą górę nad procedurami i systemem zwierzchnictwa. Zarazem jednak miała nieodparte przekonanie, że wpychają niewinnego – przynajmniej w tej sprawie – Nowaka coraz głębiej w szambo. – Mam coś do sprawdzenia w archiwum, nie chciałam się tłumaczyć przy starym. Idź, załatw to i będziemy mieć jasność.

Tomczycki pokiwał głową i nic nie odpowiedział.

Oboje nie mieli złudzeń, że ta apaszka należy do Iwony Kołeckiej.

***

Zygmunt Fornal. Teczka była, ale pusta. Wypełniona metryczka i nic. Prawie nic. Zgłoszenie z siedemdziesiątego roku, ze szpitala. Z magazynku zginęły fartuchy, prześcieradła, gaza i wata. Sprawcy nie wykryto, sprawa umorzona. Zgłaszał Fornal, który miał wtedy dyżur. Nic podejrzanego, kradzieże to powszechna sprawa. Jej samej zdarzało się odczuwać deficyt waty w aptekach. Zawiązała sznurki teczki. Tekturowe boki były lekko zaokrąglone, jakby teczka kiedyś mieściła więcej dokumentów. Gdyby była w niej tylko ta jedna kartka, zachowałaby płaski, dziewiczy kształt. To było zastanawiające. I jeszcze podsyciło podejrzenia Ady.

Zygmunt Fornal. Kawał traktującego kobiety przedmiotowo skurwysyna czy maniak zdolny do okropnych morderstw? A może jedno i drugie. To, że płacił na tę małą, świadczyłoby o tym, że ma jakieś uczucia. Albo to była cena za milczenie Kołeckiej. W końcu opinia faceta, który zrobił pannie dzieciaka i nie chce się nim zajmować, lekko by nadszarpnęła jego wizerunek dobrego doktora i pociągającego mężczyzny. Kobiety lubią zimnych drani, ale tylko w relacjach damsko-męskich. Poza tym faceci muszą się zajmować matką staruszką, dokarmiać koty i kochać dzieci. Taki dysonans jest jeszcze bardziej sexy. No więc Fornal nie mógł wypaść z roli. Mordował, bo może jakaś mroczna część jego natury nie znajdowała satysfakcji w dotychczasowych kontaktach seksualnych. Uwodził z łatwością, ma warsztat. Ma też pozycję. Jest blondynem, a, jak zeznała koleżanka Okoń, tajemniczy adorator Anny był do niej podobny fizycznie. Ada dyskutowała sama ze sobą i nie mogła dojść do żadnych wniosków. Niby wszystko się zgadza, a nie zgadza się nic, jak w przypadku Harabasiuka. Światełko intuicji się żarzyło, ale pełnym blaskiem nie chciało zabłysnąć.

No i sprawa najważniejsza – apaszka. Trzeba widzieć świat bardzo naiwnie, żeby nie podejrzewać oszustwa. Nikt się do

Nowaka nie włamał, musiał otworzyć drzwi kluczami albo wytrychem, a może śledził Nowaka i wykorzystał odpowiedni moment. Zrobił to ktoś, kto siedzi w śledztwie. To wyglądało jak podrzucenie dowodu – topornie, bez grama finezji. I pasowało jak ulał do Szkudły. Szkudły, który krył Fornala. Tych dwóch łączyło silne kumplostwo. Czy komendant wiedział wcześniej, że Fornal jest umoczony, czy doktor przyznał mu się dopiero teraz, kiedy grunt mu się zaczął palić pod nogami? A w takiej sytuacji cóż prostszego niż dostarczyć milicji niezbity dowód winy Nowaka, czyli apaszkę jednej z zamordowanych? Zwłaszcza jeśli się z nią umawiało na seks u siebie w mieszkaniu i któregoś razu Kołecka wyszła od Fornala uboższa o jeden element garderoby?

Ada westchnęła. Czuła się jak w matni, choć to morderca powinien się teraz miotać.

Odłożyła teczkę i zamknęła drzwi do archiwum.

* * *

Na korytarzu zobaczyła Kundę. Jego widok wywołał w niej mieszane uczucia. W jednym momencie opadły ją sprzeczne emocje: wstyd – bo widział ją pijaną i rzygającą, zachwiane zaufanie – bo okłamał ją w sprawie śmierci matki, nadzieja – bo mimo że nie był to brat łata, to od lat znał i Fornala, i Szkudłę, i Harabasiuka. Może od niego wyciągnie coś na ich temat?

– Dzień dobry! – przywitał ją uprzejmie, patrząc jej prosto w oczy.

– Dzień dobry – odpowiedziała. Na razie krótko, niech on pokieruje rozmową.

– Dziś przyszedłem do pani prywatnie. – Uśmiechnął się. – Chciałem tylko sprawdzić, jak się pani czuje.

Spojrzała na niego i zobaczyła czystą, uprzejmą troskę.

– Dobrze, dziękuję. I dziękuję za odprowadzenie. Trochę przeholowałyśmy z zabawą. Jest mi głupio.

Kunda podniósł brwi, dając jej do zrozumienia, że nie wie, kto jeszcze się kryje pod liczbą mnogą.

– Byłam z Beatą, naszą sekretarką. Babski wieczór, za dużo szampana.

– Ach, no tak. Pani Beatka to wesoła dziewczyna. – Znowu się uśmiechnął. – To może dziś, dla odmiany, sernik i kawa? W taki ponury i chłodny dzień by się przydało. Taka przerwa w pracy dobrze zrobi szarym komórkom. Lepiej się będzie pani porucznik przestępców łapało.

„Miły człowiek. I tak daleki od problemów tej komendy" – pomyślała. Poza salmonellą oczywiście. Przyszło jej także na myśl, że Kunda, troskliwy i, jak się wydawało, bardzo samotny facet, oczekuje od niej czegoś więcej niż rozmowy przy kawie. Nawet gdyby jednak nie ta sprawa z matką, i gdyby Kunda lubił dziewczyny, Ada nie miałaby ochoty na flirt. Teraz potrzebowała informacji i wyjaśnień, a do tego mógł się przydać. Kiwnęła więc głową.

– Wezmę kurtkę i możemy iść – powiedziała.

* * *

– I jak, udało się już pani, pani Ado, trochę zadomowić w Suwałkach? – zapytał, wrzucając do swojej szklanki z kawą kostki cukru.

– Trochę. Nie wiem, czy Suwałki do końca mnie przyjęły. – Chciała zażartować, ale zabrzmiało to jakoś gorzko.

– Tęskno za domem, prawda? – Kunda posłał jej pokrzepiające spojrzenie.

– Za miejscem urodzenia i za wspomnieniami raczej. Chyba już opowiadałam o mamie, to znaczy o jej tragicznej śmierci, prawda? – Oczywiście, że opowiadała, ale to był odpowiedni sposób na skierowanie rozmowy w stronę rodziny, a zatem i jego matki. Przecież nie zapyta tak od razu, dlaczego ją okłamał. To drażliwa sprawa.

Kunda pokiwał głową. Przelotnie musnął jej dłoń, aby w ten sposób okazać swoje wsparcie.

– Potem mieszkałam z ojcem i macochą. Niby było w porządku, ale tak naprawdę to wszystko było takie jakieś sztuczne. Nie lubiłam, to znaczy nie lubię jej. Ojciec to dobry w gruncie rzeczy facet, ale ona go zdominowała. No i tak... Ale za Warszawą tęsknię...

– I tak zazdroszczę. Nigdy nie poznałem ojca.

„Kolejne wojenne dziecko" – pomyślała.

– Wojna nie oszczędziła chyba nikogo – powiedziała tak ciepło, jak potrafiła.

Inspektor Kunda przez chwilę milczał.

– Cóż, mnie też, choć w inny sposób. Mój ojciec... – Zawahał się. – ...to inna historia. Mama nigdy o nim nie mówiła. Sądziłem, że to bolesna rana, nie rozdrapywałem więc. Nie tęskniłem, bo żeby tęsknić, trzeba wcześniej czegoś zaznać, a mój ojciec zmarł przed moimi narodzinami.

„Jak u Fornala" – pomyślała.

– Potem, kiedy byłem już dorosły, sprawdziłem metrykę urodzenia. I tam zamiast imienia i nazwiska widzę NN. Noszę nazwisko po matce, że nie wyszła za mąż, to wiedziałem, tylko myślałem, że nie zdążyła.

„Czyli inaczej niż u Fornala".

– Zwierzyłem się sąsiadce, takiej przyszywanej cioci-babci, tej, której mąż znalazł mi pracę w sanepidzie. A ona trochę uchyliła rąbka tajemnicy. „Ludzie mówią – tak to ujęła – że to był czerwonoarmiejec". Co by się zgadzało, bo w pierwszej połowie czterdziestego piątego roku na tych terenach byli żołnierze radzieccy, a ja się urodziłem w grudniu tego roku.

Ada milczała. Dość niefortunny układ. Ciekawe, czy pani Kunda poszła za namiętnością, czy została zgwałcona, jak Harabasiukowa. Jedno i drugie możliwe.

– I tyle wiem. Więcej się nie dowiem już nigdy. – Uśmiechnął się smutno. – Mama była bileterką w kinie Bałtyk, co było sporym awansem, bo wcześniej pracowała w czyżowarni i lepiła gliniane donice. Z tego okresu kinowego to pamiętam, że mnie zabierała czasem do pracy i siedziałem w ciemnej sali, oglądając filmy, z których nic nie rozumiałem. No a potem dostała solidną pracę w Zakładach Płyt Wiórowych i małe mieszkanie na osiedlu ZPW. Tam sąsiadką była pani Krysia, ta od męża z sanepidu. Złota kobieta, często się mną zajmowała. Teraz też mieszkamy w jednym bloku.

– A mama nie wyszła za mąż? Całe życie była sama?

– Nie. – Kunda się skrzywił. – Była sama. To znaczy niezamężna. Gdyby żyła, pewnie bym nie wyjechał na studia aż do Gdańska. A tak to z potrzeby oddechu, oderwania się opuściłem Suwałki na kilka lat. No i na dobre mi to wyszło.

– Na pewno. Choć śmierć matki zawsze zostaje w człowieku, zwłaszcza gdy ten patrzy na jej odchodzenie. Rak jest okropny.

Kunda pokiwał głową. Nie sprostował. Zawiesił tylko wzrok na filiżance z kawą.

– Panie Janie, ja wiem, że to może być trudne, przepraszam, ale to mi nie daje spokoju, takie spaczenie zawodowe. Pana matka podobno popełniła samobójstwo?...

Kunda na krótką chwilę się spiął, a przez jego twarz przeleciał grymas – strachu? Wstydu? Niepewności? W oczach pojawiła się iskra, która jednak szybko zgasła. Zebrał się w sobie, odetchnął głęboko i zaczął tłumaczyć:

– Nie wiem, dlaczego wtedy skłamałem. – Uśmiechnął się zawstydzony. – Jakoś tak wyszło, a później... jak to odkręcić? Ado, przepraszam, pani Ado, chyba zależało mi na pierwszym wrażeniu. – Kunda mówił cicho, ze spuszczoną głową. – Po prostu się wstydziłem. Samobójstwo to nie jest powód do dumy. Wydawało mi się, że może pani pomyśleć, że jestem gorszy, obciążony jakimś defektem... Zależało mi na pani opinii, bo... przed kimś nowym, jak pani, chciałem wystąpić z czystą kartą. – Zawiesił głos, jakby zabrakło mu słów. – Głupio, co? – Patrzył na nią z ufnością pomieszaną z niepokojem, gotowy na każdy werdykt.

– Nie, skąd, to bardzo ludzkie, zrozumiałe. – Pospieszyła z zapewnieniem. I chyba szczerze. Ona sama miała trudność w mówieniu o śmierci mamy. Przypomniała sobie, jak wśród szkolnych koleżanek czuła się czasem gorsza, właśnie przez jej brak. Echo tamtych wrażeń znalazła w słowach Kundy. Tak, rozumiała go w pełni i mu współczuła.

Zapadła między nimi cisza. Pierwszy przerwał ją Kunda i już innym tonem, jakby się otrząsnął, zapytał:

– A z innych tematów, to jak przebieg śledztwa, jeśli, oczywiście, może pani mówić? Bywam na komendzie, znam tych ludzi, ale zawsze praca śledczego wydawała mi się fascynująca, tajemnicza. Jestem zwykłym zjadaczem chleba, nie mam do czynienia z ludzkimi dramatami i jestem po prostu, po ludzku ciekaw. Ale nie chcę być wścibski.

– Cóż, za wcześnie, by mówić o sukcesie, ale są pewne poszlaki, może nawet mocne... Przepraszam, nie powinnam więcej zdradzać, proszę zrozumieć.

– Oczywista sprawa – zapewnił ją Kunda. – Jeżeli dobrze pamiętam naszą wieczorną rozmowę, to nie była pani przekonana do tego tropu. Jeśli, rzecz jasna, wątek tego człowieka, jakże mu było – Kowalskiego, wciąż aktualny.

– Nowaka – sprostowała. – Naprawdę nie mogę więcej powiedzieć. – Uśmiechnęła się przepraszająco. – Za to chciałabym o czym innym porozmawiać. O kim innym właściwie. Jak dobrze pan zna Zygmunta Fornala?

– Zygmunta? No, dość. My z tego samego rocznika jesteśmy. W szkole razem byliśmy, choć w różnych klasach. Niespecjalnie się kolegowaliśmy, jakoś inne mieliśmy charaktery.

„I tak wam zostało" – pomyślała.

– Potem im dalej w latach, tym dalej w życiu. Zygmunt był w liceum ogólnokształcącym, ja – w ogrodniczym. On się wyuczył na lekarza, z dyplomem, ja studiów nie dokończyłem. Teraz poprawne mamy relacje, miłe nawet, można powiedzieć, ale to nic bliższego. Wódki razem nie pijemy. A dlaczego pani pyta, pani Ado, jeśli można?...

– Przy okazji innej sprawy próbuję dotrzeć do pewnych faktów – brzmiało zagmatwanie i tak miało być.

Kunda pokiwał głową, a jego spojrzenie nabrało ostrości.

– Rozumiem chyba. To czego o Zygmuncie Fornalu chciałaby się pani dowiedzieć?

– Zapytam wprost: czy byłby skłonny do przemocy wobec kobiet? – Dla Ady to było kluczowe pytanie. Czy Fornal mógłby fizycznie skrzywdzić kobietę. Przemoc ma niejedno oblicze i Ada doświadczała wielu z nich, ale nieopanowana agresja, rozhamowanie, doprowadzały najczęściej ludzi do zbrodni. A teczka Fornala była zbyt pusta.

Kunda przez chwilę się zastanawiał nad tym pytaniem albo dobierał słowa.

– Odpowiem tak: powszechnie wiadomo, że Zygmunt jest łasy na kobiece wdzięki. A i kobiety mu tych wdzięków raczej nie odmawiają. Nie żeni się, nie statkuje. Wieczny kawaler. Od lat jednak nie słyszałem, żeby do jakichś rękoczynów czy przemocy dochodziło. To by zresztą bardzo zaszkodziło reputacji zawodowej.

Ada wzmogła czujność.

– Ale dlaczego od lat? To znaczy, że wcześniej się coś wydarzyło?

Kunda był trochę speszony, trochę zdziwiony.

– Myślałem, że tę starą sprawę pani zna. To było naprawdę dawno, kilkanaście lat temu. Dziwne trochę i od razu powiem, że to tak pocztą pantoflową, bo ostatecznie nic oficjalnego z tego nie wyniknęło. Zygmunt był na jakiejś prywatce. To było w lecie, ciepło, zabawa się przeniosła gdzieś na łąki pod miasto. I tam miało dojść do gwałtu.

– Do gwałtu? – powtórzyła Krzesicka, czując mrowienie w krzyżu.

– Tak. Było nawet doniesienie na milicję, jakieś śledztwo. Ogólnie brzydka sprawa, bo ta dziewczyna, Marysia, była młodziutka, taki filigranowy aniołek.

– Pan ją zna?

– Tak, również ze szkoły, ale była kilka roczników niżej.

– I jak się to skończyło?

– Ano nijak właśnie. Bo potem wszystko ucichło, żadnego procesu nie było. Marysi nikt nie pytał, no bo jak? Niezręcznie. Zygmunta też, ale jego to raczej ze strachu.

– Dziękuję, panie Janie, za kawę i rozmowę. – Adzie nagle zaczęło się śpieszyć. – Przedziwne… Rany, jak się zasiedziałam, a tu robota czeka. Muszę wrócić na komendę, ale chętnie jeszcze kiedyś powtórzę kawę.

– Ja też, z przyjemnością. – Kunda podniósł się, by odsunąć jej krzesło.

* * *

„Skoro była sprawa, to musi być jakiś ślad. Nawet jeśli umorzona, jeśli uniewinniony, jeśli ona wycofała zarzuty, to gdzieś powinny być jakieś papiery" – myślała Ada, szczelniej opatulając się szalikiem w drodze na komendę. To by się zgadzało – ta teczka, która kiedyś przechowywała grubszą dokumentację. Zanim zapyta o to Szkudłę, do którego straciła już resztki zaufania, spotka się z tą Marysią.

W kieszeni kurtki miała adres. Na szczęście Jan Kunda wiedział, gdzie dziewczyna, teraz już kobieta, mieszka.

Rozdział 23

– To chodźmy do kuchni. – Maria Boguta dokładnie obejrzała legitymację Ady. Nie była zadowolona z tej wizyty, i to bardziej niż przeciętny obywatel. Nikt nie lubi, gdy milicja puka rano do drzwi, bo gdyby pogrzebać, to u każdego można by się do czegoś nieładnego dokopać. A Maria już w progu zapytała, o co chodzi, i wiedziała, że będą rozmawiać o Zygmuncie Fornalu.

Ada spodziewała się trudnej rozmowy, niechęci lub uników. Sama czuła się trochę skrępowana i była za to na siebie zła. Nie chciała być tylko oficerem na służbie, ale w jakiś sposób wyrazić... No właśnie, co?... Solidarność, współczucie? Ale po tylu latach?

– Dam im książeczki i klocki. – Boguta wskazała głową na parę bliźniaków, na oko pięcioletnich, bawiących się w dużym pokoju na dywanie. – Nie chcę, żeby ojca obudziły. Wrócił ze zmiany, dopiero się położył, będzie zły, jeśli się nie wyśpi.

Ada kiwnęła głową. Usiadła w kuchni, przy małym stole, na wąskim taborecie. Pachniało rosołem. Na gazie stał duży garnek, wypuszczający kłęby pary.

– Napije się pani czegoś? – Maria Boguta, apetycznie zaokrąglona, trochę młodsza od Ady, nalała wody do czajnika i zapaliła kolejny palnik.

– Kawy, jeśli można.

– Można, ja też potrzebuję. – Zdjęła z suszarki dwie szklanki, obstalowała je w podstakannikach i wsypała po trzy czubate łyżki zmielonej kawy. Wytarła ręce w fartuch i ciężko usiadła naprzeciwko Ady. – Zwykle nie jestem gburowata, ale dziś od rana wszystko idzie nie tak. Bliźniaki się kłócą, mąż jakiś nie w sosie, bo coś na zakładzie znowu się zepsuło, i jeszcze pani. Znaczy milicja, ja do pani porucznik nic nie mam. Zdziwiona jestem, że po tylu latach ta sprawa odżywa. Dlaczego? O co chodzi?

Ada musiała zignorować pytanie. Najdelikatniej, jak potrafiła, zapytała:

– A kiedy dokładnie się to wydarzyło?

Maria spojrzała na kalendarz ścienny, zupełnie jakby mogła z niego odczytać przeszłość. Widać było, że liczy w myślach.

– Właśnie skończyłam szkołę, znaczy zawodówkę odzieżową, czyli miałam osiemnaście, a to znaczy, że to było w… – zaczęła zginać palce – …sześćdziesiątym siódmym.

„Dziewięć lat temu, to rzeczywiście trochę czasu upłynęło, ale przecież może to zmarnować całe życie" – pomyślała Ada.

– No dobrze – zaczęła Ada jakby z namysłem i ze smutkiem. – Pani Mario, proszę powiedzieć, jak to wyglądało, to znaczy, co się wtedy dokładnie wydarzyło?

– A Fornal to co pani powiedział? – zapytała podejrzliwie kobieta. – On to jest… – szukała odpowiedniego słowa – …czaruś jest. Potrafi zagadać, tak człowiekiem zakręcić, że na jego wyjdzie.

– Nie wiem, bo jeszcze z nim nie rozmawiałam. Najpierw chcę wysłuchać pokrzywdzonej.

Tą „pokrzywdzoną" ją kupiła.

– To było po zakończeniu szkoły, w lipcu. Znaczy dla mnie po szkole, bo Fornal to już studiował, może nawet kończył te studia? Nie wiem zresztą, ale na pewno było tak, że się uczył w Białymstoku, a tu przyjeżdżał do domu, do matki. Wtedy też przyjechał, bo na studiach również mają wakacje. Myśmy się z podstawówki znali, no i z widzenia. Nic głębszego. A ta impreza to była mojej koleżanki, z domu obok, która maturę zdała i miała urodziny, więc dwie okazje. Co ją łączyło z Fornalem, tego nie wiem, zresztą szybko z ogrodu na tyłach jej domu żeśmy się przenieśli na łąki, za miasto. Ja mieszkałam w bursie, przy szkole. Jeszcze na parę pierwszych dni wakacji zostałam. Upalnie było, niebo bezchmurne, wyjątkowo ładny lipiec. Więc na tych łąkach trochę tańców, bo ktoś miał taki mały tranzystorek, trochę spacerów, jakieś gry.

– Alkohol był? – zapytała Ada.

– Był, ale tam wszyscy byli pełnoletni. Zresztą upał taki, że tylko albo maślanka, albo piwo zimne. No a ile można maślanki? – Maria Boguta zaśmiała się ze swojego żartu. Widać było, że próbuje pokryć napięcie.

– I co było dalej?

– Dalej to się powoli zaczął robić wieczór. Coraz więcej grupek, par. Do mnie podszedł Fornal właśnie. Z komplementem od razu, że jaka śliczna sukienka i ja jaka ładna.

– Nie wyczuła pani, że to interesowne?

– Nie. Zresztą tę sukienkę to na koniec szkoły szyłam, wyszła naprawdę świetnie – dekolt w łódkę, rozkloszowana. Bo chodziło właśnie o to, żeby wykrój był trudny – te wszystkie zaszewki, marszczenia, podszewka... No i ja byłam wtedy szczuplejsza, naprawdę niczego sobie. – Kobieta się rozmarzyła.

Ada czuła, że Maria jakby próbowała spowolnić swoją relację, rozpraszając się w detalach. Wyobraziła sobie tę scenę – młodziutka Maria z ponętnym biustem, sama świeżość, i wygłodniały, buzujący pożądaniem Fornal. To się nie mogło dobrze skończyć.

– I co było dalej? – powtórzyła pytanie.

– On mnie zapytał, czybyśmy się nie przeszli. Zgodziłam się. Wziął mnie pod ramię i poszliśmy w bok, polną drogą, która się ciągnęła aż do lasu. Rozmawialiśmy, on pytał, jakie mam plany, co w wakacje, gdzie przydział do pracy. Był taki zainteresowany. To znaczy wtedy mi się taki wydawał, bo teraz to wiem, że mnie tak ugniatał psychicznie, urabiał. W końcu przystanął, powiedział, że mam piękne oczy, jak chabry, że gdyby były prawdziwymi chabrami, toby je zerwał i na pamiątkę zasuszył. Pamiętam, bo nikt tak do mnie nigdy nie mówił. A potem mnie pocałował. Ja jak zaczarowana, bo on wprawnie całował, jak żaden z chłopaków z okolicy. I tak po kawałku, po trochu, aż się położyliśmy na trawie. A wtedy on rękę pod sukienkę i coraz natarczywszy się robił... Ja pani powiem, pani porucznik, jak kobieta kobiecie, bo pani wygląda uczciwie, tylko coś by się przydało z ubraniem, ja w zakładach pracuję, ale i w domu mam maszynę, i kobitkom szyję, to coś byśmy mogły...

– Dziękuję, to może potem. Teraz wróćmy do tego lipcowego wieczoru. – Ada skierowała myśli Marii Boguty na właściwy tor.

– No tak. – Kobieta trochę spochmurniała. – Więc zrobił się taki lepki. Całował mniej delikatnie, już nie głaskał, tylko tak ściskał. Przestało mi się to podobać. Na początku tak, zresztą on był, no co tu kryć, tak zwana dobra partia. Na lekarza się uczył, ładny blondyn. Ja nie mogłam w swoje szczęście uwierzyć, i słusznie, bo żadnego szczęścia z tego nie było. Najpierw to mnie trochę zmroziło, nie mogłam żadnego ruchu zrobić, ale potem to mu powiedziałam, żeby przestał. Raz, drugi, trzeci, a on nic. Jakby mu kto rozum odebrał, taki był napalony. Zaczęliśmy się szamotać, a on się początkowo śmiał. „Tak się lubisz bawić, co?" – pytał. Że niby się przekomarzamy. Zaprzeczyłam, ale on nie wierzył. Jedynie się śmiać przestał. Poszarpał mi guziki, żeby sukienkę zdjąć, w końcu tylko majtki zsunął i sam też spodnie zdjął.

– Próbowała pani uciec, wołać o pomoc?

– Próbowałam! Boże, pani mi też nie wierzy? Wszyscyście tacy sami! – Maria Boguta zacisnęła pięści.

– Przepraszam. Wierzę, po prostu pytam, naprawdę – próbowała ją uspokoić Ada.

– Podniosłam się i zaczęłam biec, ale tam piach, a ja w pantofelkach. Dogonił mnie i przewrócił. A potem już przyciskał do ziemi, rękę tak kładąc na szyi, że jak się szarpałam, to mnie dusiło. No to przestałam się szarpać... – Kobieta wstała i przesunęła z palnika czajnik z wrzącą wodą. Zalała szklanki i postawiła je na stole. – Słodzi pani?

Ada kiwnęła głową. Dziś potrzebowała cukru.

– Jeszcze mamy, ale cholera wie, co będzie za chwilę. Święta idą, a tu same braki w sklepach... – Maria wsypała Adzie do szklanki trzy solidne łyżeczki, tyle ile sobie.

Ada jej nie pospieszała. Były w takim momencie opowiadanej historii, że każde dociśnięcie mogłoby się zakończyć milczeniem.

Kawa parowała, za oknem lekko prószył śnieg, w pokoju obok słychać było bawiące się dzieci. „Prawie sielanka" – pomyślała Ada.

– Zgwałcił mnie – odezwała się w końcu Maria Boguta. – Długo to nie trwało, widać był tak podniecony, że... Tylko tyle pamiętam: ból, bo ja wcześniej nie miałam chłopca żadnego, jego wykrzywioną twarz i tyle. Potem zszedł ze mnie, podniósł się i powiedział: „Wracajmy". Ja jak w amoku wstałam, włożyłam majtki, pantofle wzięłam do ręki. I tak szliśmy kawałek, on chyba coś nucił, ja nic, pustka w głowie, aż w końcu jakbym odtajała, jakbym wszystko zrozumiała. Zaczęłam krzyczeć, rzuciłam się do ucieczki, i tak biegłam aż do asfaltu i dalej. Nie pamiętam, kiedy włożyłam buty, ale stopy miałam do krwi obtarte. Wróciłam do domu. Bałam się matki, ale szczególnie ojca, bo jak pił, to mógł zrobić wszystko. Ojca nie było, a matka mi uwierzyła. No, moja mama to odważna i konkretna kobieta. Ogarnęłam się trochę i poszłyśmy na komendę, żeby powiedzieć o wszystkim. Strasznie się bałam, że oni mi nie uwierzą. Ale uwierzyli.

– A kto przyjmował zeznania?

– Komendant.

– Szkudła? – upewniła się Ada.

– Tak. Na początku był zdziwiony, potem zły, ale na Fornala, nie na mnie. Spisał zeznania i pojechał go szukać.

– Czyli były zeznania?

– No tak, mówię przecież. – Boguta spojrzała na nią zdziwiona. – I do szpitala też poszłam, żeby nie było, że zmyślam. A tam chyba jeszcze gorsze upokorzenie. – Podniosła do ust kawę. Szklanka lekko się zachybotała w koszyczku. Widać było, że kobieta jest zdenerwowana. – Gdyby nie mama, to chybabym uciekła.

– A sprawa? Wyrok? Bo nic w archiwum nie znalazłam, zupełnie jakby nic się nigdy nie stało. – Ada wreszcie odsłoniła kartę.

Kobieta westchnęła.

– Następnego dnia rano komendant do nas przyjechał, bo mieszkaliśmy nie w centrum, tylko kawałek stąd. Poszliśmy do ogrodu porozmawiać. I on mnie zaczął wypytywać o różne sprawy, o rodziców na przykład, co robią i jak nam się żyje. Więc powiedziałam prawdę, że licho, bo bieda, nas dużo w domu było. I wtedy komendant do mnie, że może by w takim razie sprawę inaczej załatwić. „Jak?" – pytam, a on: „Załagodzić. On pójdzie za kraty, a tobie co z tego? Prawdziwe odszkodowanie to pieniądze, to lepsza sprawiedliwość" – namawiał mnie. Z początku to nie chciałam słyszeć, bo o prawdę mi przecież chodziło. Ale potem... Komendant potrafi przekonać. Poza tym matka też mnie namawiała. Przekonali mnie. Fornal zapłacił, to znaczy nie on osobiście, tylko komendant. Przyniósł pieniądze w kopercie. Maszynę za to kupiłam, tę, co ją teraz mam. I jeszcze rodzicom trochę dałam, to się ucieszyli.

– A co z zeznaniami?

– Nie wiem. – Kobieta wzruszyła ramionami. – Ja tylko podpisałam kartkę, że wycofuję zeznania, że do gwałtu nie doszło. I potem już był spokój. Powoli zapomniałam, wyszłam za mąż, dzieci urodziłam. Mąż o niczym nie wie. Czasem, może, jak coś szyję... Ale potem sobie myślę, że z tego są kolejne pieniądze, dla domu, dla dzieci. Jakby coś dobrego z tego wyszło. To przyjdzie pani porucznik kiedyś obejrzeć wykroje? Zrobiłybyśmy coś szykownego. Obrączki nie widzę na palcu, sukienka ładna by się przydała.

* * *

Ada powoli szła na komendę. „Bez konfrontacji ze Szkudłą się nie obejdzie" – myślała. Sytuacja zaczynała ją przerastać. W przypadku Nowaka nic nie pasowało: ani osobowość, ani dotychczas zebrane poszlaki, zero zbieżności. Był za to dowód, niepodważalny. Tomczycki wrócił wczoraj od matki Kołeckiej jak zbity pies. „Podpisała protokół okazania – powiedział. – Córeczka była, poznała tę chustkę i się rozpłakała, że tęskni za mamusią. Nie rozumie tego, co się stało". Ada przez chwilę miała ochotę go pocieszyć: stał nieporadny, smutny, w sumie jak duży dzieciak. A po chwili chciała go opieprzyć, żeby stwardniał i przestał się mazać. Nie zrobiła nic. Lubiła go.

Była przekonana, że Szkudłę i Fornala łączą jakieś zagmatwane więzy, tylko nie potrafiła ich rozpleść. To przecież Fornal miał wstydliwą kartę z przeszłości, o której Szkudła wiedział i którą mógłby zagrać. Zarazem jednak to właśnie Szkudła nakłaniał ofiarę, by wycofała oskarżenia, i pośredniczył w przekazaniu „odstępnego", co zdecydowanie nie wyglądało dobrze. No i z jakiegoś powodu Szkudła starał się wybronić Fornala, więc to może Fornal wcześniej miał jakieś kwity na Szkudłę?... O rany!

Weszła na komisariat z bólem głowy. „W co oni tu pogrywają?" – myślała, ściągając kurtkę. Śnieg zbrylił się na niej w grube grudki lodu; podobnie na wełnianej czapce i szaliku. „Jeśli ich nie oderwę, to będą się powoli rozpuszczać i wszystko mi przemoczą" – westchnęła, skubiąc materiał. Oderwany lód wrzucała do stojącej na korytarzu drewnianej donicy z fikusem. Roślina wyglądała całkiem okazale, choć wiele osób traktowało skrzynię z ziemią jak śmietnik: były tu zgniecione pety, wyschnięte liście herbaty, a teraz – lód.

Skubanie trochę ją uspokoiło. Zresztą może od początku o to chodziło – nie o lęk przed przemoczeniem czapki czy kurtki, a o potrzebę uspokojenia się.

Odwiesiła ciuchy na drewniany wieszak i poszła do Szkudły.

Głośno zapukała. Czuła, że drżą jej nogi, ale drzwi otworzyła energicznie.

– Pani porucznik... – Szkudła podniósł głowę znad papierów. – Dzień dobry.

– Dzień dobry – odpowiedziała zdawkowo. – Byłam u Marii Boguty – zaatakowała.

Szkudła przyglądał się jej beznamiętnie. „Czyżby był aż tak dobrym graczem? – zastanowiła się. – Albo ma takie trzymanie, że niczego w Suwałkach się nie boi?...". Nagle ją olśniło.

– Teraz nosi nazwisko Boguta, ale wtedy, kiedy Fornal ją zgwałcił, to nie wiem, jak miała w papierach.

Podziałało. Szkudła się wyprostował, twarz mu stężała.

– Po co? – zapytał po prostu.

– Bo dla mnie Fornal wciąż jest podejrzanym.

– Kurwa mać! Uczepiliście się jak rzep psiego ogona! Matka Kołeckiej rozpoznała tę apaszkę, a Kazik mówi, że zapach ten sam co z miejsc zbrodni. Dowód nie-do-pod-wa-że-nia! – wyskandował. – Nie-do-pod-wa-że-nia – powtórzył z naciskiem. – Czego jeszcze chcecie? Prokurator szykuje papiery, żeby Nowaka aresztować.

„Szybko się uporali, kurwa" – pomyślała.

– Gwałt, zresztą zatuszowany. Brak alibi na trzy morderstwa, zatajony związek z jedną z zamordowanych, która się u niego rozbierała i której apaszkę mógł mieć. To mało? – Ada starała się panować nad głosem. Przychodziło jej to z trudem.

– Apaszkę u Nowaka znaleźliście, już nie pamiętacie? Skąd się tam niby wzięła?

– Może ktoś ją podrzucił? – zasugerowała szybko.

– Kobieto, a jak niby? Sami otwieraliście, śladów włamania żadnych. Przez ściany czy jak?

– Może ktoś z milicji w to wplątany?... – zapytała, ledwo nad sobą panując.

Szkudła podniósł się zza biurka.

– A co wy mi tu, kurwa, insynuujecie?! – Huknął ręką w stół.

Nim Ada odpowiedziała, drzwi się otworzyły i stanęła w nich Beata.

– Przepraszam, ale myślałam, że coś spadło albo się co stało, bo taki huk.

– Dobrze wszystko – burknął Szkudła.

Beata się wycofała, posyłając Adzie niepewne spojrzenie.

– Posłuchajcie. – Szkudła poluzował węzeł krawata i zmienił ton głosu na bardziej pojednawczy. – Źle was domysły prowadzą. Zygmunt popełnił błąd w młodości, ale to było dawno temu. Przyznaję, jurny on jest, pies na baby. Wtedy, z tą Maryśką, źle się stało, ale to nie powód, żeby mu życie łamać. Studia kończył, kariera lekarza go czekała. Taki wyrok to jak wilczy bilet. Każdemu w końcu się zdarza zbłądzić.

– A ile razy tak błądził? – zapytała Ada.

Komendant nie odpowiedział. Dopiero po chwili, gdy już wstała z krzesła, usłyszała:

– Jutro będzie gotowy akt oskarżenia. Nie spóźnijcie się rano.

Teraz to ona milczała. Kiwnęła tylko głową.

Kiedy zamykała drzwi, zobaczyła, że komendant podnosi słuchawkę. Była przekonana, że dzwoni do Fornala.

Rozdział 24

Poszlaki, tropy, domysły, sugestie, profile, przekonania, wyobraźnia, instynkt, to się składa na rzecz najważniejszą. Intuicja – to ona napędza śledztwo, jeśli znajdzie się funkcjonariusz naprawdę obdarzony tym darem. Taki milicjant, gdy odpowiedzieć ma na pytanie „dwa dodać dwa", zawaha się. To rzadkość. Banalne „cztery" zwykle załatwia sprawę. Dowód wieńczy dzieło. Dla nich dowód, dla mnie to szczęśliwa okoliczność.

Durnie! Miernoty! Znalazłem im dowód i podałem im na tacy, a oni rzucili się na niego jak wygłodniałe psy. Jak prawdziwe psy rzucili się na ten kawałek jedwabnej szmaty. I teraz obwinią tego, komu można było tę szmatę wcisnąć, kogoś, kto zatańczy na sznurze dla ich chwil chwały, dla ich awansów.

Nienawidzę ich! Nie obronili mnie wtedy, nie obronili tych suk, i musiały umrzeć.

Dawniej myślałem, że są sprawy, z którymi się uporać nie można. Rozsadzały mi czaszkę, zamieniały serce w lodowy sopel. I te sny! I wspomnienia, którymi żyłem, na jawie i we śnie, niemożliwe do oddzielenia – pochłaniające jak wir. Byłem jak bezbronne dziecko – nie! – byłem bezbronnym dzieckiem. Lata minęły. Doświadczenia, które mnie nie zabiły, uczyniły mnie mocniejszym. Nie dałem się pokonać. Teraz to ja mam przewagę.

Czy mi nie żal Nowaka?... Żal – czym jest? – pytam sam siebie. Uczucie ludzi małych. Nie można dokonać sprawiedliwych czynów, żałując. Może i Nowak to przypadek, szczęśliwy zbieg okoliczności, ale jeśli nie on, byłby ktoś inny. Został wybrany, bo kiedyś zdarzyło mu się zagrać rolę oprawcy. Teraz zaś los obsadził go w roli ofiary – dla mnie. Dla milicji to ta sama co wtedy rola. Prosta arytmetyka. „Cztery".

Swoją drogą, to zabawne – takie proste, pospolite, nijakie nazwisko. Podczas procesu sobie odbije: Tadeusz Nowak, „Bestia".

Gdyby ona wiedziała, że to ja, myślałaby, że kiedyś byłem ofiarą, a teraz jestem oprawcą. Ale jakże by się myliła: tak, kiedyś byłem ofiarą, ale teraz jestem sprawiedliwością.

Wszystko jest pod kontrolą.

Rozdział 25

– Mówi się, że Szkudła tak lubi Fornala, bo musi go lubić. – Tomczycki siedział za biurkiem i nie patrzył na Adę.

„Pierwszy raz odważył się wyjść z inicjatywą" – pomyślała. Sierżant sporo ryzykował, bo przecież był na łasce komendanta. Zachwiana lojalność wobec przełożonego mogła się nieprzyjemnie skończyć – zesłaniem na rubieże, na mały posterunek, gdzie wyzwaniem będzie sprawa o kradzież roweru. Żegnaj, awansie, kariero, przyszłości.

– To jakaś daleka rodzina. Po nazwisku tego nie widać, ale gdzieś wcześniej ich krew się wymieszała. Wiele lat temu Szkudła ponoć pomagał matce Fornala, bo on się sierotą, to znaczy półsierotą urodził – dodał Tomczycki, nerwowo się bawiąc ołówkiem.

To, że komendanta i Fornala łączy coś więcej niż kieliszek, że jest jakieś wzajemnie trzymanie, Ada już wiedziała. Ale że są spokrewnieni?... To jest ten powód krycia?

Tomczycki jakby czytał jej w myślach:

– Za komendantem coś się ciągnie, jakaś sprawa z czasów wojny. Też ponoć, to znaczy kiedyś słyszałem taką plotkę, ale nic więcej nie wiem.

Co zrobił Fornal, Ada wiedziała. Teraz się okazało, że i Szkudła ma swoje za uszami – może tym go Fornal szantażował?

Jeśli zna Szkudłę od urodzenia, to i wiele o nim wie. Ale takie relacje w rodzinie? Zarazem jednak Ada wiedziała, że zwykle to rodzina jest gniazdem żmij; najżarliwsze emocje, najsilniejsze urazy, najokrutniejsze morderstwa – to się właśnie w rodzinie wydarzało.

Wczoraj aresztowali Nowaka. Kiedy ich zobaczył, był trochę zdziwiony. Ale gdy dojrzał przy bramie pegeeru dwa radiowozy i mundurowych, od razu zrozumiał, że to po niego. Zareagował jak zwierzę w potrzasku: szybka myśl, impuls, strach, instynkt podpowiada, że coś się szykuje i on nie wyjdzie z tego obronną ręką. Najpierw się spiął, jakby miał się rzucić do ucieczki. Potem zaczął się bronić, krzyczeć, że jest niewinny, że nikomu nic złego nie zrobił, że to straszna pomyłka, że już potem w Ełku nie był, a z żoną się nie widział od rozwodu. „Nie dlatego tu jesteśmy" – udało jej się powiedzieć, kiedy Tomczycki i dwóch posterunkowych obezwładnili go i skuli. Popatrzył na nią rozgorączkowanym wzrokiem i zapytał: „To dlaczego?". W tym pytaniu była nadzieja, ale jakże złudna. Może coś na boku wynosi z zakładu, może jakieś szwindle robi. Drobne przekręty są wpisane w takie miejsca. W myślach robił szybki remanent. Na pewno się nie spodziewał tego, co chwilę później mu powiedziała – że jest oskarżony o zamordowanie Marianny Kozioł, Iwony Kołeckiej i Anny Okoń. „Nie znam takich kobiet, nigdy nie słyszałem, nie widziałem" – powtarzał zaprzeczenie jak katarynka. Wtedy Ada poinformowała go, że znaleźli u niego w mieszkaniu dowód rzeczowy, apaszkę jednej z zamordowanych. Nowak patrzył na nią okrągłymi oczami. Spocony, mimo zimna. „A po co mnie by była jakaś apaszka?" I w tej odpowiedzi-pytaniu Ada, i tylko ona, wyraźnie usłyszała potwierdzenie jego niewinności. To było szczere zdumienie. W jednej chwili zobaczyła też absurdalność całej sytuacji. Zrobiło jej się bezdennie przykro. Chciała stamtąd uciec. Nie była naiwną kobietką i niedoświadczoną milicjantką. Widziała już naprawdę złych ludzi, którzy doskonale odgrywali niewinnych, ale, kurwa, to nie był on. Miała pewność, że aresztują niewinnego człowieka.

Przesłuchanie na komendzie zmęczyło ją i Tomczyckiego chyba bardziej niż samego Nowaka, który z początku się bronił, jakby jazda radiowozem trochę go otrzeźwiła i wstąpiły w niego nowe siły, ale potem się poddał. Zaprzeczał, mówił: „nie wiem", „nie znam", „nigdy nie widziałem". A potem oklapł i nie mówił już nic. „Lepiej, żeby się przyznał" – mruknął Szkudła, gdy mu relacjonowała przebieg śledztwa. „Lepiej dla wszystkich" – dodał. Z tej pojemnej grupy Ada wypisałaby dwie osoby: siebie i Nowaka. I może jeszcze Tomczyckiego, w którym raz zasiane ziarno niepewności co do winy Tadeusza Nowaka wykiełkowało w mocną roślinę. Szkudła, na razie, nie brał udziału w przesłuchaniach. I dobrze. Ada obawiała się, że razem z prokuratorem mogą zastosować „inne" metody skłaniające do zeznań. Po tych ludziach mogła się spodziewać wszystkiego.

Dziś były kolejne przesłuchania. Metoda na zmęczenie materiału. Te same pytania w różnej kolejności. Czekanie na potknięcie, omyłkę. Nic z tego, Nowak powtarzał to, co już wcześniej słyszeli. Na prokuratorze ten mierny wynik przesłuchania nie robił wrażenia. „Przeszłość jest, dowód jest, jajka nie ma". Rubaszny dziad.

* * *

Od kilku dni bolała ją głowa. Pastylki nie pomagały. Znała ten rodzaj bólu – z napięcia. Klamra uciskała skronie, zesztywniały kark powodował, że gwałtowniejsze ruchy szyją też były dotkliwe. Dlatego mimo zimnej wilgoci w powietrzu przed powrotem do swojego mieszkania postanowiła zrobić sobie spacer – naokoło, przez park.

Było pusto, mimo przedwieczornej pory. Ale co można robić w parku w środku tygodnia, w Suwałkach, w grudniu, gdy minus czternaście na termometrze, a na zegarku po siedemnastej? Śnieg skrzypiał jej pod nogami, drzewa, oświetlone latarniami, rzucały dziwaczne ażurowe cienie. W głowie miała muzykę z radia, tę, której Nowak słuchał, kiedy pierwszy raz do niego przyszli. To na pewno był Vivaldi, *Cztery pory roku*. *Zima* chyba. Najwolniejsza, najposępniejsza. „Idealna ilustracja do losu Nowaka. I mojego" – pomyślała. Nie znosiła tej swojej bezsilności, tego parku, tych ludzi, tego miasta, czuła, że za chwilę zacznie użalać się nad sobą, czego też nie akceptowała. Przypomniały jej się słowa Andrzeja, który odprowadzając ją na dworzec, gdzie rozpoczynała podróż na zesłanie, a chcąc ją pocieszyć, szepnął: „Dasz radę, jesteś silna, a jeśli przyjdzie ci do głowy poużalać się nad sobą, to dobrze, ale tylko kwadrans dziennie". Boże, jak strasznie tęskniła, jak bardzo chciała się napić.

Z jej kwadransa żalu nad sobą wyrwały ją jakieś dziwne odgłosy. Gdzieś z tyłu dobiegały stęknięcia, dźwięki szarpaniny, okrzyki, jakby bójka. Obejrzała się. Jakieś pięćdziesiąt metrów dalej dojrzała dwa kotłujące się ciała. Szlag by to, nie miała przy sobie broni, ale jeśli leją się po pijaku, to na hasło „milicja" może odpuszczą. Jeżeli rabunek, to też jest szansa, że napastnik się przestraszy i zwieje. Drobne cwaniaczki i tak zwani normalni obywatele nawet w chwili słabości boją się milicji.

Szybko ruszyła ku splątanym ciałom. Gdy była już blisko, ze zdumieniem dostrzegła, że to Tomczycki. Drugiego rozpoznała dopiero po chwili. Fornal leżał w brudnym śniegu, przygwożdżony przez sierżanta. Próbował go odepchnąć, ale Tomczycki był jak w transie – jedną ręką ściskał jego szyję, drugą okładał po głowie. Może mało efektownie, jeśli chodzi o technikę, ale na pewno skutecznie.

– Jezu, co się tu dzieje?! – Próbowała ściągnąć Tomczyckiego z Fornala, który bronił się już coraz słabiej. Nie lubiła skurczybyka, ale gdyby Tomczycki poważnie go uszkodził, także by nie było dobrze.

– Piotrek! Zostaw! Zabijesz go! – wrzasnęła.

To nieoczekiwane użycie imienia otrzeźwiło na chwilę sierżanta. Przestał okładać Fornala i spojrzał półprzytomnie na Adę.

– Kurwa, co się tu wyrabia? – krzyknęła.

– Szedł za panią porucznik – wysapał Tomczycki, schodząc z Fornala.

– Zwariowałeś! Odjebało ci! – Fornal próbował się podnieść, ale sierżant widać zdążył go solidnie poturbować, bo tylko z pozycji leżącej dźwignął się do siedzącej. Zdjął szalik, żeby obetrzeć krew z twarzy.

„Nieźle mu przyładował" – pomyślała Ada. Na pewno miał rozciętą wargę i uszkodzony nos, może nawet złamany. Jasny kołnierz kożucha uwalany był krwią. „Ciekawe, co jutro powie w szpitalu".

– Zwariowałeś! – powtórzył Fornal. – Twojej królowej włos by z głowy nie spadł!

Było już ciemno, ale Ada była pewna, że Tomczycki się zaczerwienił.

– Tak? To po kiego ją śledziłeś? Wiesz, że się tobą interesuje. Chciałeś ją uciszyć?

– Kurwa, aleś się uczepił. – Fornal wreszcie się podniósł z ziemi. Zatoczył się, musiał się oprzeć o drzewo. – Pogadać chciałem.

– Jasne, w ciemnym zaułku najlepiej – zakpił Tomczycki. Chyba pierwszy raz, od kiedy go poznała. W sytuacjach stresowych robił się nawet interesujący.

– Nie, w parku. Dopóki na mnie nie napadłeś. – Fornal się nachylił. Na śniegu pojawiły się plamy krwi.

– Dobra, wyjaśnimy to na komendzie. – Ada przerwała ten dialog.

– Nie! – zaprotestowali obaj, prawie równocześnie.

– Dlaczego? – zdumiała się. To znaczy dlaczego Fornal oponował, to było dla niej jasne, ale Tomczycki?...

– Ja rzeczywiście… no, śledziłem panią porucznik. Widziałem dziś doktora trzy razy na komendzie, jakby się do czegoś szykował. Dlatego poczekałem, aż pani porucznik wyjdzie, i poszedłem za panią. I bingo, bo on stał w bramie, w tej kamienicy naprzeciwko. A później szedł za panią i kiedy przyspieszył, to… no… Więc jednak mam tę intuicję, ale to nieregulaminowo raczej… – zacukał się Tomczycki.

– To nie jest rozmowa na komendę – powiedział krótko Fornal.

O nim Ada myślała jak najgorzej, ale uznała, że przyjmie to wytłumaczenie.

– Dobra, to gdzie? – zapytała.

Fornal wyciągnął rękę w kierunku skąpanej w ciemności ławki. Żarówka w latarni obok nie świeciła.

– Chodźmy – powiedziała krótko. – Da pan radę? – zainteresowała się nagle. Jeśli obrażenia są poważniejsze, to jednak najpierw szpital.

– Dam. – Fornal znowu przyłożył szalik do nosa. – Ale wolałbym bez niego. – Wskazał głową na Tomczyckiego, który rozcierał obolałe kłykcie.

– Sierżant idzie – obstała twardo przy swoim.

Fornal podniósł futrzaną czapkę i z rezygnacją machnął ręką.

***

– No? – zapytała, kiedy stanęli przy tej ławce.

Fornal się rozejrzał. W parku było pusto, tylko oni.

– Naprawdę chciałem pogadać – powiedział niewyraźnie przez uszkodzony nos.

– Przyjaźniejszych miejsc pan nie zna? – zapytała kpiąco.

– A umówiłaby się pani porucznik ze mną? – odbił piłeczkę.

– Codziennie jestem na komendzie. Czekam na zgłoszenia obywateli.

Tomczycki słuchał tego słownego ping-ponga w napięciu, gotów jeszcze raz przyłożyć doktorowi.

– Na komendzie ściany mają uszy – powiedział Fornal.

„Pierwszy raz jakby szczerze" – pomyślała Ada.

– Spanikowałem. Po tym, jak poszła pani do Maryśki, znaczy do Marii Boguty. Stara sprawa, wstyd mi, źle to rozegrałem.

„Jednak chuj".

– Ale wtedy byłem młody, głupi, popędliwy... Tyle lat minęło, przyschło, a teraz, w kontekście tych morderstw... No źle to wygląda. Zwłaszcza że była jeszcze jedna podobna sprawa, choć tu już mam sumienie czystsze. – Fornal unikał wzroku Ady. Patrzył na boki, jakby lustrował otoczenie.

„Czyli dlatego Szkudła nie odpowiedział, ile razy Fornal zbłądził. Wiedział i o innych rzeczach".

– Ta druga to może nawet wiedziała o Maryśce. Bo niby chętna, sama się pchała do łóżka, razem piliśmy. A potem się nagle jej odwidziało. Potem, już po wszystkim znaczy. Że jednak to wcale nie czuła mięty. No i zaczęła gadać, że to się da załatwić, a jak nie... Zapłaciłem, niech się udławi, pomyślałem. Później to już lepiej wybierałem. Kto mógł przewidzieć, że z Iwoną tak się to potoczy? Zwłaszcza że jeszcze raz się z nią widziałem niedawno... Nie wiem, co mi do łba strzeliło, żeby po tym wszystkim... No ale ona ma coś takiego w sobie. I żadnych zahamowań... Więc gdy zginęła, a mi się jej zdjęcie u Harabasiuka przypomniało, to spanikowałem. Poleciałem, kazałem zmienić wystawę, zabrałem klisze i odbitki i powiedziałem, żeby mordę na kłódkę trzymał. Ale on miękki jak baba i się wysypał... Pani porucznik – patrzył teraz na jej twarz, choć oboje byli w półmroku i nie widziała dokładnie jego rysów – jestem temperamentny, to mój jedyny grzech. Nie zabijam kobiet. Nie muszę, wciąż są chętne – dodał po chwili.

– A dlaczego komendant tak cię broni? – Nawet nie zauważyła, że przeszła na ty. – Co na niego masz?

– Szkudła nie jest zły. On po prostu umie żyć z ludźmi, tak tu jest.

– Nie kupuję tego. Coś was łączy.

Fornal wyciągnął z kieszeni kożucha papierosy i zapałki. Odpalił jednego. Ręce wciąż mu drżały.

– To mój wujek, tak jakby. Kuzyn ojca. Kiedy ojciec zginął w czterdziestym czwartym, to on się poczuł, żeby pomóc. Do dziś coś z tego zostało.

– Wzruszające. Ale dla takiej rozrzedzonej krwi komendant by nie ryzykował kariery, usuwając dokumenty z akt i przekupując poszkodowanych. Co masz na niego? – Była nieustępliwa.

Fornal mocno się zaciągnął.

– Dobra – powiedział w końcu. – Ale jeśli pójdziesz do starego czy gdziekolwiek, to się wyprę. – Teraz on zrezygnował z form grzecznościowych. – Brzydka sprawa. Zagrabione mienie żydowskie. Każdy by chciał być bogatszy, ale nie każdy w taki sposób.

Tego się nie spodziewała. Współczesne lewe interesy, nepotyzm, jakieś geszefty, ale coś takiego?... Fornal chyba tego nie wymyślił.

– A apaszka? – zapytała w końcu.

– Jaka apaszka? – Doktor był zaskoczony. Może nie tak jak Nowak, ale też całkiem naturalnie. Pierwszy raz podczas całej rozmowy spojrzał jej prosto w oczy i zatrzymał wzrok.

– Apaszka Kołeckiej. Dowód z mieszkania Nowaka. Kto ją podrzucił? Ty? Szkudła? Ktoś inny? Zabraliście klucz od kierownika? Jak było, co? – Miała coraz mniej nadziei, że uda jej się dowieść prawdy, ale przynajmniej na swój użytek chciała mieć pewność, że ją poznała.

– O nie, nie, nie! – Fornal aż się cofnął. Wyciągnął przed siebie ręce, jakby chciał zatrzymać Adę. – W to się nie dam wrobić. Nic o żadnej apaszce nie wiem. Znaczy stary mówił, że jest dowód, ale to tyle. Mnie w to nie mieszajcie. Spadam, tak?

Ada nic nie odpowiedziała, Tomczycki również się nie ruszył.

Fornal postawił kołnierz, wcisnął do kieszeni szalik i zniknął w mroku.

Rozdział 26

Czy ją przekonałem? Czy mi uwierzyła? Nie, to złe pytanie; nadzieja i wiara to wartości innych organizacji, na przykład Kościoła. W Milicji Obywatelskiej liczą się twardsze argumenty, zwłaszcza w jej przypadku. Tego jednego nie można jej odmówić - wydaje się silna i na swój sposób uczciwa... Jaka jest prywatnie, trudniej osądzić. Tak naprawdę nie znam jej. Na pewno jest niebezpieczna. A może to tylko gra pozorów, złudzenie? Przecież jest kobietą, powinna być jak inne. Ładna blondynka, niebieskooka... To jest jak etykieta - wiadomo, czego się spodziewać. Każda z nich to suka. Wszystkie w końcu zdradzają.

Jeśli czas będzie mi sprzyjał, przekonam się, czy udaje, czy rzeczywiście jest wyjątkowa. Choć czy myliłbym się aż tak bardzo? Trochę kobiet już poznałem. Zajrzałem im głęboko w oczy, żeby zobaczyć, co się za nimi kryje. I zawsze było to samo - pustka.

Mimo wszystko jestem na siebie zły. Rozczarowany sobą. Nie, nie, nie! Nie! Muszę nad tym zapanować. „Jesteś do niczego" - ten potwór zatruł mi mózg tymi słowami, a matka mnie nie obroniła. Nie mogę ich w sobie nosić, muszę je wyrugować. Tamte obrazy bledną, buduję siebie na nowo.

Malowanie wizerunku niewinnego, którego los schwycił w swoje sidła, jest łatwiejsze, gdy się ma czystą kartę. A moja była znaczona. Przeszłość jest trudna do ukrycia, ale nie grzebałaby w niej, gdyby nie trafił się jej taki samozwańczy informator. Durna sekretarka, pizda jedna. Musi tyle jęzorem obracać? Ile razy przyjdę, wisi na telefonie i szczebiocze do słuchawki. Kretynka z cyckami na wierzchu. Dopiero kiedy się ktoś zbliży, to mówi: „Tak jest, zapisałam". Może nią też trzeba się było zająć? A taka wydawała się niegroźna – nieduża, na obcasach, pomalowane na czerwono paznokcie, znaczy zwyczajnie durna. Ale ruda, a ruda to wiadomo...

Mimo wszystko nie poszło źle. Więcej: poszło dobrze. Trzy trupy wyjebane i nic. Żadnego śladu nie zostawiłem. Gdybym im nie podrzucił tej apaszki, nadal by się kręcili w kółko jak gówno w przerębli. Węszyli. Zresztą apaszka też majstersztyk. Kto by trzymał potencjalny dowód w domu?... Ale wiedziałem, że się przyda. Zastanawiałem się chwilę, kogo ubrać w to morderstwo, i padło na Nowaka. Bardzo skutecznie. Przynęta chwyciła, Nowak już w areszcie.

Czujność trzeba jednak zachować. Będę ją obserwował jeszcze baczniej.

Jeśli zrobi się zbyt dociekliwa, wykona o jeden krok za dużo – wkroczę. Wszystko pod kontrolą.

Rozdział 27

Była spocona z nerwów. Od tej chwili zależało całej jej przyszłe życie. Tyle przetrwała, a teraz miałaby się wyłożyć?

– Podnieś to oczko na lewy drut! – huknęło nad nią, aż podskoczyła.

Rozejrzała się dokoła. W sali było pusto, zostali sami: tylko ona i on. Jest zdana na jego łaskę, przecież nie ma tu żadnych świadków.

Znowu wykonała zły ruch. Skuliła się w sobie. Spieprzy to i nikt jej nie pomoże.

Zadanie mówiło jasno: kolorowy szalik, cztery różne włóczki, pasy jednakowej szerokości. Długość – sto pięćdziesiąt centymetrów.

Miała może czterdzieści centymetrów. Brakowało jej wprawy w robótkach ręcznych, nigdy nie lubiła takiej dzierganiny. Oczka się jej myliły, spadały, włóczka się plątała.

– Skoro nawet drutami nie umiesz machać, to jak ty chcesz przestępców łapać? – Tym razem pułkownik rozdarł się jeszcze głośniej.

Jezu, czemu on się tak nią uwziął?

– Oczka, rozumiesz? Musisz oczek pilnować! Oczka muszą się zgadzać!

***

Obudziła się. W połowie grudnia spółdzielnia zaczęła tak hajcować, że mogłaby spać pod prześcieradłem. Może to takie wyrównanie za pustki w sklepach, żeby ludzi jakoś udobruchać. Tak czy owak, była lepka od potu.

Skąd te absurdalne sny? Przecież nie pije, jest sucha od tej wpadki z inspektorem. Nie chodzi o wstyd, ale przede wszystkim o to, że musi trzeźwo myśleć. Myśleć, kurwa!

A im więcej myśli o Nowaku, tym bardziej jest przekonana, że pchają na stryczek niewinnego człowieka. No ale jak dyskutować z twardym dowodem?...

Wczorajsza rozmowa z Fornalem cofnęła ją do punktu wyjścia. Tu, dla odmiany, pasuje wszystko: motywacja, możliwości, przeszłość, a jednak chyba udało mu się ją przekonać. Tomczyckiego też. Sierżant, chociaż był nawet zadowolony, że spuścił Fornalowi łomot, to nie wierzył w jego winę.

Ale jeśli nie Fornal, to kto? Harabasiuk? Maniakalny depresyjny morderca? Ukryty mściciel? A może oni razem z Fornalem działają? Fornal je sprasza, gwałci, a Harabasiuk oczy wyjmuje? Nie, to absurdalne. Przecież nie pójdzie z tym do Szkudły, dla którego jest już pozamiatane.

W tym natłoku myśli jednego była pewna: to nie Nowak.

***

Dochodziła siódma. Szybko się zbierze i zadzwoni z komisariatu do Andrzeja. Rozsądniej może byłoby zamówić rozmowę na poczcie, ale przestało się jej chcieć bawić w podchody. Jeśli po jego wizycie w Suwałkach nie było żadnej burzy, to znaczy, że stary jest usatysfakcjonowany takim załatwieniem sprawy i tego rodzaju wyskoki traktuje jak coś w rodzaju widzenia – nawet najgorszy skazaniec ma w końcu do nich prawo.

Na komendzie o tej porze były puchy. Dyżurny i ona.

Poszła do sekretariatu. Szkudła pewnie się spóźni, w końcu ma co świętować. Beata, nawet jeśli Ada ją zastanie przy swoim biurku, nie będzie dopytywać.

Po drugim sygnale podniósł słuchawkę. Czyli nie zmienił nawyków, wciąż lubił wcześniej przychodzić do pracy. Podobnie jak ona, zresztą to te poranne kawy ich kiedyś zbliżyły.

– Cześć! – powiedziała.

– O. – Zdziwił się. Jakoś tak mało wylewnie. – Co słychać? Ponoć jest sukces?

– Czyli wieści szybko się rozchodzą... – I zamilkła.

Czego oczekiwała? Że od razu jej powie, jak tęskni? A zaraz potem doda, że wie, że to sukces szyty pod oczekiwania góry?

– No, wczoraj się dowiedziałem. Ale słyszę, że się nie cieszysz.

– Bo to wszystko nie tak.

Teraz on zamilkł.

– Ada... Ja nie bardzo mogę znowu przyjechać, ale gdybyś ty, może w połowie drogi, jakoś...

Czyli jednak afera była.

– Nie, ja nie o nas, rozumiem.

„Gówno, nie rozumiem". Ale swoją godność miała.

– Chodzi mi o tego aresztowanego Nowaka. On tak pasuje jak Marchwicki, znaczy bardzo na siłę. Komendant go forsuje, prokurator też pchnął. A ja jestem przekonana, że to nie on.

– Ale mocny dowód jest. To trudne do podważenia. I grozi zawaleniem kariery. Ada, wiesz... za chwilę sprawa będzie zamknięta, sukces odtrąbiony, wykrywalność wzrośnie. Tak to działa. Pchanie się z palcami w niedomknięte drzwi może zaboleć. Po co ci to? Chcesz wrócić do Warszawy, do mnie, czy całe życie spędzić na rubieżach? Wszystkich będziesz miała przeciwko sobie. Ja cię rozumiem, ale rozważ to, nie prowokuj Szkudły. – Ton głosu przeszedł z ojcowskiego w proszący.

Ada poczuła się nieswojo, jakby o człowieku, do którego miała zaufanie, dowiedziała się czegoś kompromitującego. Była najpierw zażenowana, a później zła na Andrzeja. Wiedziała, że jest konformistą, przecież właśnie dlatego wylądowała tutaj, ale jakoś to sobie wytłumaczyła: dobro dzieci, teść, przed którym trzęśli się sekretarze partyjni, kariera, lęk o przyszłość. Ale zgoda na powieszenie niewinnego człowieka? Rozmawiali o sprawie Marchwickiego tyle razy i oboje byli oburzeni sposobem prowadzenia śledztwa. Co się stało? Coś się musiało wydarzyć.

– Ada, posłuchaj, tak przez telefon to ciężko. Rozumiem cię, to jest dla ciebie ważne, i bardzo chciałbym ci pomóc – ciągnął pojednawczo Rolski, jakby wyczuł, że się zagalopował. – Jeśli masz wątpliwości, szukaj dalej, ale dyskretnie, i uważaj na siebie, bo sprawa Nowaka już przesądzona. Tyle ci mogę powiedzieć. Zaangażowane są w to najwyższe czynniki. Najwyższe! Rozejrzyj się, co się w kraju dzieje. Milicja potrzebuje sukcesu. My potrzebujemy sukcesu. No dobrze – głos zmienił się na profesjonalny – może…. przejrzyj jeszcze raz akta…

– Znam je na pamięć prawie – przerwała mu. Każdą wolną chwilę po pracy, a miała same takie, spędzała na czytaniu akt.

– Ale może coś ci umyka? Może gdzieś jest trop, a ty go nie widzisz? Bywa, że rozum podświadomie coś wyłapuje, a potem to się nie może przebić na powierzchnię. Jeśli to cię gryzie, to tak może być i tym razem.

– Na pewno tak jest, ale nie umiem tego miejsca wyłapać. Za mocno w tym siedzę. Andrzej, on będzie dalej zabijał, nie rusza cię to? – Ada z trudem się opanowywała.

– Tego nie wiemy. Uspokój się. Złap dystans. – Ton głosu tym razem był mentorski. – A gazety?

– Co: gazety? Były artykuły, takie połowicznie prawdziwe, jak, kurwa, wszystko.

– Nie chodzi mi o relacjonowanie tej sprawy, tylko innych przestępstw. Może jakiś lokalny artykuł naprowadzi cię na odpowiedni trop. Tak się zdarza. Szukaj dziwnych spraw, odmiennych od standardowych zbrodni. Szukaj anomalii. Zabójstw pozornie bez motywu, fiksacji, brutalnych przestępstw. Połącz to później z tym, co masz w archiwum, i zobaczysz, co wyjdzie.

To nie był zły pomysł. A na pewno jedyny, jaki teraz miała.

– Dobra sugestia. Zaraz się za to zabiorę. – Krzesicka była na siebie zła, że wcześniej o tym nie pomyślała. Próbowała uporządkować uczucia. Była zamyślona i zagubiona po całej tej rozmowie. Co powinna czuć? Co się kryło pod tą złością?

– Ada... – Głos mu zaksamitniał, obniżył się. – A jak ci, tak w ogóle?

– W ogóle to może być. Dużo pracy, mało czasu na inne sprawy. Nie jadę do ojca. A u ciebie? – Ada tłumiła łzy.

– W tym roku wyjeżdżamy na święta. Do Zamościa, do dziadków... Zjazd rodzinny.

„No jasne, rodzinny. Żona, teściowie, dziadkowie, synek i córka. Sielanka. Cholerna sielanka". Teraz czuła się oszukana.

***

Siedziba „Gazety Suwalskiej" mieściła się niedaleko komendy.

Ada umówiła się z redaktorem Malczykiem. Zadzwoniła do sekretariatu i zapytała o kogoś z długim stażem. „W poważnym wieku znaczy?" – upewniła się młoda sekretarka. Ada przytaknęła, choć dla dziewczyny zaraz po maturze „poważny" może oznaczać trzydziestolatka, a jej zależało na kimś, kto pracuje dłużej i pamięta różne sprawy z przeszłości.

– Krzysztof Malczyk, miło mi. Nie mieliśmy jeszcze okazji. Do tej pory to Toniek, znaczy Antoni Kaczmarczyk zwykle się do nas odzywał, ale od kilku miesięcy... No, przykre to, bardzo.

Ada w pierwszym momencie nie skojarzyła nazwiska, ale potem sobie przypomniała: Kaczmarczyk, zastępca Szkudły. Rak płuca, równia pochyła. Jeszcze żył, ale sprawa była ponoć przesądzona.

– No, a ostatnio to komendant nam przysyłał komunikaty. Zresztą rozmawiałem z nim. Zwykle jednak bardziej był wylewny... – Znacząco zawiesił głos. – Choć – dodał po chwili – słyszałem, że sprawa przyspieszyła i zmierza do pozytywnego finału. Jutro też pójdzie artykuł. Ludzie naprawdę się niepokoją, nawet pani nie wie, pani porucznik, ile listów przychodzi do redakcji, ile telefonów musimy odbierać. Już po drugim zabójstwie byliśmy o krok od paniki, a trzecie... No ale dobrze, że już macie podejrzanego. – Pytająco zawiesił głos, przekrzywiając głowę na bok. Przy swoim wzroście i chudej sylwetce cały wyglądał teraz jak znak zapytania.

Ada przyglądała się Malczykowi. Był po pięćdziesiątce i miał sympatyczną twarz, choć pooraną głębokimi bruzdami. W kącikach inteligentnych oczu cały czas pracowały kurze łapki, co wskazywało na jego pogodne usposobienie. Na czubku nosa, właściwie nie wiadomo jakim cudem, tkwiły okulary w drucianych oprawkach. Na pewno nie był tępym aparatczykiem i mimo oczywistych uwarunkowań chyba potrafił zachować realny ogląd sytuacji.

Uśmiechnęła się kurtuazyjnie, nie chciała komentować tego, co Szkudła przekazywał prasie.

– Panie redaktorze, wszystko idzie w dobrym kierunku, tyle mogę powiedzieć, ale ja właściwie w trochę innej sprawie. Badamy pewien poboczny wątek śledztwa i potrzebuję pańskiej pomocy. – Ada zrobiła krótką przerwę, aby ostatnie słowa odpowiednio wybrzmiały. – Długo pan tu pracuje?

– Do „Białostockiej" zacząłem pisać jeszcze pod koniec lat pięćdziesiątych. A teraz to tylko u nas w „Suwalskiej". Każde miasto ma swoją, i dobrze.

– A „Współczesna" to czyja? – Ada trochę się pogubiła w tych roszadach. „Życie Warszawy" miało prostszą historię.

– „Współczesna" to dawniej „Białostocka". Przepraszam, wiem, że to zawsze wy zadajecie pytania, ale pani chyba nie o podziale administracyjnym chciała ze mną rozmawiać?

– Nie, nie o podziale – odpowiedziała krótko. – Czyli mogę założyć, że sprawy regionu, tutejszych ludzi, nawet te ciemne, zna pan jak mało kto.

Malczyk popatrzył na nią uważnie zza okularów, skinął głową i powiedział:

– To zapraszam do mojego pokoiku. Tam można spokojniej porozmawiać. A, napije się pani czegoś?

– Kawy poproszę.

Malczyk zamówił u młodej sekretarki dwie kawy.

Pokoik nie bez powodu został zdrobniale nazwany. Półki były zawalone gazetami, teczkami i korektami, które strzępami zwisały spośród książek i broszur. Biurko też było przykryte papierami, spod których, jakby walcząc o życie, wyłaniały się walizkowa maszyna do pisania i ebonitowy telefon. Obok dwa krzesła i oni. I chyba niewiele więcej by się tu zmieściło. Na ścianie umierały paprotka i kalendarz zakładów graficznych. Nie było natomiast papierosowego smrodu.

Rozległo się pukanie. Dziewczyna przyniosła na tacy dwie parujące, aromatyczne kawy. Znacząco spojrzała na blat.

– Dobra, Kasiu, wiem, że u ciebie porządek. – Malczyk wprawnym ruchem zgarnął papiery, robiąc trochę miejsca.

Dziewczyna postawiła tacę, obrzuciła zaciekawionym spojrzeniem Adę i wyszła.

Malczyk milczał. To, jak ludzie milczą, też sporo o nich mówi. Można milczeć nerwowo, nachalnie, bezrefleksyjnie. Redaktor prezentował wariant wyczekująco-taktowny.

– Tak jak wspomniałam, przyszłam do pana w związku z prowadzoną sprawą. Szczegółów nie mogę ujawnić, niestety. – Niech od razu będzie jasność, że to przepływ informacji tylko w jedną stronę. – Potem, owszem. – To na zachętę. – Interesują mnie sprawy z przeszłości bliższej i dalszej: morderstwa, gwałty, które jakoś by odbiegały od średniej, dziwne. Na przykład cechowałoby je wyjątkowe okrucieństwo.

Malczyk się zastanowił.

– Najokrutniejsze to były podczas wojny: i gwałty, i zabójstwa, ale to chyba za daleko szukać?...

Ada kiwnęła głową.

– Potem to już zwyczajne, na miarę Polski Ludowej. Były jakieś krwawe porachunki o miedzę czy rodzinne rozliczenia, ale wszystko w normie. Gwałty też, ale w alkoholowym klimacie raczej. Jakieś inne również bym wyszukał, ale nic spektakularnego, a rozumiem, że pani porucznik o to chodzi, prawda? Coś jak ta ostatnia sprawa?... – Zawiesił głos.

„Wiedział, nie wiedział?" Ada nie potrafiła go rozgryźć. Pewnie jednak tak, przecież krąg tych, co zajmowali się sprawą, nie był taki mały. Nie da się takich rzeczy utrzymać w ścisłej tajemnicy. Nie pociągnęła jednak wątku.

– Ta sprawa, jak już pan wie, jest prawie zamknięta. Czyli nic... bestialskiego? – Specjalnie użyła tego przymiotnika.

Nie załapał. Znaczy kryptonimu nie znał.

– Podpalenie było, pół wsi poszło z dymem. Celowe, okropna historia, ale to kilkanaście lat temu już...

„To chyba o tym mówił Szkudła, że Harabasiuk zdjęcia robił, i dlatego nie mógł wtedy żony zamordować" – przypomniała sobie.

– Nie, sprawa, której szukam, musi być, że tak to ujmę, indywidualna, nie zbiorowa.

Malczyk sięgnął po szklankę. Wziął duży łyk, potem kolejny. Odstawił kawę i wygodniej rozparł się na krześle, wyciągając przed siebie długie nogi i krzyżując ramiona na piersi.

– Tak mi się lepiej myśli – powiedział i przymknął oczy.

Ada go nie popędzała. Z tym facetem i dobrze się rozmawiało, i dobrze milczało.

– Odbiegającego od normy? – upewnił się, wciąż z opuszczonymi powiekami.

„Tyle może mu chyba powiedzieć. Może to go jakoś natchnie?"

– Tak. Na przykład – chciała dodać „hipotetycznie", ale to by ją zdradziło, bo zawsze wiadomo, że to „hipotetycznie" wydarzyło się naprawdę – bo ja wiem... śmierć, gdy ofiara miała zasłonięte oczy albo dekapitacja, albo poćwiartowanie, albo okrucieństwo na zwierzętach – kluczyła Ada.

Malczyk spojrzał na nią bystro, by po chwili ponownie zamknąć oczy. Znów przyjemnie milczeli. Po mniej więcej pięciu minutach dziennikarz jakby się ocknął z transu.

– Próbuję sobie przypomnieć takie zdarzenie, ale teraz nic mi do głowy nie przychodzi. Przejrzę archiwalne wydania. Zakładam, że wasze archiwa już pani przejrzała. Ile mam czasu?

„Do kolejnego morderstwa” – pomyślała Ada. Ostatnie było dwudziestego pierwszego listopada. Dziś mijał miesiąc. Zaraz święta. Może zrobi sobie wolne? Jak wszyscy, to wszyscy.

– Im szybciej, tym lepiej. – Uśmiechnęła się. – Dziękuję za rozmowę i kawę, ale przede wszystkim za gotowość pomocy – próbowała jeszcze na koniec zmotywować pana redaktora.

– Wesołych świąt – pożegnał ją.

„Ani jedno, ani drugie” – pomyślała.

Rozdział 28

Było bajkowo, wręcz baśniowo. Zaczęło się w nocy, śnieżycą. Wiało, zasypując wszystko w mieście: chodniki, dachy, drzewa, place, auta, ludzi. Z rankiem wichura zelżała; padało nastrojowo i klimatycznie. Tak jak powinno w Wigilię.

Nie pojechała do domu. Pierwszy raz w życiu nie spędzi świąt z ojcem. Wymówiła się brakiem czasu i napięciem w pracy. Bardzo wygodny powód, wystarczy uciąć – „tajemnica śledztwa". W tym roku jeszcze bardziej nie miała ochoty na łamanie się z macochą opłatkiem. Znowu by usiedli przy stole, przy oślepiająco białym obrusie. Formułkowo by sobie życzyli „zdrowia i pomyślności", potem starsza pani Krzesicka poprosiłaby, żeby uważać przy barszczu, bo plamy się trudno spierają, przy czym patrzyłaby na młodszą panią Krzesicką, czyli Adę, bo ojciec był już nieźle przećwiczony w uważaniu. Później karp, którego mdłego smaku nie lubiła. I kapusta z grochem, jeszcze obrzydliwsza. Ciasta, trzeba macosze oddać, były smaczne. Ta chwila słodyczy nie zagłuszyłaby gorzkiego smaku reszty dnia.

Święta od lat wpędzały ją w ponury nastrój. Tyle przygotowań, wystawania po karpia, trzymania go w wannie, potem zarzynania, lepienia uszek, obmyślania prezentów, które musiały być spójne z możliwościami handlu, by zwieńczyć to zdawkowymi uprzejmościami i pustką. Nadęty balon pękał z hukiem.

Wyjrzała przez okno – cały świat w bieli. Na ulicy pustawo, w domach – światła. Zaraz się zacznie. Nawet wypatrzyła pierwszą gwiazdkę.

Ta pierzyna magii jednak wcale jej nie grzała. A kaloryfery znowu były letnie. Szczelniej otuliła się swetrem. Spojrzała na swoje stopy. Futrzane kapcie od ojca były może mało romantycznym prezentem, ale praktycznym. Wyobraziła sobie macochę, która na pewno w ten sposób zachęcała go do zakupu: „Kup jej coś praktycznego". Całe życie musiało przebiegać pod znakiem praktyczności. Na poczcie odebrała nie tylko przesyłkę od ojca. Andrzej wysłał jej perfumy. Blase, krzyk mody w peweksie. Kwiatowo-drzewne, nic dającego mydłem. I zupełnie niepraktyczne. Ojciec i kochanek – ekskochanek – zupełnie inaczej ją obdarowywali. Ciekawe, co dostała pani Rolska?

„Przestań" – upomniała się w myślach. Spojrzała na swój świąteczny stół, z lekko nieświeżym żółtawym obrusem. Śledź, zrobiony przez Beatę i przyniesiony na komendę w słoiku. Beata zresztą próbowała ją zaciągnąć na wigilię do swoich rodziców, ale Ada się wymówiła. Beata nie drążyła. Ta dziewczyna naprawdę nieźle znała życie. Obok ryby butelka winiaku, wciąż zamknięta. Rosół ugotowała sama. I porcja sernika z Jaćwieskiej. Dziwaczny zestaw, jak jej życie.

„Ciekawe, co oni wszyscy teraz robią?" – pomyślała. Szkudła ze Szkudłową i liczną rodziną. Tomasz Szkudła też się pewnie zjawił, przy okazji przywożąc wędliny i mięso na kolejne dni. Rarytasy, choć w sklepach pustawo. Fornal – sam czy jakąś sobie przytulił? Tomczycki, najmłodszy, wychuchany synek. Rolski z teściem, szychą szych i rodzicami, z żoną, córką. Nowak na więziennej pryczy. Kunda wypełniający jakieś papiery. A może z tą sąsiadką-ciotką? Rodzice Kozioł, matka – i córeczka – Kołeckiej, ciotka Okoń: spłakani czy szukający otuchy w Bożym

Narodzeniu? Harabasiuk – z ciotką w Tolkmicku czy może przy rybie od wpatrzonej w niego sąsiadki?

Śledź był naprawdę dobry. Wytarła talerzyk do czysta skórką chleba. Sięgnęła po ciastko. Nie wierzyła w przesądy o niełączeniu jedzenia. Przecież w żołądku i tak się zmiesza. Przez dłuższą chwilę wpatrywała się w winiak. W końcu to ona wygrała – flaszka powędrowała do szafki w kuchni. Ada zrobiła sobie herbaty. Czekając, aż ostygnie, wzięła szybki prysznic. W zimnej łazience letnia woda wydawał się cieplejsza. Ten spójny system niedogrzewania miał jakiś sens.

Wróciła do kuchni. Wyskrobała z cukiernicy resztkę kryształków. Kolejne kartki dopiero po Nowym Roku. Wypiła i sama zrobiła sobie prezent – nie umyła zębów. Lepka herbaciana nuta przyjemnie koiła ją do snu. Ostatnio bardzo często śniła, może dlatego, że żyła w ciągłym napięciu i nie umiała sobie z tym stanem poradzić. Umysł próbował po swojemu, bez kontroli świadomości, poukładać zgromadzone informacje, fakty i wrażenia. Bywało przyjemnie, ale zdarzały się też koszmary.

Ostatnie chwile przed odpłynięciem w niebyt spędziła na rozmyślaniu, jaką prawdę kryje śnieg, który zasypał całe Suwałki. A potem zapadła w głęboki sen.

Śniło jej się, że Harabasiuk ostrzył nożyk do cięcia tektury, na której robił odbitki. A potem przeglądał klisze w poszukiwaniu następnej ofiary, w kącie zakładu przygotowując kolejną wystawę – tym razem na czarnej satynie. „Pomszczę cię, Jadziuniu" – szeptał. Fornal składał życzenia komendantowi. Ten uścisnął go i szepnął: „Nie dam cię skrzywdzić, synu". W rzeczywistości bowiem nie tyle pomagał pani Fornalowej, ile był jej kochankiem. A potem we trzech, o umówionej godzinie, tuż przed pasterką, wyszli z domów i podjechali pod jej blok. Dorobionym kluczem – jak wtedy, gdy podrzucali Nowakowi apaszkę – otworzyli drzwi. Zaspaną, w koszuli nocnej – „wreszcie jak kobieta wygląda", ucieszył się Szkudła – zawieźli do prosektorium. Tam czekał Socha, z łyżką i ze skalpelem. „Kto nie widzi, ten nie myszkuje" – powiedział, zbliżając się do niej z gazą nasączoną chloroformem. Kiedy się ocknęła, dokoła było ciemno. Czarno, jak nigdy wcześniej. Wyłupili jej oczy, ale wciąż żyła. „Za dużo krwi, panowie, niehigienicznie" – usłyszała czyjś głos. Poważny i smutny. Czyj to głos?. „I zapach nieprzyjemny, pani porucznik by się nie podobało" – dodał płaczliwie Tomczycki. Poczuła nuty blase.

W tle zabrzmiała muzyka. Nie Vivaldi, Rodowicz czy Breakout. *Przybądźcie z nieba na głos naszych modlitw...* „Żegnamy dziś funkcjonariuszkę naszej milicji, Adę Krzesicką" – oznajmił z rutyną w głosie proboszcz.

Przedziwne, ale po raz pierwszy od dawna jej ulżyło. Może przeniesie się w miejsce lepsze niż te cholerne Suwałki.

Rozdział 29

Kobieta wyglądała naprawdę ładnie. No, może trochę blado. Ale była zima, trudno o karmelową skórę. To, co można poprawić, to oczy. Bo teraz ginęły w twarzy, w naturalnej, zbyt jasnej oprawie. Wyciągnęła czarną kredkę i tusz do rzęs. Kreska wyszła nawet dobrze, równo. Tusz lekko wysechł, ale co się dziwić, nie używała go od dłuższego czasu. Zamoczyła szczoteczkę w gorącej wodzie i przejechała nią po sprasowanym kosmetyku. Wyszczotkowała rzęsy. Odsunęła się. Tak, naprawdę dobrze. Z lustra spoglądała na Adę ładna kobieca twarz okolona brązowymi, mocno wycieniowanymi włosami. Podobna do Ewy, bohaterki *Dziejów grzechu*, filmu, który Ada niedawno obejrzała w kinie Bałtyk. Mylący tytuł, kto szukał w tym obrazie wyłącznie lekkiej, ekscytującej rozrywki, rozczarował się. Pod pozorną lekkością krył się ciężki dramat psychologiczny. Miłość doprowadziła Ewę do tragedii. Zakochała się w żonatym facecie, który ją porzucił. I tu zaczęła się równia pochyła: zamordowanie swojego nowo narodzonego dziecka, niedobre, coraz gorsze związki, prostytucja i wreszcie śmierć z ręki kochanka. Film nakręcono na podstawie powieści Żeromskiego, o której pisano: „powieść seksualna" lub „kolejowy romans". I na ekranie nie brakowało śmiałej erotyki, która jednak Ady nie poruszyła. „Z tej przyjemności profity czerpią tylko mężczyźni" – myślała.

Czy to był impuls do metamorfozy? A może od tak dawna niczego nie zmieniała, że bez względu na ten jeden seans filmowy i tak czułaby potrzebę, żeby wreszcie było jakoś inaczej? Niby już było inaczej, ale nie miała na to wpływu, tylko się podporządkowała losowi. No i kończył się stary rok, a to zawsze tak działa – ten kolejny ma być nowym początkiem.

Zaczęła od sprawienia sobie fajnej fryzury. Ewa, choć nieszczęśliwa, wyglądała bardzo ładnie. Ada poszła do poleconej przez Beatę fryzjerki ze zdjęciem wyciętym z gazety. Fryzjerka pozytywnie oceniła cięcie, ale zapytała: „Pani porucznik będzie się też farbować? Ostatnio dużo blondynek przefarbowywało się na brunetki. Ze strachu i z ostrożności, bo ten świr to podobno tylko blondynki krzywdzi. Ale już chyba nie potrzeba, co?". Więc ludzie wiedzieli więcej, niż oni im chcieli powiedzieć. Zresztą zawsze wiedzą.

Akt oskarżenia przeciw Nowakowi był gotowy, proces miał się rozpocząć pod koniec stycznia.

Jeszcze raz spojrzała w lustro. Już zapomniała, jaka jest zgrabna. Szczupła, ładne piersi, teraz zachęcająco zebrane bardotką i śmiało odsłonięte w głębokim dekolcie błyszczącej sukienki. Wzięła ją z Warszawy, choć z przekonaniem, że nigdy jej tu nie włoży. Los kolejny raz pokazał jej, że nie należy robić takich założeń. Właśnie się szykowała na bal sylwestrowy do Jaćwieskiej. Zaprosił ją Jan Kunda. Trochę się spodziewała, choć było to tylko przeczucie. Na nic nie liczyła, ale kiedy myślała sobie, z kim ewentualnie mogłaby gdzieś wyjść, na przykład na sylwestra, pan Jan był pierwszy na liście, i to mimo zawstydzającej sytuacji alkoholowej. Był po prostu miły i się nie narzucał, choć potrafił delikatnie poflirtować. Pewnie dla niego świąteczny czas też był trudny, jak dla wszystkich samotnych. Sylwester to już inna sprawa, choć i tu dobrze by było mieć przy sobie choć jedną miłą osobę - do pary. Ada z przyjemnością się zgodziła. Kolejne samotne świętowanie skończyłoby się kolejnym kacem na smutno. A tak - będzie miły wieczór. Dobre jedzenie, kulturalnie pity alkohol, dancing, bezpieczna rozmowa. To właśnie było jej potrzebne na koniec tego dziwnego roku.

Zdjęła korek z perfum. Zapach Blase rozszedł się po korytarzu. Idealne dopełnienie nowej Ady. Przez chwilę wahała się co do butów, bo czółenka na obcasie kiepsko się sprawdzają na śniegu, ale od wczoraj nie padało, a poprzednie warstwy były mocno ubite. Przecież nie będzie się przebierała, jak w szkole. Zresztą do taksówki tylko kilka kroków. Całość trochę psuła kurtka, zdecydowanie lepiej pasująca do dżinsów, ale w końcu szybko ją zdejmie. Czapki nie wkładała. Włosy były, co prawda, mocno utrwalone lakierem, ale ściśnięte wełnianym ściegiem, oklapłyby. Zarzuciła na głowę szeroki szal.

Zgasiła światło, zamknęła drzwi i zeszła na dół. Taksiarz już podjechał.

* * *

Inspektor czekał przed wejściem.

„Szarmancko" - pomyślała, gdy podał jej rękę podczas wysiadania z samochodu. Poszli do szatni, gdzie już było gwarno, gęsto od dymu i zapachu perfum. Nawet jej się to spodobało - jak echa dawnych czasów. Co prawda, dekoracje inne i Jan Kunda w niczym nie przypomina Andrzeja, ale skoro tyle jest do wzięcia, to tyle weźmie.

Inspektor przeprosił ją i poszedł odszukać ich stolik. Ona się wyswobodziła z wierzchniego okrycia, które wreszcie oddała szatniarzowi. Schowała numerek do małej torebki i weszła do sali. Zatrzymała się w progu. Dziś wszystko wyglądało tu inaczej: poprzestawiane stoliki, przyciemnione światła, kolorowa kula pod sufitem, balony i konfetti. Między filarami rozwieszono szeroką wstęgę z oczywistym tu i teraz napisem: 1977.

– Coś ty zrobiła? – usłyszała nagle stłumiony głos Jana Kundy. Stał naprzeciw niej i był ewidentnie zdumiony. Choć to, co zobaczyła przez ułamek sekundy w jego oczach, było silniejszym uczuciem niż zdumienie. Był wściekły.

„Jezu, o co mu chodzi?" – pomyślała skołowana. Miała na niego czekać w szatni? Wybrała zbyt odważną kreację? Poleciało jej oczko? Lekko się obróciła do wiszącego z boku lustra – wszystko było w porządku.

– Chyba nie rozumiem – odparła. Trochę miło, a trochę chłodno.

– Ja... – Kunda nagle jakby się zmitygował. Znowu był tym poczciwym, ciut nieporadnym Janem. – Przepraszam, Ado, ale po prostu kiedy ostatnim razem cię widziałem i przez cały czas, odkąd cię znam, wyglądałaś inaczej. Zupełnie inaczej. Ja... jestem zdziwiony, tylko tyle.

„Może on nie lubi takich ostentacyjnie kobiecych kobiet? Może się ich boi? Był zdominowany przez tę matkę, która, zdaje się, była w typie Villas. A może naprawdę woli facetów?" Ada się lekko wkurzyła. Poczuła ten falujący impuls złości, który domagał się rozładowania. Najlepiej alkoholem.

Usiedli przy swoim stoliku. Ada wypiła powitalną lampkę czerwonego wina. Lekko gorzkawe, mocno wytrawne, orzeźwiające. I pobudzające apetyt na więcej. Taka to była utarta ścieżka: jeśli zaczynała pić, to korytko nie mogło wysychać. Wciąż i wciąż dopominało się nowej porcji alkoholu. Więc nie odmawiała, choć polewał jej sąsiad po lewej, zabawowy Janusz z Komitetu. Jego żona, Jowita, też nie odmawiała. W sumie bawiłaby się naprawdę nieźle, gdyby nie odnawiający się co jakiś czas wyrzut sumienia, gdy Ada patrzyła na jakby zgaszonego i całkiem niepijącego Jana. „A może on z tych świadków Jehowy? Oni chyba nie piją alkoholu. Na pogrzebie Kozioł był, ale tak to, zdaje się, do kościoła nie chodzi?"

***

Przed północą jakby się ożywił. Zaprosił nawet Adę do tańca, ale nie był najlepszym prowadzącym. Ada, żeby ratować swoje palce i buty towarzystwa na parkiecie, przejęła pałeczkę. Nie, nie upiła się, drugiej wpadki z rzyganiem w zaspy by nie chciała. No i niechęć do kaca trzymała ją w ryzach. Było jej jednak lżej i weselej niż zwykle.

O północy strzeliły korki od szampanów, na gości spłynęło konfetti.

– Janie, życzę ci pogody ducha. I szczęścia w życiu osobistym, cokolwiek to dla ciebie znaczy. – Chciała być miła. Chciała też w jakiś sposób dać mu znać, że go akceptuje, z tymi jego małymi dziwactwami i odchyleniami. Ośmielić jego nieśmiałość. I tak na miejscowym tle był w porządku.

– Ja przygotowałem sobie wcześniej życzenia dla ciebie. – Spojrzał na nią. – Chciałem ci życzyć, żebyś się nie zmieniała. – Chrząknął. – Nie wiem, czy to teraz aktualne. – Zaśmiał się nerwowo. – Bądź sobą, może tak? – zapytał, zawieszając głos.

Pocałowała go w policzek. On powtórzył ten gest, nieporadnie. Wokół lał się radziecki szampan, od ścian odbijał się perlisty śmiech pań, któremu wtórowały grube, coraz bardziej rubaszne męskie śmiechy.

Janusz i Jowita poszli tańczyć poloneza.

Nowy, tysiąc dziewięćset siedemdziesiąty siódmy rok właśnie się zaczął.

Chwilę przed pierwszą Kunda z przepraszającym uśmiechem zapytał ją, czy mogliby już wyjść. Ze skrywanym zawstydzeniem wyznał, że męczą go jakieś rewolucje żołądkowe i chętnie by z prywatnej łazienki skorzystał. Rzeczywiście, podczas wieczoru regularnie chodził w głąb korytarza. W sumie to Ada też już miała dość. Nie była pijana, co najwyżej na lekkim rauszu. Nie chciała ryzykować, że znowu popłynie. Sala była pełna prominentnych osób, co z tego, że już pijanych – skandal nie był jej potrzebny. Zresztą odwykła od takiego imprezowania. I pięty miała poobcierane. Od czółenek także odwykła.

– Nie zamówiłam taksówki na powrót, bo nie wiedziałam, do której będziemy się bawić. Zadzwonię z szatni na postój, może jakiś taksiarz cudem stoi – powiedziała.

– Nie ma takiej potrzeby – zaprzeczył Kunda. – Odwiozę cię, oczywiście.

Popatrzyła zdumiona. Przyjechał autem?

– Nie piłem. W szampanie tylko zamoczyłem usta, symbolicznie, nie musisz się obawiać, dojedziemy bezpiecznie. – Uśmiechnął się.

Odebrali ubrania od zdziwionego szatniarza. Impreza pięknie się rozkręcała, a oni właśnie wychodzili. Adzie zdawało się, że szatniarz puścił do niej porozumiewawcze oko. Pewnie wyobrażał sobie, że resztę nocy spędzą, kotłując się w pościeli. „Nie z nim, kochany. Nie z nim" – pomyślała.

Kunda zaparkował za rogiem. W środku było cholernie zimno, derka na fotelach zesztywniała. A mimo to dobrze było nie musieć iść po śliskich chodnikach.

Ada przymknęła oczy. Zrobiła się śpiąca. Może to z emocji, może od trzęsawki po brukowanej jezdni. A może od wina. „Dobrze, że ten cholerny rok się skończył. Zima też się skończy, nadejdzie wiosna, za nią lato. Słońce, przyroda, zieleń. Położyć się na łące, poczuć ciepło na policzkach, lekki wiatr na odkrytych ramionach, zapach kwiatów..."

– Jesteśmy. – Głos Kundy wyrwał ją z tego rozmarzenia. – Odprowadzę cię. – Przekręcił kluczyk w stacyjce.

– Nie, nie potrzeba, naprawdę. Stoimy przed klatką, dam sobie radę. Zresztą nie ma się co bać... Już nie ma się co bać, prawda? – To jednak była silna zadra, nie tylko zawodowa. Choćby nie chciała myśleć o tej sprawie, ona i tak do niej wracała, nawet w takiej chwili. – Dobranoc i dziękuję.

– Dobranoc – odpowiedział cicho. – I przepraszam za wszystko.

– Nie bądź smutny, Janie. Nic się nie stało. – Ada powstrzymała odruch, aby pogładzić Kundę po policzku. Patrzyła na lekko przygarbionego mężczyznę i myślała o samotności, którą niósł na barkach.

Po chwili przed blokiem było już pusto.

Ada wzięła szybki prysznic i zmyła oliwką makijaż. Niezbyt wprawnie, bo oczy ją zapiekły.

Zasypiając, miała dziwne uczucie. To było coś takiego, o czym mówił Andrzej – podświadoma wiedza, z której jeszcze nie można skorzystać, bo ona wciąż jest pod powierzchnią, wciąż poza zasięgiem.

Ale może kiedyś wychynie. A może się przyśni.

***

Pierwszy dzień nowego roku spędziła na sprzątaniu. Trochę uległa stereotypowemu postrzeganiu czasu – jakby ta cezura, noc z 31 grudnia na 1 stycznia rzeczywiście jakoś dzieliła życie. Albo – i to z pewnością była prawda – miała w mieszkaniu niezły bajzel.

Umyła podłogi, powycierała kurze, w kuchni przetarła blat wodą z cytryną. Zrobiło się przyjemniej, widać w sprzątaniu jest jakaś magia. Została jej jeszcze łazienka. Sedes, choć nowy, był solidnie zażółcony. Dobrze, że choć z rur nie śmierdziało. Przypomniała sobie łazienkę Nowaka i przeszył ją dreszcz. O ironio, nawet w przetwórni pasz pachniało ładniej niż u niego. I znowu poczuła to delikatne kliknięcie w głowie. Co gdzieś kątem oka zobaczyła, uchem wyłapała, poczuła, a teraz nie potrafi tego wyciągnąć na światło dzienne?

* * *

Drugiego stycznia pierwsza, dyżurnego nie licząc, zjawiła się na komendzie. Sylwester przebiegł zwyczajowo, czyli było kilka bójek, i tyle.

Poszła zrobić sobie kawę. Cukier, niestety, się skończył, za to w słoiku z miodem została jakaś resztka na dnie. Byle osłodził tę czarną gorycz.

Kiedy wracała do swojego pokoju, usłyszała telefon na biurku Beaty. Po pierwszej, nieudanej próbie połączenia rozdzwonił się znowu.

Postanowiła odebrać. Ktoś namolny może nie znać umiaru, a nie wiadomo, kiedy sekretarka się zjawi.

– Komenda miejska, sekretariat komendanta, słucham – rzuciła do słuchawki.

– Dzień dobry, Krzysztof Malczyk, „Gazeta Suwalska". Czy mógłbym rozmawiać z porucznik Adą Krzesicką?

– Przy telefonie. – Już prawie zapomniała o tym spotkaniu. Cóż, w zeszłym roku było, zaśmiała się w duchu ze swojego żartu.

– A, nie poznałem po głosie. No i nie spodziewałem się, że pani porucznik odbierze.

– Zdarzyło się. Komenda jeszcze nie ruszyła pełną parą.

– No tak, powroty po świętowaniu bywają trudne… Ale ja nie o tym. Pamięta pani porucznik naszą rozmowę?... To znaczy, oczywiście, że pani pamięta. I ja właśnie w tej sprawie. Bo coś mi się przypomniało. Nie wiem, czy się przyda, bo raz że to stara sprawa, z sześćdziesiątego trzeciego, a dwa, że to było samobójstwo. Ale… – Redaktor zawiesił głos.

– Wszystko może się przydać – zapewniła go Ada, czując mrowienie w kręgosłupie. – Proszę mówić.

– Więc chodzi, jak już powiedziałem, o samobójstwo. Kobieta, trzydziestoośmiolatka. Odebrała sobie życie, odkręcając gaz w kuchni. Znaleziono ją w dużym pokoju, na łóżku. I teraz ten element, o który pani porucznik pytała – na oczach miała zawiązaną opaskę.

– Ma pan jej dane? – zapytała zduszonym głosem Ada.

– Tak – odparł Malczyk. – Nazywała się Róża Kunda.

Rozdział 30

Kobieta leżała na złożonej wersalce – na plecach, z rękami równo ułożonymi wzdłuż ciała. Miała na sobie niebieską spódnicę w plisy i białą koszulę z długim rękawem, delikatny rzucik nadawał bieli błękitny odcień. Na nogach pończochy w cielistym kolorze. Na prawej dłoni, na palcu środkowym, błyszczał duży, oprawiony w złoty koszyczek rubin. Jasne włosy były upięte w wysoki kok. Oczy zakrywała ciemna przepaska.

To zdjęcie zrobiono w mieszkaniu Róży Kundy, która odebrała sobie życie, odkręcając gaz. Ada odłożyła je na biurko i sięgnęła po pożółkłą teczkę. Wyjęła z niej papiery.

Róża Kunda pracowała w Zakładach Płyt Wiórowych, mieszkała w zakładowym bloku razem z synem, Janem Kundą. Była niezamężna, zdrowa, nie licząc wyleczonej rzeżączki, miała wykształcenie zawodowe, średni wzrost i średnią budowę ciała. Trochę życia w te suche milicyjne fakty wprowadzały zeznania osób trzecich: „W mieszkaniu dość często odbywały się zabawy o charakterze, powiedziałabym, libacyjnym"; „Nosiła się nie tak, jak po robotnicy by można oczekiwać"; „Baby jej nie lubiły, bo nie chodziła, jak one, w przydeptanych kapciach, tylko z fasonem, znaczy po kobiecemu"; „Syna miała porządnego, nic złego powiedzieć nie można"; „Kiedyś bilety w kinie sprawdzała i chyba się w te filmy zapatrzyła, bo mi wyznała, że tęskni za lepszym życiem i gdyby tylko mogła, toby w diabły te Suwałki rzuciła, ale było z nią coraz gorzej".

Na pytanie o możliwe przyczyny targnięcia się na swoje życie wszyscy odpowiadali podobnie: „Trudno powiedzieć" albo: „Przez wódkę". Co prawda, kilka osób zgodnie zeznało, że niedawno (jak ustalili śledczy – dwa tygodnie przed samobójstwem) w mieszkaniu doszło do karczemnej awantury, po której przez okno wyleciała walizka konkubenta, a sam konkubent opuścił je drzwiami i więcej nikt go nie widział. Zdzisław Korek, czyli ów konkubent, powiedział do protokołu, że owszem, rozstali się, a właściwie to Róża Kunda go „pogoniła". Nie krył, że za niewierność, ale dodał, że ona też „miała różnych na boku". Oczywiście sprawdzono jego alibi na czas śmierci Kundy – miał je od następczyni Róży i jej matki, w których domu zamieszkał.

Syn, czyli Jan Kunda, nie znał powodu tego desperackiego kroku matki. „Nie zostawiła listu. Może ta sprzeczka, może zawód miłosny?" Na pytania śledczych, czy to na pewno była taka miłość, której zakończenie mogłoby skłonić matkę do dramatycznego kroku, odpowiedział: „Nie wiem. Innych powodów nie znam".

Kierownik z ZPW: „Ona bywała zła, wkurzona, ale smutna – to raczej nie. Bo ona generalnie lubiła życie i brała z niego, ile się dało".

Mimo wszystko konkluzja była jasna: samobójstwo, brak oznak działania osób trzecich.

Ada raz jeszcze sięgnęła po zdjęcie. Patrzyła na nie bez przykrości. Naoglądała się różnych rzeczy, od których żołądek podchodził do gardła, ale tu było estetycznie. Róża Kunda wyglądała, jakby spała, odpoczywała po obiedzie. Może leżała trochę nienaturalnie, bo rozluźnieni ludzie przybierają mniej uładzone pozy. W tej fotografii nie byłoby właściwie żadnego dramatyzmu, gdyby nie opaska na oczach. Ada pochyliła się nad fotografią. Ten pasek materiału to była chustka albo apaszka, zawinięte. Kobieta wyglądała jak skazaniec przed plutonem egzekucyjnym. Ada właściwie nigdy się nad tym nie zastanawiała, ale po co w takich sytuacjach zasłania się oczy? Z pobudek humanitarnych, żeby przestępcy, który zaraz umrze, oszczędzić widoku wymierzonych w niego luf? Czy może raczej chroni się wykonujących wyrok? Oni, co prawda, pociągają za spust, ale ich ręka wędruje tam na polecenie sądu.

A po co samobójczyni miałaby sobie zasłonić oczy? Symbolicznie? Żeby się pożegnać ze światem i mieć już tylko mrok przed oczami? Co to miało znaczyć?

Ada odwróciła zdjęcie. Zrobiła to właściwie machinalnie, z zawodowego nawyku, żeby każdy przedmiot dokładnie obejrzeć. H.H. Znowu Harabasiuk. No tak, w tysiąc dziewięćset sześćdziesiątym trzecim pracował w milicji. W tym samym roku pochował żonę. Ciekawe, czy przed tą pośmiertną sesją fotograficzną w mieszkaniu Róży Kundy. Ale czy to w ogóle ma znaczenie?

Przedziwnie się to wszystko przeplata. Gdziekolwiek poskrobać, każdy żywy miał coś wspólnego z każdą zmarłą. Może to domena niedużych miast. A może coś jest na rzeczy?

Przypomniał się jej kryminał, który czytała kilka lat temu. Iskry i Komenda Główna Milicji zorganizowały konkurs na powieść, która się potem ukazała w Klubie Srebrnego Klucza. *Strach*, taki to miało tytuł. Dyrektor jakiegoś kombinatu zostaje zamordowany w swoim domu. Wszystkie podejrzenia są kierowane w stronę jego dużo młodszej narzeczonej, na którą dyrektor przed ślubem przepisał cały majątek. Sprawę prowadzi porucznik oddelegowany do tego miasteczka z drugiego końca kraju. Nie zna ludzi, koneksji, uwarunkowań, powiązań. Czuje jednak, że sugerowany mu przez wszystkich trop jest mylący.

Im więcej chodzi, ogląda, słyszy, tym więcej podejrzeń nabiera. „Całe miasto chcecie objąć śledztwem?" – pyta go jeden ze świadków. Porucznik potakuje. Słusznie, jak się okazuje. Zamordował jeden, ale pajęcza sieć wspierających i kryjących go oblepiała wielu.

Znów odwróciła zdjęcie.

Matka Kundy była ładną kobietą. Dorodna blondynka. Nie, nie gruba, po prostu kobieca. Dziesięć, piętnaście lat wcześniej pewnie przypominała te zamordowane dziewczyny. To skojarzenie nachalnie się jej nasuwało. U nich, co prawda, twarze były zakryte workami, a tu skromna przepaska, ale poza tym właściwie wszystko takie samo. Schludnie, skromnie ułożone, jakby ktoś chciał tym łagodnym pozorem ukryć, a może właśnie podkreślić gwałtowne okrucieństwo, którego padły ofiarą.

Zakryte oczy. To jednak nie może być przypadek. Matka miała już nie patrzeć? Tamte dziewczyny miały już nie patrzeć? A może to była kara? Wymierzona i im, i jej? „A jeśli kara, to może Róża Kunda nie popełniła samobójstwa. Jasna cholera, teraz nie ma już szans, żeby się dowiedzieć. Ale jeżeli miałabym szukać motywu, to właśnie tam, w dzieciństwie Jana i jego relacjach z matką. Jeśli to Jan..." Aż zadrżała na tę myśl. „Trzeba będzie porozmawiać dyskretnie z tą przyszywaną ciotką Kundy. Jeśli ktokolwiek będzie coś wiedzieć o tamtych zdarzeniach, to tylko ona" – rozważała coraz bardziej gorączkowo Ada.

Próbowała raz jeszcze skupić się na fotografii. Tak, matka Jana Kundy była naprawdę ładna, każdy facet by tak powiedział. Rozkwitła kobiecość. Róża, bardzo pasujące imię. Ada wyobraziła ją sobie, jak szła ulicą, stukając obcasami o bruk. Lekko kręciła biodrami, krojona z koła kretonowa spódnica falowała. Piersi wyprzedzały resztę sylwetki. Krągłe, obfite, kołyszące się. Bluzka w serek. Nie, okrągły dekolt, jak w gorsecie, ściśniętym gorsecie. Naszyjnik, którego zawieszka – złote serce – co i raz gubi się w rowku. Upięte włosy. Jest wiosna, słońce stoi już wysoko na niebie. Lipy puściły zielone liście. Przyroda buchnęła żywotnością. Wszystko wokół pachnie: świeżo skoszona trawa, konwalie od ulicznej handlarki, róże w gazonach…

Róże – jak Róża. Jak ten pudrowo-różany zapach, który nosiły na sobie zamordowane dziewczyny.

Jezu, kurwa! Ada nagle się wyprostowała. Zaraz, zaraz, co to było? Wczoraj, kiedy kładła się spać. Nie, nie wczoraj, przedwczoraj, w sylwestra, to znaczy już w Nowy Rok, po zabawie w Jaćwieskiej. Otulił ją taki miły przedsen – że właśnie ciepło, już po zimie, dokoła zielono i pachnąco. Skąd się to wzięło? Z tej cytryny, którą wcisnęła do wody, żeby wyczyścić kuchnię?... Z oliwki do zmycia makijażu?.. Z perfum od Andrzeja?... Nie, to było coś innego, coś wcześniej. W Jaćwieskiej? Nie, zapachów było tam mnóstwo, bo panie, i panowie zresztą też, wszyscy odstawieni jak ta lala, ale w masie to była po prostu mieszkanka perfum – słodko-wytrawno-alkoholowa. A to było coś innego, bardziej ulotnego, kwiatowego, różanego. Poczuła to, gdy nos już trochę odpoczął, kiedy wyszła na zewnątrz, a potem…

Potem wsiadła do samochodu Jana Kundy.

To tam, na krótko, kołysana jazdą i trunkami, zapadła w letarg.

Tam poczuła ten zapach.

Lekuchny, ulotny, ale ten, była prawie pewna, że to ta sama upudrowana róża.

Róża Kunda.

Jan Kunda.

Trzy pozbawione oczu dziewczyny.

Jutowe worki i opaska.

Wielu podejrzanych, jeden oskarżony Nowak i jeden, którego na pewno o nic nie podejrzewała i który jako jedyny zaczął pasować do układanki – Jan Kunda.

Kurwa, o co w tym wszystkim chodzi?

***

– ...Kurwa, o co w tym wszystkim chodzi? – Aż jej w gardle zaschło.

Mówiła pewnie z dziesięć minut. Nieprzerwanie. Zgarnęła tę teczkę z archiwum w piwnicy i nerwowym krokiem, skacząc po dwa stopnie, niemal pobiegła prosto do gabinetu Szkudły. Beacie powiedziała, żeby nikogo nie wpuszczała i z nikim nie łączyła. Komendantowi zaś, już w progu, że ma coś pilnego i ważnego i żeby jej najpierw wysłuchał, a potem dopiero pytał. Streściła mu wszystko, co znalazła w papierach na temat śmierci Róży Kundy. Opowiedziała o nasuwających się podobieństwach i powiązaniach. Oraz o tym zapachu z auta. I że, ponieważ to jest takie świeże, to jeszcze nie potrafi tego uszeregować, ale że to cholernie ważny trop, tego jest pewna.

Zakończyła tym samym pytaniem, które nie opuszczało jej od chwili iluminacji w archiwum.

Szkudła patrzył na nią w milczeniu. Nie zapalił się do nowej koncepcji, ale i nie powiedział od razu „nie", co dało jej nadzieję. Chwilową, jak się okazało. Komendant rozparł się w fotelu i poluźnił krawat. Odruchowo sięgnął po papierosa.

– No, widzę, że was to poruszyło, pani porucznik. Wygląda to dość ciekawie, ale tak jakoś... nierzeczywiście, jak w scenariuszu filmowym. A oni tam w tych filmach to na siłę szukają udziwnień, żeby się widzom podobało. Nie pokazują życia, tylko wymyślają historie. Niby że prawda, ale taka fajniejsza, ciekawsza. Tymczasem życie – i śmierć, i zbrodnie – to zwykle są szare, kiepskie, nudnawe. Jak u nas. – Pokiwał głową nad tą interpretacją codzienności i swoją życiową mądrością.

– Ale to wcale nie jest takie dziwne. Może teraz, kiedy nie znamy jeszcze motywacji, to się takie wydaje. Wiem, wiem, Nowak lepiej pasuje na mordercę. Na oko zwyczajny, ale gdy się to jądro dołoży... Seksualny desperat, rozjuszony facet, ślepa siła i zemsta. Ale nowy podejrzany... – przełknęła ślinę, bo to jednak było trudne – czyli Jan Kunda... My po prostu jeszcze go nie rozpracowaliśmy, ale już widać pewne istotne sprawy: matka nie była ideałem, faceci i alkohol, a on taki wstrzemięźliwy...

– Do kobiet też niewyrywny – wtrącił lekko Szkudła.

– Też. Ale może nie w znaczeniu ostatecznym, że pedzio znaczy, a właśnie, że wycofany, bo matka tak go przystopowała, i on się teraz kobiet boi. Może stąd ten chłodny do nich stosunek? Chłodny i mściwy. Taka przeniesiona zemsta. Więc... Poza tym, panie komendancie, ta jego schludność, zamiłowanie do porządku, to, że nie pije, jakby nie chciał tracić kontroli, to wszystko mi się składa, trzeba by tylko przy tym popracować.

– Pani porucznik... – zaczął Szkudła protekcjonalnym tonem. I już wiedziała, jak skończy. – Kunda to może i dziwak, odmieniec, ale zawsze był bez zarzutu. Fornala też podejrzewaliście, a to niewinny chłopak, ręczę za niego. O, i jeszcze Harabasiuka, który tyle wycierpiał? Mówiłem kiedyś, na samym początku: tak to można pół albo i całe miasto nawet podejrzewać... – Komendant mówił spokojnie, z pewnością człowieka, który zawsze ma rację.

„Jak w tym *Strachu*. Słusznie zresztą" – pomyślała.

– Ja nie mówię, że to całkiem bezzasadne. Teoretycznie – podkreślam: teoretycznie – to całkiem sprawnie wykonana robota śledcza. Tylko że my żyjemy naprawdę, nie teoretycznie.

Sprawa jest na ukończeniu, prokurator zadowolony, Komitet Wojewódzki, góra też. Śląsk i Zagłębie mogą nam skoczyć.

Ada milczała. No tak, statystyki. Cholerne, kurwa, statystyki. I hipokryzja, i konformizm. „Jestem bez szans. Nowak jest bez szans – pomyślała. – Przecież nie rzucę papierami o stół".

Szkudła byłby wariatem bez instynktu samozachowawczego, gdyby teraz zgłosił nowego podejrzanego.

Albo tropiącym prawdę za wszelką cenę idealistą.

A nie był. Był Januszem Szkudłą, który przetrwał powiat i nie ustąpi w województwie. Który potrzebuje sukcesu, a potem spokoju aż do emerytury.

Był konformistycznym hipokrytą. Skurwysynem – krótko mówiąc.

– A zresztą – nachylił się w jej stronę – może ty i masz rację, ale nie masz słuszności. A słuszność jest najważniejsza.

Rozdział 31

– Więc teoretycznie to pasuje. Bo i w październiku, i w listopadzie był w tych dniach na wyjeździe.

– A we wrześniu to była niedziela. – Ada pokiwała głową.

Sierżant Tomczycki właśnie wrócił z sanepidu, gdzie poprosił o okazanie ewidencji pracy inspektora Jana Kundy. I dowiedział się, że na dwa jesienne dni, kiedy to zginęły Iwona Kołecka i Anna Okoń, inspektor Jan Kunda pobrał karty wyjazdowe.

– A spojrzałeś, jak dużo on wyjeżdża?

– I to jest właśnie ciekawe. – Tomczycki się uśmiechnął, jak uczeń wywołany na apelu, by odebrał nagrodę z rąk dyrektora. – Bo wcale niedużo. Generalnie to jedzie, gdy dzieje się coś nagłego i potrzebna jest interwencja czy pomoc. Ma także zaplanowane rutynowe wizyty, takie z wyprzedzeniem, ale tych jest zdecydowanie mniej. To wszystko jest wpisane w zeszyt, więc widać jak na dłoni, kiedy był na miejscu, a kiedy w terenie.

– A skąd wiesz, w jakim trybie, czy planowym, czy bieżącym, były dane wyjazdy? – zdziwiła się Ada. – Tego się nie da przecież rozróżnić, więc...?

– Wcale nie trzeba zgadywać. – Tomczycki pokraśniał. – Te planowe są zaznaczone w zeszycie na niebiesko, te drugie – wpisywane na bieżąco, w czarno-białe ramki.

– Cóż. – Ada wyciągnęła nogi przed siebie i splotła dłonie na brzuchu – Trafiony, jeszcze niezatopiony?... Trzeba sprawdzić – nagle się poderwała i podeszła do mapy powieszonej w rogu pokoju – czy on...

– W październiku to było jedenaście kilometrów, w listopadzie – siedemnaście. Mógłby spokojnie – powiedział Tomczycki z dumą. – Poprosiłem o karty wozu, żeby sprawdzić stany licznika, czy się zgadzają ze zleceniami. Mają mi je przygotować. W ogóle to niezłe cwaniactwo, bo niby jeździ służbowym samochodem, ale korzysta z niego także prywatnie, taki układzik. W papierach mają bałagan i kiedy o nie poprosiłem, to się zrobiła lekka panika. Ktoś go tam kryje. Ten fiat 125p, którym jeździ, nie ma żadnych oznaczeń, sprawdziłem, więc może na mieście szyku zadawać. Od ciecia się dowiedziałem, że pan inspektor bardzo dba o ten samochód, często go sam sprząta i myje, wiadomo, sanepid musi być... sterylny. – Sierżant aż się zasapał od mnogości wypowiedzianych słów.

Ada spojrzała na niego z uznaniem. Słuchała Tomczyckiego uważnie, ale na chwilę jej myśli popłynęły w innym kierunku. „Żal go będzie zostawiać" – pomyślała sama zadziwiona tą konstatacją. Zaraz potem jednak zdała sobie sprawę, że jej pobyt tutaj może przecież trwać długo. Bardzo długo. Sprawa Nowaka się zakończy, w Komitecie i wojewódzkiej odetchną. Szkudle Ada już nie będzie wadzić, ale w stołecznej wciąż będzie na cenzurowanym. Coraz mniej ufała Andrzejowi i jego obietnicom jej szybkiego powrotu do stolicy. Będzie ganiać drobnych złodziejaszków i wsadzać na czterdzieści osiem godzin krewkich chłopów. Chyba że nie uda się jej teraz powstrzymać seryjnego zabójcy i sprawa będzie miała tragiczny ciąg dalszy. Tak czy owak – wrośnie tu. O dziwo, ta myśl nie była bardzo przykra.

– A co ty sądzisz, Tomczycki? – Ada otrząsnęła się z zamyślenia. – Uważasz, że słusznie podejrzewam Kundę?

Tomczycki spoważniał.

– Dużo o tym od wczoraj myślałem, pani porucznik, aż spać nie mogłem. Wcześniej toby mi wcale do głowy nie przyszedł. No bo skąd? – zakończył bezradnie.

Ada świetnie to rozumiała.

– Widzisz, i ci najbardziej kryształowi mogą się okazać winni. To kwestia umiejętności manipulowania ludźmi.

Sierżant plasnął dłonią o udo.

– Tak samo uważa ta kobieta z sanepidu. To znaczy bardzo podobnie się wypowiadała o Kundzie. „Krystalicznie uczciwy". Dziwiła się, że milicja się nim interesuje. „Tyle lat go znam, dobry człowiek". Ja poprosiłem, jak pani porucznik poleciła, żeby nikogo nie informowała o mojej wizycie, ale wątpię, by dochowała tajemnicy.

– W jakim wieku ta była kobieta? – Adzie nagle coś zaświtało w głowie.

– Miała więcej lat niż moja mama. Znaczy więcej niż pięćdziesiąt. Albo jeszcze starsza?... – Tomczycki jakby nie mógł uwierzyć, że kobiety tyle żyją. I jeszcze pracują. – Tak jakby przed emeryturą.

– Pewnie to ta sąsiadka, której mąż jest kierownikiem czy dyrektorem – powiedziała Ada.

Tomczycki spojrzeniem dał jej do zrozumienia, że nic nie wie o sąsiadce.

– Kunda wspominał, że dostał tę pracę dzięki jakiejś ciotce, ale takiej przyszywanej, nieprawdziwej. Zrozumiałam, że kiedy był dzieckiem, mieszkali po sąsiedzku, ona się nim interesowała, jakoś pomagała, bo swoich dzieci nie miała. Potem, kiedy mu przez męża załatwiła tego inspektora, to on się przeniósł do bloku, w którym to małżeństwo już dostało przydział... Tak, to musi być ona. – Ada układała to sobie w głowie. – Najpierw razem w bloku tych zakładów od płyt, a teraz w sanepidowskim.

Długo się znają. A ta kobieta trochę chyba Kundzie matkowała, bo, co już wiemy, pani Kunda nie miała mocnego zacięcia macierzyńskiego. Czyli masz rację, inspektor pewnie już wie, że się nim interesujemy.

Tomczycki pokiwał głową.

– To chyba niedobrze – zmartwił się, że misja jednak nie przebiegła idealnie.

– Czy ja wiem?... – zastanowiła się głośno Ada. – Z jednej strony źle, bo myślałam, żeby tę ciotkę jakoś tak nieoficjalnie przepytać, a teraz to będzie trudniejsze. Ale z drugiej – może właśnie dobrze? Mordercy – wciąż jakoś dziwnie jej było używać tego określenia wobec Kundy – kiedy wiedzą, że milicja depcze im po piętach, albo się zapadają pod ziemię, ale to jest jak przyznanie się do winy, albo wykonują jakieś nerwowe ruchy i popełniają błędy. W każdym razie piłka będzie teraz po jego stronie.

– A jeśli to naprawdę on, to czy… – Tomczycki bał się na głos wypowiedzieć swoje podejrzenia. Bo raz, że to by definitywnie potwierdziło pomyłkę komendanta co do Nowaka, a w konsekwencji wywołało burzę z gradem i piorunami, a dwa, że właśnie teraz mu przyszło do głowy, że być może kolejną ofiarą mogłaby być…

– Znowu zabije? Piekielnie trudne pytanie. Jeśli podtrzymujemy wersję, że to człowiek o skłonnościach psychopatycznych, to tak. Tylko przygotuje się jeszcze lepiej niż zazwyczaj.

Tomczycki głośno przełknął ślinę. Już to nie było dobrą wiadomością, a drugi lęk jeszcze gwałtowniej kotłował się pod czaszką.

– A pani porucznik nie sądzi, że może on… że będzie chciał… że tym razem… – Sierżant się zacukał.

„Tak wciska dłonie w kieszenie, że zaraz je oberwie” – pomyślała Ada.

– No co? Wykrztuśże, chłopaku – powiedziała łagodnie.

– Że tym razem to on panią porucznik wybierze?

Są takie chwile w życiu śledczych, że fakty, spostrzeżenia, luźne myśli naraz ustawiają się w jednym rzędzie, jak kostki domina, i silnym podmuchem lecą naprzód: pach, pach, pach, aż ostania się kładzie – tuż przy rozwiązaniu zagadki. To właśnie była taka chwila.

– To dlatego on był taki wkurwiony w sylwestra! – Ada walnęła dłonią w boazerię, aż zwieszająca się z metalowego koszyka paprotka zafalowała. – Dlatego, rozumiesz? – Dłonią wskazała swoje włosy.

Tomczycki nieporadnie wzruszył ramionami. Nie rozumiał.

– Włosy! Rozumiesz? Włosy!

Teraz go olśniło.

– Pani porucznik się przemalowała! I już nie była blondynką, a on przecież tylko blondynki… – Na jego twarzy odmalowały się skrajne emocje: najpierw przerażenie, że porucznik Ada była w niebezpieczeństwie, potem ulga, że już nie jest, i wreszcie konfuzja.

– To dlaczego nie spróbował? No, pani porucznik nie chciał… zabić?

Ada właśnie się nad tym zastanawiała. Fizycznie była w typie tych zamordowanych kobiet – blondynka, młoda, ładna. Musiało być coś, co nie pasowało do jego koncepcji. Pewnie to, że nie rozglądała się za facetem, że nie eksponowała nachalnie swojej kobiecości, że krótkimi kieckami i dekoltami do pępka nie dawała znać, że szuka męża, jak na przykład Beata. Właśnie! Sekretarka Szkudły, narzekająca, że Kunda pozostaje nieczuły na zanęty jej chętnego ciała. Beata jest rudawa.

– Może się bał? W końcu funkcjonariuszka milicji?... – przypuścił Tomczycki.

– Nie. – Ada pokręciła głową. – Widzisz, w przypadku takich ludzi tradycyjne sposoby oceny ich motywacji nie działają. Oni inaczej myślą. Nie żałują, nie współczują, nie mają wyrzutów sumienia. Ważne są natomiast powtarzane rytuały, stąd blondynki w określonym typie, elegancja w ułożeniu zwłok, wyjęte oczy. Zawsze tak samo odtwarzają jakąś jedną historię ze swojego życia. Rozumiesz?

– Dranie – podsunął Tomczycki, jakby sprawdzając, czy rozumie.

– Nie. Do bycia draniem potrzebna jest samoświadomość, że się tym draniem jest. W ogóle potrzebne jest takie… jakby to… O, mam: wejrzenie w siebie. Umiejętność oceny moralnej swojego postępowania. Nawet gdy robię źle, to wiem, że robię źle. Jeśli sumienie mnie nie gniecie, to przynajmniej zdaję sobie sprawę, że jestem draniem. A tu nic, zupełnie nic. Psychopata ma sumienie czyste, bo go nie potrafi użyć. Trwały defekt. Wkurza się tylko wtedy, kiedy traci kontrolę nad rytuałem, tak jak ja mu popsułam obrazek, gdy się przefarbowałam.

– Taki to się przed niczym nie cofnie – szepnął z przejęciem, choć wciąż bez zrozumienia Tomczycki.

– Raczej nie – zgodziła się Ada. – Za to wszystko ma perfekcyjnie przygotowane, żadnych niedoróbek. I najczęściej to mili, spokojni ludzie. Lubiani przez innych.

– Jak ten elegancki morderca, co pani porucznik opowiadała?

Ada kiwnęła głową.

– Albo jak inspektor Kunda – powiedziała.

– Tak, ta ciotka-sąsiadka to lukrem laurkę na jego temat polała – ożywił się sierżant.

Oboje na chwilę zamilkli.

Pierwsza odezwała się Ada.

– Pytanie, dlaczego jeszcze żyję, nie jest teraz tak istotne, jak inne: Jak udowodnić mu winę? Co zrobić, żeby przekonać naszego komendanta i całą resztę? To musi być jak złapanie na gorącym uczynku.

– Pani porucznik chce go łapać na gorącym uczynku? – zapytał trwożnie Tomczycki.

– Chwilę przed. Nie chcemy, żeby go dokonał – odparła Ada.

* * *

Tomczycki poszedł już do domu, komenda powoli pustoszała.

Ada skończyła przeglądanie akt sprawy. Tak, znała je już niemal na pamięć, ale dziś czytała je inaczej – sprawdzała, na ile spraw spojrzy teraz z zupełnie odmiennej perspektywy. To stały motyw w pracy śledczego: przed rozwiązaniem zagadki akta przypominają magmę: gorącą, bulgoczącą masę z rozrzedzającą fakty wodą, śmierdzącymi siarczkami wielowątkowych i mylnych podejrzeń i trującymi gazami różnych nacisków. Dopiero gdy się dotrze do prawdy, wszystko nagle okazuje się jasne: ustalone, skończone – jak wystygnięta lawa.

Jan Kunda. Przyjemny dla oka blondyn – czyli w typie tej przedszkolanki, zresztą każdej z nich. A ona od razu dopasowała sobie Fornala. Kulturalny, budzący zaufanie – widać tym też można poderwać kobietę, nie tylko rubaszna pewność siebie, jak u pana doktora, działa. „Z pozycją". I to pasuje. Inspektor lepszy od stolarza, kierowcy, piekarza. Mieszkanie ma, samochód ma, czyste mankiety koszuli i porządną skórzaną teczkę.

Ada nie potrafiła sobie tylko wyobrazić, jak on te dziewczyny mordował. Z tym swoim zabłąkanym uśmiechem na twarzy? Z tą delikatnością? „Przepraszam, wiem, że chloroform nie najprzyjemniej pachnie, ale przed gwałtem to konieczność"?

A może wtedy pokazywał swoje drugie oblicze? Bezwzględnego, zimnokrwistego, pozbawionego uczuć mordercy. Może to drugie oblicze było tak naprawdę pierwszym? I to jako miły inspektor Jan Kunda grał?

Swoją drogą to jaki on musi być sprytny, że nikt go nie widział. „Jak Fantomas" – pomyślała. Wtapiał się w tłum, przybierając maski różnych osób.

Ktoś zapukał do pokoju.

– Proszę – powiedziała.

W drzwiach ukazał się dyżurny.

– Pani porucznik, telefon jest. Pani Beatki już nie ma, komendant też wyszedł, to pani mi się wydaje następna w kolejności, bo ci na piętrze to...

– A o co chodzi? – przerwała mu.

– No o te zaświadczenia. Bo zezwolenie było do końca roku, a tu już piąty styczeń...

„Stycznia" – pomyślała. Jednak bez złośliwości.

– ...a kuchnia działa bez papierów.

– Jaka kuchnia? – Adę zaczynała boleć głowa i czuła się już skołowana.

– Kantyna przecież. – Dyżurny musiał być zdziwiony jej niegramotnością.

– A kto dzwoni? – zapytała, choć raczej pro forma, bo w tej sprawie tylko on mógłby się odezwać. I znów poczuła znane mrowienie w krzyżu.

– Inspektor Kunda. To podejdzie pani porucznik? Bo coś nie mogę przełączyć.

„Celowo czy przypadkiem? To naprawdę pilne czy pretekst? Wie, że ja jestem, czy strzela?" – myślała, idąc do dyżurki.

– Porucznik Ada Krzesicka, słucham. – Głos jej jednak minimalnie zadrżał. „Kurwa".

– Jan Kunda z tej strony. – Inspektor był spokojny. – Dzień dobry... – jakby się zawahał – Ado. – To było jednak naturalne zawahanie mężczyzny wobec kobiety, z którą niedawno przeszedł na „ty". – Jeszcze w pracy? – Tu już było krystalicznie czyste zdziwienie – jak przejrzysta i jednoznaczna była ocena Kundy przez tę kobietę z sanepidu.

„Mistrz czy pomyłka? – Ada nagle jakby na chwilę straciła pewność. – Bestia czy poczciwy misiu?".

– Zaraz kończę – odpowiedziała. – A coś się stało?

– Ach nie, może niewłaściwie wytłumaczyłem dyżurnemu. Chciałem tylko poinformować, że kontrola wypadła pozytywnie i dziś podpisałem papiery. Kantyna może spokojnie działać. Wydawało mi się to ważne, żeby na komendzie milicji wszystko było zgodnie z przepisami. Te badania trochę przeterminowane, niby kilka dni, ale... – Teraz brzmiał jak służbista trochę wstydzący się swojej srogości. – Jutro rano można się zgłosić, nasz sekretariat wyda.

Ada gorączkowo myślała, jak by go tu przychwycić, capnąć, sprowokować do jakiejś interakcji.

Niepotrzebnie – Kunda nie wypuścił pałeczki z dłoni.

– Skoro już los nas zetknął, to chciałbym zapytać, czy pozwoliłabyś się zaprosić na obiad? Taki przeprosinowy. Wiem, że w sylwestra, w Jaćwieskiej, nie byłem najlepszym towarzyszem. Jakiś gorszy dzień miałem, nastrój obniżony, czasem mnie przeszłość, to znaczy odejście mamy, dopada... – Zawiesił głos.

„Odejście". Adzie przeszedł po plecach zimny dreszcz. Zamordować prawie obcą kobietę to jedno, ale własną matkę? A tu też miała prawie pewność, że w sprawie, w której śledczy nie dopatrzyli się udziału osób trzecich, popełniono błąd. Specyficzny. W końcu syn to osoba bardzo bliska. Kiedyś nawet byli jednością. Jest więc pierwszy, może drugi, ale nie trzeci.

– Nic się nie stało, rozumiem. Janie. – Czuła sztuczność tych słów i nie umiała nad tym zapanować. Kurwa, cholerne emocje, on na pewno słyszy, że coś się z nią dzieje. I nagle, w ułamku sekundy, Ada zrozumiała, że on już wie. Coś w tonie jego głosu, jakaś obca nuta, cień fałszu, nie miała pewności, co usłyszała, ale bez wątpienia Kunda ją przejrzał.

– Doskonale, naprawdę się cieszę. To może w sobotę? Odpowiada ci?

– Tak. Tam gdzie zawsze? – A jednak udało się jej zapanować nad głosem. – W Jaćwieskiej?

– Nie. Żeby ładnie przeprosić, trzeba się postarać. Pomyślałem, że własnoręcznie przygotowany obiad będzie odpowiedni. Zapraszam cię do siebie.

I znowu drganie krtani wzięło górę nad jej opanowaniem. „Gorący uczynek" parzył.

Rozdział 32

Stał w kuchni. Czajnik zaczął pogwizdywać, ale on nie reagował, zapatrzony w okno. Piękna zima. Styczeń to zresztą jego ulubiony miesiąc. Biało, czysto, skrząco. Mróz, który utrwala krajobraz. Słońce, niby w sprzeczności z temperaturą, a tak pasujące. Cisza, bo ludzi mniej. Piękna zima, aż żal.

Podszedł do kuchenki i przesunął czajnik na palnik obok. Drewniana rączka nie powinna się nagrzewać, a jednak się oparzył. „Tępi kretyni te czajniki produkują" – pomyślał ze złością. Przekręcił gałkę, płomień zgasł. Odkręcił kurek z zimną wodą. Chłodny strumień znieczulił palec. Powoli wyrównał oddech.

Znowu podszedł do okna. Ta biel była niezwykle kojąca. Czysta natura, uśmiechnął się do siebie. Lubił te swoje skojarzenia.

Wrócił do kuchni. Złożył grubą ścierkę na cztery i ściągnął gwizdek z dzióbka czajnika. Z szafki wyjął niedużą metalową puszkę w srebrnym kolorze. Łyżeczką nabrał kupkę zasuszonych listków i wrzucił je do szklanki, a potem zalał wrzątkiem. Odstawił czajnik na kuchenkę i usiadł przy stole. Patrzył, jak woda się zabarwia. Wzory ażurowego metalowego koszyczka na szklance błyszczały najpierw bursztynowo, potem kasztanowo.

A więc – stało się. W pierwszej chwili się przestraszył, że to już koniec. Ale nawet koniec nie byłby tak straszny jak to, że utraciłby kontrolę. Sytuacja wymknęłaby się jego planowaniu. Dobrze, że ochłonął, że nie poszedł za tym nagłym podszeptem, który gubi tyle osób. Impuls, iskra i już robią coś nieprzemyślanego, co nie może się skończyć dobrze. On się wstrzymał, jak zawsze okiełznał emocje. I znowu ma plan, lepszy plan. Tak, nie pozwoli jej postawić choćby kropki w jego scenariuszu. To on rozpisał role, przygotował scenografię, zaprosił aktorów. A na plakacie pojawi się nowe nazwisko.

Delikatnie schwycił uszko podstakannika. Przeniósł herbatę na stół w dużym pokoju. Cerata w kuchni była praktyczna, niezbędna, by utrzymać czystość, ale ważne chwile zdecydowanie lepiej się celebrowało na gładkim, czystym obrusie przykrywającym stół w salonie. Ostrożnie postawił szklankę na spodeczku, żeby nie pobrudzić gładkiego atłasu. Niby podstakannik i spodek to za dużo, ale zawsze wybierał to podwójne zabezpieczenie.

Podszedł do zawieszonej nad wersalką półki i zdjął z niej szklany słój. Usiadł na krześle, trzymając go w objęciach. Postawił go na kolanach i powoli odkręcił zakrętkę. Włożył rękę do środka i wyciągnął kilka szklanych kulek. Trzymał je w palcach, aż się ogrzały, a potem położył je na obrusie. Zaczął je delikatnie turlać między dłońmi; kulki gładko się toczyły z prawej do lewej, z lewej do prawej. Żadna nie opuściła bezpiecznej strefy, którą im wyznaczył.

Nagle za oknem rozległ się sygnał karetki. To była tylko chwila, krótki moment wybicia z rytmu, kilkusekundowe żywsze bicie serca. Wystarczyło jednak, żeby jedna z kulek minęła jego dłoń, dotoczyła się do krawędzi stołu i ciężko spadła na podłogę. Dywan powinien zamortyzować wypadek, ale kulka pękła.

Przeszył go skurcz bólu. Chwila jak wtedy, wiele lat temu. Tamtym pęknięciom towarzyszył głuchy łoskot: stuk-trzask, stuk-trzask, stuk-trzask. Teraz wszystko rozgrywało się w ciszy.

Schylił się po kulkę. Patrzył na ostre brzegi obu części. To już nie była magiczna kulka z zatopionym blaskiem w środku, tylko pospolite szkło z kolorowymi wtrętami. Dziecięce marzenie zmienione w lichy odpad.

Przez chwilę się wahał, a potem wyciągnął z kieszeni spodni bawełnianą chusteczkę i zawinął w nią zniszczoną kulkę. Schował ją do stojącego na regale drewnianego przybornika. Pozostałe kulki delikatnie włożył do słoja, zakręcił go i odstawił na półkę.

Wrócił do stołu, usiadł na krześle i wziął łyk herbaty. „O jakieś dwa stopnie za zimna" – pomyślał, czując ciepło na podniebieniu. Lubił taką na granicy poparzenia, moment trudny do wyłapania, ale jemu się udawało. Dziś się rozproszył. Przez chwilę się wahał, czy ponownie nie zagotować wody i nie dolać trochę wrzątku, ale stwierdził, że jest za późno.

Wrócił do kuchni. Wylał herbatę do zlewu, przesłaniając szklankę spodkiem, tak że fusy się na nim zatrzymały. Odwrócił szklankę, wybrał ciemnobrązowe rozwinięte liście łyżeczką i wrzucił je do wiaderka pod zlewem. Umył szklankę, spodek i podstakannik, odstawił na ociekacz nad zlewem. Ścierką starannie wytarł ochlapany brzeg zlewu.

Popatrzył na zegarek.

Już czas.

Rozdział 33

Żadna z mijanych osób nie wyszła dziś z domu bez czapki. Styczniowe słońce nikogo nie zachęciło do paradowania bez nakrycia głowy. Tylko ona się na to odważyła. Na to i na wiele więcej.

Szła pewnym krokiem, w ciemnoniebieskiej spódnicy z grubej wełny i w dopasowanym kożuszku. Gdyby nie gruba warstwa śniegu na chodniku, stukałaby obcasami. Przez ramię miała przewieszoną niedużą skórzaną torebkę.

Jasne, gęste włosy błyszczały i delikatnie falowały przy każdym ruchu.

Gdy w tle zamajaczyły bloki Osiedla II, lekko zwolniła.

Było mroźno; kiedy wychodziła z domu, od razu poczuła szczypanie w policzki i w uszy. Po dwudziestu minutach szybkiego marszu zrobiło się jej jednak ciepło. Zdjęła futrzane rękawiczki – dłonie miała wilgotne. Odsunęła zimny suwak w torebce. Wsunęła jedną dłoń, żeby się upewnić, że on tam jest, mimo że sprawdzała to już kilka razy. Był. Zimny kawałek metalu, P-64, jej polisa na życie. Zazwyczaj nie nosiła broni i, co może się wydać dziwne u milicjantki, nie lubiła jej. Strzelała nieźle, choć rzadko. Nie rozumiała prawie nabożnego traktowania pistoletów przez mężczyzn jako znaku władzy i fetysza przemocy. Dzisiaj jednak czuła się z nim bezpieczniej.

Zatrzymała się przy witrynie salonu fryzjerskiego. Zakład był już zamknięty. Zajrzała przez duże okno wystawowe. Na ścianie naprzeciwko wisiały lustra. Zobaczyła w nich zgrabną, młodą blondynkę z zaróżowionymi policzkami.

Taką, która właśnie idzie na randkę. Albo na proszony obiad.

Albo na spotkanie z mordercą.

Peruka trzymała się mocno. Była naprawdę fajna, udatnie imitowała prawdziwe włosy. Beata się postarała. Ada powiedziała jej, że na niedzielę znowu potrzebuje się zrobić na blond, bo takie są upodobania mężczyzny, z którym się spotyka. Farbować się nie będzie, na jeden raz się nie opłaca. Beata była zaintrygowana i próbowała z niej wycisnąć, kto to taki, czy ten ze stołecznej, a może ktoś nowy, miejscowy, ale Ada tylko położyła palec na ustach. Wiedziała, że Beata dochowa dyskrecji, sprawy damsko-męskie traktowała śmiertelnie poważnie, a jeśli chciała mieć w przyszłości dostęp do informacji o kolejnych randkach „w dechę", jak tę nazwała, to nie mogła zdradzić pikantnych sekretów porucznik Krzesickiej.

„O ile będą kolejne randki". Ada tym razem wymacała pistolet przez zesztywniałą skórę torebki.

Wzięła głęboki oddech.

Już czas.

***

Weszła na klatkę. Chrząknęła. Po chwili na prowadzących do piwnicy schodach pojawiła się głowa Tomczyckiego. Miał tu przyjść wcześniej, w pożyczonym płaszczu. Jeśli Kunda lustrowałby ulicę z okna, nie zobaczyłby ich razem. Nie widziałby sierżanta Tomczyckiego i porucznik Krzesickiej, tylko przygarbionego mężczyznę w długim, przydużym płaszczu i atrakcyjną blondynkę w rozkloszowanej spódnicy.

Ta peruka to ostateczna próba, a raczej prowokacja. Ada chciała go zmusić do jakiejś niekontrolowanej reakcji, chciała, by odsłonił się na chwilę, jak wtedy, w sylwestra, kiedy zobaczył jej przefarbowane włosy. Nawet jeśli jej nie zaatakuje, to jego zachowanie może wiele ujawnić. Wiedząc, że to koniec, Kunda może wpaść w panikę, walczyć, uciekać, tłumaczyć, prosić i Bóg wie co jeszcze. Zdawała sobie sprawę z ryzyka, ale wydawało się warte podjęcia. Miała za sobą Tomczyckiego, P-64 i element zaskoczenia. Ale czy na pewno? On też – jak przeczuwała – wie, że gra dobiega końca, i może przygotować dla niej zamiast obiadu jakąś niespodziankę. „Byle wytrącić go z równowagi" – pomyślała.

Co ją czeka za drzwiami? Czy Tomczycki będzie na tyle czujny i wykaże się refleksem, żeby wkroczyć w odpowiedniej chwili? Czy wyłapie ten moment: szamotaniny, zduszonego krzyku, padającego na ziemię ciała? Czy nerwy go nie zwiodą i nie wkroczy zbyt szybko, paląc akcję?

Nie zgłosiła tego Szkudle ani nikomu innemu. Nie zadzwoniła nawet do Andrzeja, który z całą pewnością próbowałby odwieść ją od tego pomysłu. Niezwykle nieregulaminowa niesubordynacja, ale inaczej nie dałoby rady, nie dostałaby zgody na tę akcję. Jeśli więc coś się jej stanie, sama będzie sobie winna. Komendant jak zawsze wyjdzie z tego obronną ręką. Ciekawe jednak, co zrobi – odkręci oskarżenia wobec Nowaka czy dołoży kolejną osobę do milicyjnych statystyk i doprowadzi do skazania obydwu: seryjnego i pojedynczego?

Żeby tylko Tomczyckiemu nic się nie stało. Los tego chłopaka coraz bardziej leżał jej na sercu. Martwiła się o niego tak, jak martwiłaby się o nią jej mama, gdyby ćwierć wieku temu nie potrącił jej samochód. Albo jak ta zgwałcona kobieta, która samotnie umierała w Parku Krasińskich, martwiłaby się teraz o swoje dorosłe już dzieci.

Wtedy Ada nie zrobiła nic. Przez kilka miesięcy była bezradna i tu, w Suwałkach. Zginęły trzy kobiety, jedna z nich osierociła małą dziewczynkę.

Koniec z tym. Teraz nie skrewi, załatwi tę sprawę.

Przełknęła głośno ślinę. Kątem oka widziała Tomczyckiego na półpiętrze. Z mieszkania niżej dobiegał zapach smażonych na smalcu kotletów, gdzieś obok grało radio. Zwyczajna sobota.

Zapukała do drzwi.

Była napięta jak struna. Ręce jej drżały, przez tętnice z łoskotem przewalał się wodospad krwi.

Nic, żadnego ruchu.

Odczekała chwilę i zapukała ponownie.

Znowu bez efektu.

Adres, blok, klatka, piętro, metalowa dziewiątka na drzwiach i tabliczka z wygrawerowanym napisem: „Jan Kunda" – wszystko się zgadzało.

Prócz tego, że nikt jej nie otworzył.

Zapukała po raz trzeci i gdy tym razem jedyną odpowiedzią była cisza, nacisnęła klamkę. Drzwi ustąpiły.

Wyciągnęła pistolet z torebki i odbezpieczyła go. Spojrzała przez ramię i gestem dała znać Tomczyckiemu, że wchodzi.

– Janie? – powiedziała przez wyschnięte usta.

Nie odpowiedział.

Ostrożnie przesuwała się wąskim korytarzem. Wieszak z jednym nakryciem na haczyku, czapka, szalik i rękawiczki równo ułożone na półce powyżej. Po prawej otwarte drzwi do pokoju, chyba sypialni. Tapczan z kapą, mała lampka nocna na ścianie i szafa w rogu. Weszła. Zajrzała za drzwi – pusto. Skrzydła szafy były zamknięte. W tapczanie – tylko pościel. Wycofała się.

Kolejne pomieszczenie po prawej. Kuchnia. Wypucowany blat, czysty zlew. Na ociekaczu jedna szklanka, koszyczek, czy jak tu chcą: podstakannik, spodek i łyżeczka.

Na niedużym stoliku z taboretem obok gładka cerata. „Ciekawe, przecież nawet ktoś samotny kupiłby dwa taborety" – pomyślała.

W tej kuchni było jak w laboratorium. Pewnie gdyby zajrzała do szafki, znalazłaby w niej chloroform.

Zajrzy potem.

Chyba że...

Znów była na korytarzu.

Pomieszczenie na wprost – łazienka. Wanna, sedes, między wyolejowanymi ścianami suszarka z jedną równo rozwieszoną koszulą, mała szafka nad umywalką i tyle.

Ostatnie niesprawdzone miejsce – duży pokój.

„Musi tu być, tacy jak on nie rejterują – myślała. Serce waliło jej jak oszalałe. – Gdzie on się, kurwa, schował?". Na balkonie? Nie, przeszklone drzwi były na wprost, dobrze widoczne, zamknięte. Za szybą, na małym kawałku betonu z barierką – pusto.

Ostrożnie stawiała kroki.

Po prawej meblościanka, błyszcząca. Wszystkie zamknięte szafki zbyt małe, by skryć człowieka. Na półkach pojedyncze przedmioty.

Pośrodku pokoju, na dywanie, stół. Tu krzesła były dwa. Na białym obrusie zobaczyła przygotowaną zastawę: duży talerz, na nim głęboki, obok sztućce i pusta szklanka. Pojedyncza. Dla gościa czy dla gospodarza? Dla tego, kto przeżyje?

Oprócz zastawy na stole był też mały, wysoki brązowy wazon z samotną czerwoną różą.

„Nie mogę, nie wytrzymam. Jezu, kurwa, co on wymyślił?" Ada czuła, że za chwilę przestanie nad sobą panować, zacznie krzyczeć, rozwalać wszystko albo spierdoli. Po prostu nie zniesie tego napięcia. Była spocona, w dłoni ślizgał jej się pistolet. W uszach szumiało, jakby stała przy wodospadzie. „Oddech, wyrównaj oddech” – powtarzała jak mantrę. Trochę pomogło.

I wtedy go zobaczyła.

Po lewej stronie, na tapczanie.

Jan Kunda, w szarym garniturze, pod krawatem w czarno-niebieskie pasy i w białej koszuli. Na nogach miał wypastowane wyjściowe czarne buty. Był bardzo elegancki, naprawdę się przygotował na jej przyjście.

Leżał nieruchomo, z rękami ułożonym wzdłuż ciała.

Schludnie. „Schludnie” – znowu to do niej wróciło. Jedynym elementem, który zaburzał harmonię wystudiowanej sceny, była pusta strzykawka, leżąca na dywanie tuż obok tapczanu.

Nawet opaska się nie przesunęła – czarny pasek satyny równo zakrywał oczy.

* * *

– Posłuchaj mnie. – Ada znowu potrząsnęła Tomczyckim, który wyglądał jak katatonik w stuporze. – Idziesz do domu. Wychodzisz przez te drzwi. – Wskazała ręką na koniec przedpokoju. – Schodzisz na dół i okrężną drogą wracasz do rodziców. Stawiasz kołnierz, czapkę wciskasz na uszy i się garbisz. Uważaj na perukę, żeby ci nie wypadła spod płaszcza. – Ada znowu była brązowowłosa. – Już na klatce ściągasz ten płaszcz i zanosisz go do piwnicy razem z peruką. Tam wkładasz swoją kurtkę. Pakunek zabiorę wieczorem, nie zatrzaskuj kłódki. Idziesz na górę, pytasz matkę, czy jest już obiad, a potem zjadasz zrazy z buraczkami czy co tam przygotowała jakby nigdy nic, popijając kompotem. Rozumiesz? Piotrek, rozumiesz?

Tomczycki pokiwał mechanicznie głową. Przypominał samochodowego pieska, potakującego łebkiem na wybojach.

– Nie było cię tu. O sprawie się dowiesz, kiedy po ciebie podjedziemy. Zdziwisz się. Nie będziesz rozmowny, bo chyba bierze cię przeziębienie. Jasne?

– Tak. Ja... to... cieszę się, że pani porucznik... – Tomczycki nie potrafił się zebrać. Z napięcia, nerwów i ze zdziwienia. Był przygotowany na wszystko, ale nie na taki finał.

Ada zresztą też nie.

Jan Kunda nie żył. Najprawdopodobniej odebrał sobie życie. Jak – sekcja wykaże.

Tomczycki już poszedł, ona także zaraz wyjdzie. Pójdzie prosto na komendę. Powie, że Kunda się z nią umówił na obiad. Owszem, miała wobec niego jakieś podejrzenia, więc z ciekawości poszła, no ale żadnego dramatu się przecież nie spodziewała. O Tomczyckim oczywiście ani słowa. Za taką zorganizowaną samowolnie akcję obydwoje dostaliby wpisy do akt. Pal sześć ona, ale dla Tomczyckiego mogłoby się to źle skończyć. Szkudła nie uwierzy, ale chuj z nim. Nie będzie przecież drążył, może nawet się ucieszy, że już mu nie będzie dupy truła kolejnym podejrzanym. A potem przez następne tygodnie i miesiące będzie chodził w glorii – wszystkie blondynki w województwie będą mogły spać spokojnie.

Będą mogły, fakt, ale nie dlatego, że Nowak grzeje pryczę. Jan Kunda nie żyje, więc żadna już nie zginie.

* * *

Tym razem było jej zimno. Głowa, pozbawiona grubej peruki, marzła. Ona cała marzła. Adrenalina opadała, krew wolniej krążyła.

Na lewej dłoni miała rękawicę, prawą włożyła do kieszeni kożuszka. Obracała w palcach dwie szklane kulki.

To Tomczycki je zauważył. Leżały w głębokim talerzu, dlatego za pierwszym razem ich nie dostrzegła. Na małej białej kartce z napisem: „Dla Ady".

Dwie nieduże szklane kulki z błyszczącymi niebieskimi drobinkami w środku.

Zabrała je razem z kartką. Wylądowałyby niebawem na zakurzonych półkach magazynu, skatalogowane jako nic nieznaczący dowód.

Na półce nad tapczanem stał słój z wieloma takimi kulkami.

Gdzieś był inny, większy, wypełniony płynem. I odmiennymi kulkami. Ostateczny dowód. Tego była pewna.

I była też prawie pewna, że z tą wiedzą zostanie sama, Tomczyckiego nie licząc.

Wyściskane kulki były tak ciepłe, że prawie ją parzyły.

Stanęła przed drzwiami komendy. Wyciągnęła rękę z kieszeni i położyła ją na klamce.

Weszła.

Rozdział 34

Badania wykazały, że Jan Kunda zmarł po przyjęciu dużej dawki środka usypiającego, stosowanego w weterynarii. Szybka i właściwie przyjemna śmierć. Mimo bardzo skrupulatnego przeszukania – a Ada tego dopilnowała – nie znaleźli niczego, co można by połączyć z morderstwami. Elegancko i schludnie wyczyścił mieszkanie. Przygotował się jak zawsze perfekcyjnie. Nawet umarł na własnych warunkach. I o to chodziło; żadna kobieta nie będzie się wtrącać w jego scenariusz. Ada była pewna, że poza mieszkaniem, w piwnicy, samochodzie, biurze, także niczego nie znajdą. Była wściekła z bezsilności. Oczywiście, nie dopatrzono się udziału osób trzecich, sprawa została uznana za samobójstwo. Smutne powtórzenie losu matki. Akurat!

Szkudła wysłuchał wersji Ady. „Smutne, bo zawsze żal, gdy człowiek umiera. Już przy Harabasiuku mówiłem, że psychika ludzka nie wszystko jest w stanie wytrzymać. To może i lepiej dla niego?..." Pytanie zawisło, ale nie wymagało odpowiedzi. Oboje swoje wiedzieli – życie musi się toczyć dalej.

Pogrzeb był bardzo ładny, w pięknej oprawie: bezchmurne niebo, słonecznie.

Problem sprawiało przygotowanie dołu na cmentarzu, bo mróz ścisnął, ale jakoś poszło. „Szkoda, że matkę dał do pojedynczego grobu, teraz by razem leżeli, już na zawsze" – powiedziała jakaś stojąca obok Ady kobieta, gdy grabarze spuszczali trumnę. „Wtedy pewnie nie myślał, że pójdzie w jej ślady" – odparła druga.

Proboszcz się zachował kulturalnie. Nic nie mówił o odebraniu sobie życia, tylko o wielkiej miłości, jaką matka darzy dziecko, a dziecko ją jej zwraca. Ludzie byli wzruszeni.

Tadeusz Nowak przyznał się do winy, skutecznie kuszony niższym wyrokiem. Dostał dożywocie, co w porównaniu ze stryczkiem było bardzo ładnym gestem prokuratora i sądu.

Sprawa została definitywnie zamknięta.

Epilog

Koperta była duża, A4. Dość gruba, jasnobeżowa, jak liście lip, które wysuszone upalnym latem, w tym roku wcześniej zaczynały jesienne przygotowania do odpoczynku.

Ada spojrzała na kobietę, która przyniosła tę przesyłkę na komisariat.

Krystyna Szczerba, sąsiadka Jana Kundy. Przesłuchiwała ją wtedy, w styczniu. Nic nie widziała i nie słyszała, bo akurat była w szpitalu, u męża, który przeszedł zawał. Już to ją rozstroiło, mimo że rokowania były dobre (zresztą się sprawdziły, inżynier Szczerba wrócił do pracy). Śmierć Jana się dołożyła – pani Krystyna zemdlała. Ocucona, wyszlochała, że nie ma pojęcia, dlaczego Jaś, jak go nazywała, miałby się zdecydować na taki desperacki krok. Był spokojny, miły. Owszem, kiedyś, no bo sierota i matka o nieunormowanym życiu osobistym, to wiadomo, że dzieciak ma ciężko, ale niedobre wydarzenia w jego życiu zmieniły się w złe wspomnienia, a te z biegiem lat się zacierały. Dlaczego więc teraz?...

– A skąd pani wie, że to dla mnie? – zapytała Ada. Nie była zadowolona z tej wizyty. Pani Krystyna pewnie była miłą starszą panią, ewidentnie jednak zafiksowaną na punkcie Jana Kundy, którego traktowała jak syna. Z takich obsesyjnych miłości rodziły się obsesyjne pomysły. Ale przecież nic nie widziała, nie mogła, skoro wtedy czuwała przy mężu w szpitalu. Może po prostu lekko zbzikowała, gdy Kunda umarł? I szuka wyjaśnień, pomocy – a do tego lepsza kobieta, czyli właśnie Ada.

– Bo w środku jest druga koperta, a na niej już napisane, że to dla pani. Tę dużą to ja otworzyłam, skoro w mojej skrzynce... Pogięła się trochę, bo wciśnięta. No i dziwna, bo pusta, znaczy bez wpisanego adresata i nadawcy. Znaczka brak, stempla brak. Ale ta mała... – Kobieta znowu się rozszlochała. – Przepraszam, ale nie mogę, to na pewno on pisał. Ja znam jego charakter pisma, bo gdy w szkole był, to ja mu czasem w lekcjach pomagałam. I on zawsze taki uważny, staranny. I tak ładnie literki stawiał, jakby w zeszycie do kaligrafii. Potem też, jak pocztówki z Gdańska szły. – I znowu szloch.

I bez Krystyny Szczerby Ada by wiedziała, że to Jan Kunda napisał na kopercie: „Dla porucznik Ady Krzesickiej. Do rąk własnych". Te dwa wyrazy z kartki, na której leżały podarowane jej szklane kulki, wyglądały identycznie, właśnie tak, jakby wykaligrafował je arcystaranny uczeń.

Ada poczuła, że w gardle rośnie jej gula. „O co tu chodzi?" Nawet najzmyślniejsza, najlepiej zorganizowana bestia nie wysyła listów po śmierci.

– Ja nic nie rozumiem... No bo jak to teraz? Tyle miesięcy już minęło, od kiedy... – Krystyna Szczerba patrzyła na nią bezradnie. W jej szarych, spłowiałych oczach były smutek i zagubienie, które domagały się wyjaśnienia. Najlepiej takiego, które raz na zawsze zamknie wieko tej niespodziewanie otwartej trumny.

– Na pewno jest logiczne wyjaśnienie. Jan... Pan Kunda obiecał mi pewne informacje do jednej ze spraw... Nie bezpośrednio, ale z pewnego źródła... Może je zebrał, ale nie zdążył dostarczyć, a ten ktoś zrobił to za niego, tyle że *incognito*, bo to jednak taka sprawa, że... Przepraszam, ale tajemnica śledztwa – brnęła w ten mętlik, bo nic innego nie przychodziło jej do głowy. Chciała jak najszybciej spławić tę kobietę, ale zarazem w taki sposób, żeby nigdy nie wróciła. Tajemnica śledztwa zwykle działała na szarych obywateli. W tym przypadku chyba też. Krystyna Szczerba, choć z ociąganiem, wstała i podeszła do drzwi.

– A jeśli to coś, co mogłoby przynieść otuchę tym, którzy cierpią po jego śmierci, jak ja, to powie pani, pani porucznik? – zapytała z prośbą w oczach. – To naprawdę był taki dobry chłopiec. Ja wciąż tak o nim myślę: mały, bezbronny chłopiec, jak wtedy, kiedy go poznałam. – I znów sięgnęła po chusteczkę.

– Oczywiście, obiecuję. – Ada, wbrew sobie, objęła ją ramieniem i delikatnie skierowała do wyjścia. – Teraz najważniejszy jest spokój. I czas, bo czas leczy rany. – „Kurwa, co ja plotę? Gorzej niż proboszcz". – Do widzenia – dodała, choć wolałaby: żegnam.

Została sama. „Mały, bezbronny chłopiec, akurat" – pomyślała. Drżącymi rękami rozdarła papier. W kopercie był kluczyk i kolejna karteczka: „Skrytka numer 18". Czyli coś czekało na nią na poczcie. Poczuła mrowienie. „O co tu, kurwa, chodzi?!" Ciało Jana Kundy z prosektorium pojechało do równie zimnego ostatniego miejsca pobytu, a potem na trumnę poleciały bryły zamarzniętej ziemi. Został tam, aż zgnije w ziemi albo powstanie w dzień Sądu Ostatecznego, w zależności od tego, w co wierzył. Nie mógł wrzucić tej koperty do skrzynki sąsiadki, choć pismo na pewno było jego. Zrobił to więc ktoś inny. Ale kto? I dlaczego właściwie sąsiadka miała pośredniczyć w przekazaniu tej przesyłki? To by znowu wskazywało na Kundę, który miał do przyszywanej ciotki zaufanie i wiedział, że kobieta wykona zadanie.

Ada schowała kluczyk do kieszeni, koperty i kartkę złożyła i ostrożnie wsunęła do torebki, pamiętając, aby później dać je technikom do zbadania. Zdjęła rozpinany sweter z oparcia krzesła i poszła do wyjścia.

– O, pani porucznik wychodzi? – zapytał Tomczycki, który właśnie przyszedł do pracy.

– Tak. Mam coś do załatwienia. – Przez chwilę się zawahała, czy nie zdradzić mu szczegółów, ale szybko odepchnęła od siebie tę myśl. „Lepiej, żebyś nie wiedział". Coś jej mówiło, że ta przesyłka to zapowiedź kolejnego horroru. – Na poczcie – dodała więc zgodnie z prawdą. Częściową prawdą.

* * *

Na poczcie był spory ruch. Gwar rozmów, szuranie i stukanie butów, łoskot przybijanych stempli. Skrytki znajdowały się z tyłu, na bocznej ścianie. Ada powoli przeszła przez całą salę, dyskretnie rozglądając się na boki. „Kunda nie żyje, ale ktoś tę kopertę wrzucił Szczerbowej" – myślała. Nagle poczuła strużkę zimnego potu. Początkowo sądziła, że to sąsiadko-ciotka coś wyniuchała i przyszła do niej po wyjaśnienia, a ta koperta to tylko pretekst. A może naprawdę jest ktoś, kto wie, że Ada nie była wtedy w mieszkaniu Kundy sama, i chce ją, znaczy ich, szantażować? Ale dlaczego dopiero teraz? Nie, to paranoiczne – szybko odrzuciła swoje pomysły.

Skrytka numer osiemnaście. Jest, drugi rząd od góry, czwarta od lewej. Średniej wielkości. Ada stała przed ścianą z metalowymi, pomalowanymi schowkami i odwlekała moment wsunięcia kluczyka do zamka. To, co ktoś już tam włożył, to fakt, wydarzyło, jest. Ale teraz, jeszcze przez chwilę, ten fakt jest niejako zawieszony w próżni. Póki Ada o nim nie wie, póki go nie zobaczy, nie dotknie, to jakby go nie było. Nic z nim nie musi robić. Kiedy przekręci kluczyk i otworzy drzwiczki, powoła ten fakt do życia. Będzie musiała zareagować, zacząć grać w tę grę, do której nadawca przesyłki ją zaprosił. Wiedziała, że to zaproszenie nie do odrzucenia.

Przełknęła ślinę. Nie może tak tu stać i gapić się na ścianę. Wyciągnęła kluczyk z kieszeni dżinsów, zamek kliknął, drzwi lekko odskoczyły. Otworzyła je szerzej.

Zobaczyła płócienny worek Nie, nie płócienny – jutowy.

Krew przyspieszyła.

O worek była oparta złożona na pół karteczka.

Rozłożyła ją: „Ostrożnie, szkło". Pismo Kundy. „Kurwa, o co w tym wszystkim chodzi?"

Włożyła karteczkę do kieszeni. Dotknęła dłońmi worka. Było w nim coś okrągłego. Przysunęła to coś do siebie. Dość ciężkie.

Odchyliła materiał. Zobaczyła błyszczący metal i szkło.

Słój.

Poczuła żółć w gardle. To musi być to, o czym pomyślała wtedy w mieszkaniu Kundy. Te dwie szklane kulki schowała w swoim mieszkaniu w puszcze po herbacie. Trochę nierozważnie, ale nie potrafiła się ich pozbyć.

Ale teraz nie kulek się spodziewała.

Długi wdech, spokojny wydech, długi wdech, spokojny wydech, długi wdech...

Najpierw zobaczyła przepasującą słój papierową banderolę. „To kara za to, że patrzyły". Kunda, znowu jego pismo. Delikatnie przesunęła ją do góry, żeby zobaczyć to, o czym już wiedziała i czego tak naprawdę oglądać nie chciała.

Fala żółci podeszła jeszcze wyżej.

W wypełnionym płynem słoju lekko zakołysały się gałki oczne. Trochę zmacerowane białawe kule ze zmętniałymi tęczówkami i źrenicami pozbawionymi blasku.

Mdłości, satysfakcja, że wiedziała, żal, że nie dała rady, złość na Szkudłę, współczucie dla Nowaka, a więc jednak, kurwa, co robić, psychopata, ale dlaczego, co skrywało jego dzieciństwo, ukryć czy powiedzieć – to wszystko zaatakowało ją w jednym momencie.

Uciekać, działać – mózg jednocześnie wysyłał jej sprzeczne sygnały.

I wtedy zobaczyła jeszcze jedną kartkę.

„Prawdziwy psychopata, wszystko na tych karteluszkach poplanował" – pomyślała, biorąc papier do ręki. Znowu złożony na pół.

Tego się nie spodziewała. To było gorsze niż wszystko inne w tej torbie. Adrenalina buchnęła, zalewając cały jej organizm.

Tym razem pismo wyglądało inaczej, nie ręka Kundy stawiała te litery:

„Przygotuj się. Zemsta sięga poza grób".